Abenteuer AMERIKA

Landschaften Städte Menschen

Eine Bilddokumentation von Heinz Steenmans mit Texten von Rudolf Metzler

Foto auf der Titelseite:
»Willkommen, ihr Geplagten, Geschundenen und Unterdrückten«, scheint die Freiheitsstatue auf New Yorks Liberty Island allen Neuankömmlingen entgegenzurufen, nachdem sie die unerwartet aufdringlichen Fragen der Einwanderungsbeamten haben über sich ergehen lassen müssen: »Was ist der Grund Ihres Aufenthalts in den USA?«, »Wie lange wollen Sie hier bleiben?« und »Wo werden Sie wohnen?« Doch zum Abschluß des ersten Gesprächs auf amerikanischem Boden kommt stets ein freundliches »You are welcome« über die Lippen des Mannes oder der Frau in Uniform. Diesen Willkommensgruß wird der Besucher dann jeden Tag ein Dutzendmal hören, weil es eine Antwortfloskel auf jedes »Dankeschön« ist und unserem »Bitteschön« entspricht. Die samt Sockel 93 Meter hohe Göttin der Freiheit kann man bis zu ihrem Strahlendiadem besteigen. Sie ist ein Geschenk des französischen Volkes zum 100. Jahrestag der Unabhängigkeitserklärung im Jahre 1876.

Produktion: Praesentverlag Heinz Peter
Produktionsleitung: Roland Gööck
Gestaltung: Günter Radtke

Gesamtherstellung: Mohndruck Graphische Betriebe GmbH, Gütersloh
Printed in Germany
ISBN 3-87644-075-0

Thilo Koch: Gottes eigenes Land

Jeder einmal Kolumbus! Die Entdeckung Amerikas — wir alle können dieses größte Abenteuer der Neuzeit heute wiederholen: täglich, stündlich starten die Düsenriesen zum Sprung über den Atlantik. Millionen von Europäern besuchen Jahr für Jahr die Neue Welt. Viele haben Verwandte in den USA, denn dem genuesischen Kapitän Cristoforo Colombo folgten unzählige Auswanderer, Eroberer, Flüchtlinge der Alten Welt, die drüben, in God's own Country *ein neues, ein freies Leben beginnen wollten. Aber war Amerika je Gottes eigenes Land? Ich habe mich das wieder und wieder gefragt, als ich drüben lebte. Amerikas Probleme sind riesengroß wie der Kontinent selbst. Amerikas innere Widersprüche sind dramatisch wie die kurze, heftige Geschichte des fünften Erdteils. Aber ein Herbsttag unter den brennend rot leuchtenden Bäumen des* Indian summer *an den Great Lakes, ein Blick vom Empire State Building bei Sonnenuntergang rundum über Manhattan, eine Fahrt über die Golden Gate Bridge von San Francisco, ein Abstieg in den Grand Canyon bei Morgengrauen — das waren Augenblicke, in denen auch ich ganz spontan empfand: Ja, dies ist ein besonderes Land, ich kann die Pilgerväter verstehen, die zum ersten Mal an diesen Küsten landeten, niederknieten, den Boden küßten und sich schworen, diesen Teil der Erde nie wieder zu verlassen, all ihre Kräfte zu nutzen, um ihrem Gott dafür zu danken, daß er ihnen Amerika geschenkt hatte. So schrieben sie es 1776 in ihre Verfassung, die Amerikaner, daß jedermann das Menschenrecht auf Leben, Freiheit und das Streben nach Glück haben solle, ganz gleich woher er komme, wer er sei.*

Freilich, die Idee von den unbegrenzten Möglichkeiten des einzelnen, sie erwies sich auch unterm Sternenbanner als nicht realisierbar. Aber sie war Motivation und Antrieb für Generationen von Amerikanern, das Äußerste zu wagen, um ihr so nahe wie möglich zu kommen. Und es stellte sich ein Begriff für dieses Streben nach dem größtmöglichen Glück für die größtmögliche Zahl von Menschen ein: The American way of life. *Er ist das eigentliche Abenteuer Amerika. Auch heute noch. Trotz aller Rückschläge und Zweifel und Niederlagen. Jeder, der dieses Buch aufschlägt, empfängt eine Ahnung davon. Kein anderer Kontinent strahlt diese besondere Faszination aus. Sie ist und bleibt das einzigartige Geheimnis Amerikas.*

Thilo Koch

Inhalt

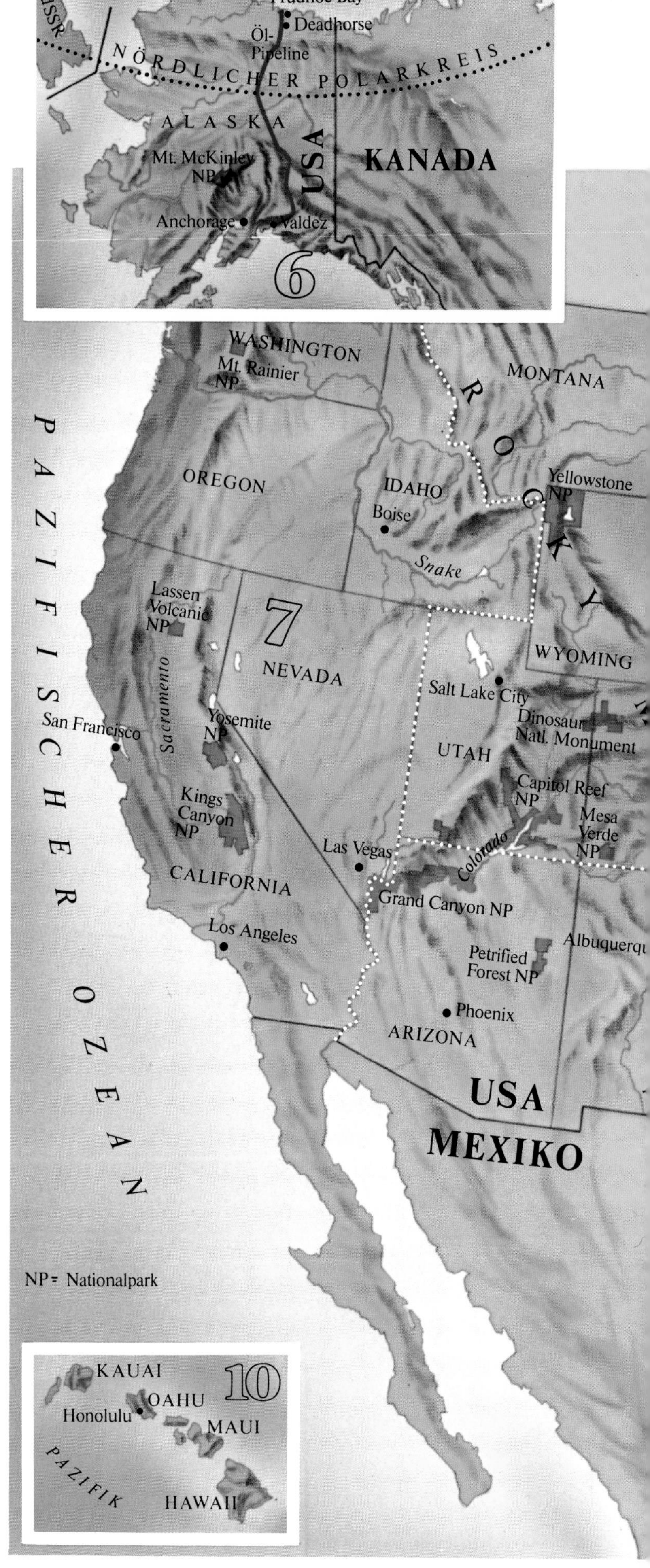

UdSSR
Prudhoe Bay
Deadhorse
Öl-Pipeline
NÖRDLICHER POLARKREIS
ALASKA
USA
KANADA
Mt. McKinley NP
Anchorage
Valdez
6
WASHINGTON
Mt. Rainier NP
MONTANA
ROCKY
OREGON
IDAHO
Boise
Yellowstone NP
Snake
PAZIFISCHER OZEAN
Lassen Volcanic NP
7
NEVADA
WYOMING
Salt Lake City
Sacramento
San Francisco
Yosemite NP
Dinosaur Natl. Monument
UTAH
Kings Canyon NP
Capitol Reef NP
Mesa Verde NP
Las Vegas
Colorado
CALIFORNIA
Grand Canyon NP
Los Angeles
Petrified Forest NP
Phoenix
ARIZONA
USA
MEXIKO
NP = Nationalpark
KAUAI
OAHU
Honolulu
MAUI
10
PAZIFIK
HAWAII

Die 50 Staaten der USA nehmen eine Fläche von 9,3 Millionen Quadratkilometer ein, rund gerechnet das 38fache der Fläche der Bundesrepublik Deutschland. Nur drei Länder der Erde sind größer: die Sowjetunion, Kanada und China. Auch im Hinblick auf die Bevölkerungszahl liegen die USA (221 Millionen Einwohner) an vierter Stelle der internationalen Statistik, nach China, Indien und der Sowjetunion. Zwei der fünfzig Staaten sind nicht mit dem Mutterland verbunden: Hawaii und Alaska. Puerto Rico hat einen Sonderstatus.

Das Einfallstor Amerikas

New York City · Staat New York · New Jersey

Hundert Jahre Erfahrungen im Umgang mit den Baustoffen Stein, Stahl und Beton liegen zwischen diesen beiden eigenwilligen Zeugnissen der Architektur in der Park Avenue, der immer noch vornehmsten Straße Manhattans: Die Stadtburg mit dem krönenden Aussichts- und Glockenturm als Abschluß und dahinter die 55 Stockwerke des von Walter Gropius gestalteten Verwaltungsgebäudes der Luftverkehrsgesellschaft Pan American World Airways, auf dessen Dach auch Hubschrauber landen können. Das Pan Am Building, 1980 für 400 Millionen Dollar an eine Bank verkauft, ist über dem Gelände der Central Station, dem Hauptbahnhof der Millionenstadt New York, errichtet, um auf diese Weise den sündteuren Baugrund auszunutzen. Der Blick auf die Park Avenue in Richtung Süden bietet sich von der Höhe des Waldorf-Astoria-Hotels aus, das seinem Namen dem aus Walldorf bei Heidelberg stammenden Johann Jakob Astor verdankt.

Im Banken- und Geschäftsviertel New Yorks recken sich seit 1973 die Zwillingstürme des World Trade Centers 412 Meter in den Himmel (unten). In der Brunnenanlage dazwischen die Bronzeplastik des Münchner Bildhauers Fritz König (linke Seite). Feuerleitern prägen das Bild der Geschäftshäuser aus vergangenen Zeiten (Bild links).

New York aus der Maulwurfs- und Vogelperspektive: In der grünen Oase des vier Kilometer langen und einen Kilometer breiten Central Parks läßt das Laub der Bäume den Lärm der Weltstadt nur gedämpft ans Ohr dringen (oben). Das mittlere Manhattan mit einer Fischaugen-Kamera aus dem Flugzeug in Richtung Süden aufgenommen (rechts). Oben das Empire State Building.

MACYS

In der engen Schlucht der Wall Street (im Hintergrund die Trinity-Kirche am Broadway) werden Geschäfte mitunter auch mit einem drahtlosen Telefon abgewickelt (links). Für die Mittagspause muß oft die Steinbank mit dem rastlosen Verkehr vor Augen herhalten (oben). In der New York Stock Exchange, der Welt größter Aktienbörse, werden an jedem Werktag Geschäfte in Höhe von mehreren hundert Millionen Dollar abgewickelt. Sie ist das feinfühlige Barometer der amerikanischen Wirtschaft (rechts).

NO PARKING
8AM - 7PM
MON - FRI
AUTHORIZED
VEHICLES
N.Y.S. CIVIL
SERVICE COMM.
SANDWICH SHO
105 West 55th St.
POST 3

Der Blick auf die Skyline von Manhattan, wie er sich den meisten überseeischen Besuchern darbietet, wenn sie sich im Bus oder Taxi über die Brooklyn-Brücke dem Häusermeer Manhattans nähern. Erfreulich dabei ist, daß die Häuser von Leuchtreklamen freigehalten werden (links). Um so strahlender erscheint dann das Innere einer Discothek (oben), Tummelplatz der Tanzbegeisterten.

FERRARA

Für die Freizeit seiner Bewohner hat New York viel zu bieten: En vogue ist noch immer das Rollschuhlaufen im Central Park. Die Läufer bewegen sich im Rhythmus der Musik, die sie über Kopfhörer empfangen (links). Zum Feierabend und zum Wochenende werfen sich die Schwarzen in Phantasiekostüme (unten links). Für die Besucher der Stadt findet die Kunstausstellung einfach auf dem Pflaster des Broadway statt (unten).

Niagara: Donnernde Wasser

Zum Abenteuer Amerika gehören die Niagara-Fälle an der Grenze des Staates New York zu Kanada. Sie haben sich in der Form eines Hufeisens in den weichen Untergrund eingefressen. Die Besucher können 55 Meter tief unter die donnernd in die Tiefe stürzenden Wasser hinabsteigen, die von den Großen Seen ihren Weg durch den St.-Lorenz-Strom zum Atlantik fortsetzen. Unten die kanadischen Fälle, an der Kammlinie 640 Meter breit, rechts die amerikanischen Fälle, 328 Meter breit. Beide stehen unter Landschaftsschutz.

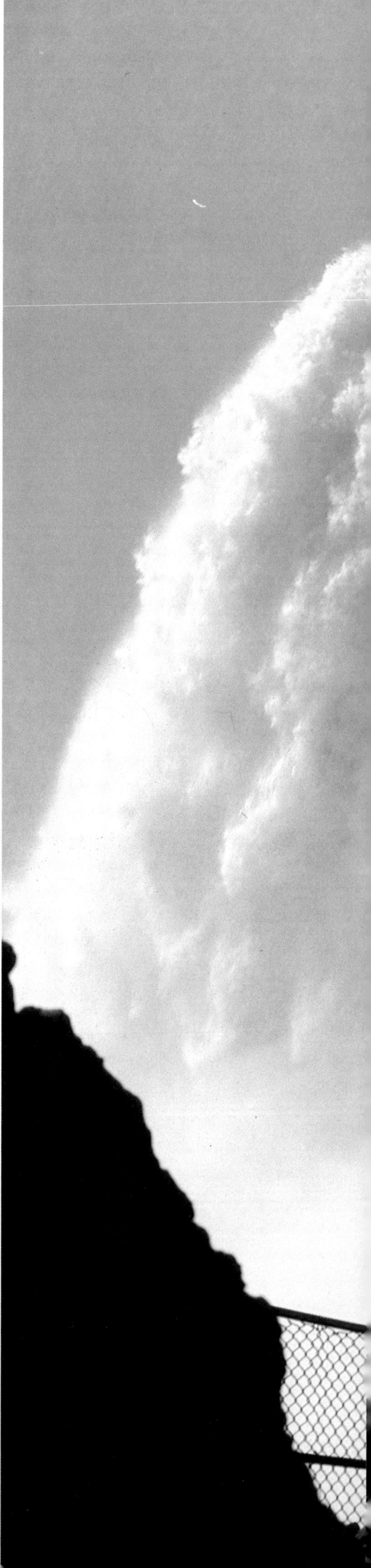

Das Völkerbabel am Hudson

Mehr als 2000 Hektar groß ist der J. F. Kennedy Airport, der 1949 eingeweihte internationale Flughafen von New York. Bis 1963 hieß er Idlewild. Jede große amerikanische Fluglinie hat ihr eigenes Abfertigungs-Gebäude im Flughafenbereich.

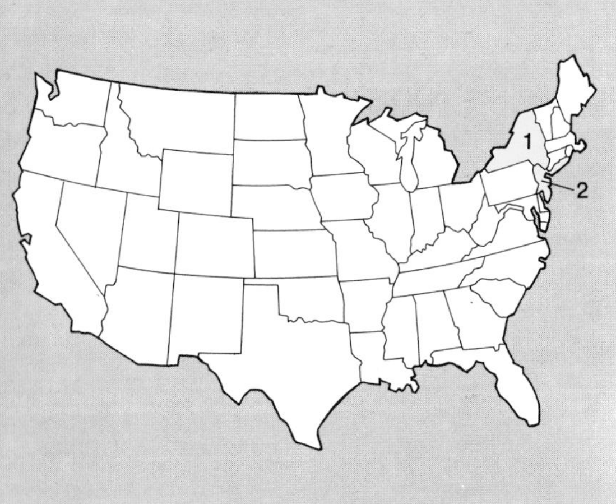

Mittelatlantische Staaten

1 New York
2 New Jersey

Kaum ein größerer Gegensatz ist denkbar als der zwischen der Betonwüste des John-F.-Kennedy-Flughafens, auf dem die meisten Neuankömmlinge zum ersten Mal ihren Fuß auf Amerikas Boden setzen, und den himmelwärts strebenden Steinwäldern Manhattans, die zu jeder Tages- und Jahreszeit in ein anderes Lichtbad getaucht sind. Die Vorfreude auf die grenzenlose Neue Welt tröstet den Besucher freilich über die unansehnliche Airport-Landschaft hinweg: Schier endlose graue Landebahnen, triste Leichtmetall-Hangars aus der Frühzeit der Fliegerei, kein Baum, kaum ein Grasbüschel, die nicht endenwollenden Passagierröhren des Empfangsgebäudes, schließlich die langen Warteschlangen vor den Gepäckbändern und der Paß- und Zollkontrolle.

Doch dann ein erstes freundliches Wort des Kofferträgers, die herzliche Begrüßung durch Verwandte oder Freunde, die Autofahrt durch die Straßen des Stadtteils Queens, neue Bilder, ungewohnte Eindrücke. Dann endlich der erste Blick auf Manhattan, immer noch die schönste Skyline der Welt — trotz vieler vergleichbarer Bauten in allen Erdteilen: im Sommer unter der Glut einer erbarmungslos niederbrennenden Sonne, im Frühjahr oder Herbst häufig im goldroten Schein eines Sonnenuntergangs, wie er hierzulande immer seltener anzutreffen ist, und wintertags leuchtend im Lichterglanz der Elektrizität, auch im Zeitalter des Energiesparens noch hinreißend und unverwechselbar.

New York City: Die Welt in der Nußschale

Manhattan präsentiert sich mit einer zur Mitte und zur südlichen Landspitze hin auftürmenden Wolkenkratzerlandschaft, die auf der dauerhaftesten und teuersten Felseninsel der Welt errichtet wurde. Der aus Wesel stammende und in holländische Dienste getretene Peter Minuit hatte sie 1626 den Manhate-Indianern noch für den Gegenwert von 39 Dollar abgekauft. Er nannte sie Nieuw Amsterdam, bis sich die frühen Siedler des Namens der ursprünglichen Bewohner erinnerten und sie umtauften.

In den 350 Jahren seit der ersten Besiedlung ist die Insel, mit dem Schiff innerhalb von zwei Stunden leicht zu umrunden, zum dichtestbewohnten Flecken der Erde herangewachsen. Mauerstein, Stahl, Zement und Glas machten sie zum Babel der modernen Welt, in dem viele sterben, ohne daß sie hier geboren wurden. Die Muttersprachen ihrer Bewohner sind spanisch oder italienisch, polnisch oder deutsch oder jüdisch, was leicht an ihrem Akzent zu erkennen ist.

New York City mit seinen fünf Stadtteilen Manhattan, Brooklyn, Queens, Bronx und Staten Island ist mitsamt den Vorstädten seiner Metropolitan Area immer noch eine der zehn größten Städte der Welt, wenn die Bevölkerung auch anderswo noch orgiastischer explodiert. *The big apple,* der dicke Apfel, wie die Glitzermetropole nach einem einst häufig besuchten Jazzlokal auch genannt wird, ist immer noch ein Anziehungspunkt für Menschen aller Rassen, Nationen, Eigenarten und Vorlieben.

Dazu trägt auch die zumeist frische Meeresbrise bei, die der die Stadt benetzende Atlantik heranführt. Die nach Salz und Jod schmeckende Luft macht den Kopf frei und erzeugt — vornehmlich zu früher und später Stunde — jenes Prickeln auf der Haut, das auch den bedächtigsten und zurückhaltendsten Zeitgenossen Unternehmungslust einimpft und ihn von einer Sehenswürdigkeit zur anderen treibt, auch wenn die Füße vom vielen Pflastertreten schon müde geworden sind.

New York ist die Welt in der Nußschale, weil die Welt in New York zu Hause ist. Vor allem ihr Klima und ihr Wetter können die Stadt, die auf der geographischen Breite von Mallorca, Neapel, Ankara, Peking oder Denver liegt, zu einem der angenehmsten Plätze dieses Planeten,

Ein bißchen Oldfashioned-Romantik darf es auch in Manhattan sein – und wenn es eine blumengeschmückte Pferdedroschke ist. Für Ausflüge, Besichtigungen und Hochzeitsfahrten sind Kutschen heute so beliebt wie einst: Nostalgie in New York.

aber auch zu einem Brutofen oder einer Kältekammer machen.

Die Stadt am Hudson und East River in Frühjahr oder Herbst, das bedeutet zumeist einen sonnenüberglänzten Tag wie Samt und Seide, der wie geschaffen ist, um durch das Künstlerviertel Greenwich Village oder Chinatown zu flanieren oder im Central Park spazieren zu gehen, in dem gerade die ersten Blumen blühen oder die Farbenpracht des Altweibersommers, von den Amerikanern *Indian Summer* geheißen, Einzug gehalten hat. Es kann sich aber auch zwölf Stunden und länger eine Wasserflut in die Häuserschluchten ergießen, als wolle der Himmel seine Schleusen nie mehr schließen und das Sündenbabel ins Meer schwemmen. Im Winter, wenn aus dem Eisschrank Kanadas ungehindert arktische Kaltluft nach Süden vordringt, lähmen häufig meterhohe Schneemassen das Leben der Millionenstadt. Im Sommer wiederum kann eine Hitzeglocke jeden Schritt außerhalb der zumeist vollklimatisierten Geschäfts- und Wohnräume zur Qual machen und häufig genug auch Opfer fordern. Obschon an einem großen Ozean gelegen, wird das Wetter New Yorks von einem Festlandklima mit extremen Schwankungen der Temperatur und der Feuchtigkeit beherrscht.

Die 16 Millionen Besucher aus aller Welt, die jährlich in die Stadt des *Big Business,* der Banken und Geschäfte, der Theater und Museen, des Vergnügens und des Sports einfallen, haben genug damit zu tun, die berühmtesten Sehenswürdigkeiten aufzusuchen und sie auf ihren Filmen festzuhalten. Sie sehen die 18 Millionen Amerikaner, die in diesem Ballungsraum wohnen und arbeiten, zumeist nur auf dem Weg vom Büro ins Restaurant oder zur U-Bahn an sich vorübereilen.

In den letzten Jahren hat eine Entwicklung eingesetzt, die dazu geführt hat, daß die Zahl der Berufstätigen nicht mehr unablässig wächst. Zumindest die Konzernspitzen großer Gesellschaften, die ihre Produktionsstätten über das ganze Land verteilt haben, zieht es immer mehr in die Herzstaaten der USA. Den Anfang machte vor ein paar Jahren der Multi Rockwell International, dessen weit über 100 000 Mitarbeiter in Kalifornien Raketen, in Oklahoma Geschäftsreiseflugzeuge und in Florida medizinische Geräte bauen. Die Rockwell-Bosse verlegten ihr Hauptquartier kurzerhand in das industriereiche Pittsburgh, wo schon andere Industrieriesen wie Gulf Oil, US Steel und Westinghouse Electric ihre Geschäfte betreiben. Die Pennsylvania-Stadt gleicht ihren Nachteil, nicht gerade in der geographischen Mitte der Vereinigten Staaten zu liegen, durch einen leistungsfähigen Flughafen mit vielen Verbindungen in alle Teile der USA aus.

Von New York weggezogen und einem Bündel lockender Angebote der größten texanischen Stadt Dallas gefolgt ist auch die inneramerikanische Luftverkehrsgesellschaft American Airlines. Sie hat einen schwarzen Glaspalast an der Third Avenue mit einem raffiniert dem Gelände angepaßten weißen Flachbau am Rande des Flughafens von Dallas vertauscht. Das günstige Mietangebot aus Texas erspart der Fluglinie für einen Zeitraum von vierzig Jahren nicht weniger als fünf Millionen Dollar jährlich. Nutzen zieht sie auch aus der unterschiedlichen Arbeitszeitregelung in den beiden Bundesstaaten. Während an der Nordostküste nur 35 bis 37 Stunden in der Woche gearbeitet werden, schreibt das texanische Gesetz noch 40 Stunden vor. Auch das niedrige Gehaltsniveau in dem Flächenstaat hilft der Gesellschaft sparen. Nachdem Eastern Airlines als größter Konkurrent bereits vor ein paar Jahren nach Miami umgezogen ist, verbleiben in New York von der Branche nur noch Pan American und Trans World Airlines, die allerdings inzwischen auch schon Abwanderungsgelüste verlauten lassen haben.

Die *musts* dieser Stadt, die man gesehen haben muß, weil sie nur hier existieren, sind Legion. Wo anfangen und wo aufhören? Welche Verkehrsmittel empfehlen, um die eigenen Gehwerkzeuge nicht frühzeitig müde werden zu lassen? Einst stand die Fahrt mit der Fähre vom Battery Park an der Südspitze Manhattans zur 93 Meter hohen Freiheitsstatue im Hafen am Anfang einer jeden New-York-Tour, für ganze 25 Cents erschwinglich. Die Bootsfahrt gehört auch heute noch zu den billigen Vergnügen. Die meisten jedoch bevorzugen die Schiffsfahrt rund um Manhattan für sechs Dollar, die am Pier 83 gegenüber der westlichen 43. Straße beginnt. Noch eindrucksvoller, wenngleich um das Zehnfache teurer, ist der Blick aus einem Hubschrauber der Island Helicopters, die vom westlichen Ende der 30. Straße und dem östlichen Ende der 34. Straße aus zu Rundflügen starten.

Einen atemberaubenden Blick über die Stadt gewinnt man nach wie vor vom 102. Stockwerk des 381 Meter hohen Empire State Building aus, wenngleich es von den 412 Meter hohen Doppeltürmen des World Trade Centers westlich des Bankenviertels inzwischen eindeutig überragt wird. An dritter Stelle der Hochhausstatistik folgt das für Besucher nicht zugängliche Chrysler Building mit seinen 77 Stockwerken gleich neben der vom PanAm-Gebäude überragten Central Station.

Aber auch aus der Fußgängerperspektive ist New York sehenswert. Es beginnt mit vielen historischen Bauwerken am Südende Manhattans, von wo die Avenuen — die Längslinien des leicht überschaubaren Straßenschachbretts New Yorks — ihren Ausgang nehmen, gekreuzt von den fortlaufend numerierten Straßen und der aus dem Schema fallenden Diagonalen des Broadway.

Wo der Broadway beginnt, erhebt sich auch das Rathaus der Stadt, von dem die früheren Bürgermeister sagten, sie regierten lieber hier als im Weißen Haus von Washington. Ein paar Steinwürfe entfernt liegt Wall Street mit der Börse, deren Aktienkurse in der ganzen Welt aufmerksam beachtet werden, das alte Zollhaus, vor dem der erste Präsident George Washington seinen Amtseid ablegte, sowie die Trinity-Kirche, die 1846 eingeweiht wurde und auf deren Friedhof die ersten New Yorker Familien begraben liegen.

An die Bowery, eine der ältesten Straßen der Stadt, die sich in der Dritten Avenue fortsetzt, grenzt das Chinesenviertel Chinatown. Seine Geschäfte bergen alle Kostbarkeiten, seine Garküchen verbreiten verlokkende Düfte des fernen Asiens. Nicht ganz so farbig, eher eintönig, schließt sich das italienische Viertel auf dem Weg nach Norden an.

Rings um den Union Square dann Greenwich Village, dessen Achsen die untere Fünfte Avenue und die 14. Straße bilden. Ende der sechziger und zu Beginn der siebziger Jahre war es in aller Munde, als sich hier eine neue Studentengeneration vorstellte und ihre Gedanken, Musik und Songs vortrug. Der Platz bekam unversehens mediterranen Charakter. Heute wird das Viertel vornehmlich von den Freiluftausstellungen der Maler, Graphiker und Bildhauer bestimmt, die ihre Arbeiten wohlfeil anbieten.

Greenwich Village: ein einziger großer Flohmarkt, tagsüber und bis tief in die Nacht hinein geöffnet. Er gewinnt an Reiz durch das durch und durch englische Bühnenbild, das ihn umgibt: die gleichen schmalbrüstigen Häuser aus roten Backsteinen mit steilen Treppen und wildwuchernden Gärten wie in den Vororten Londons, ausgetretene Pflasterwege und gußeiserne Laternen im Jugendstil, die an Paris erinnern und — zaghaft vorerst noch auf Gäste wartend — Straßencafés und Restaurants wie in Rom oder Mailand.

Das südliche Manhattan, bis zur 34. Straße reichend und Downtown genannt, hat stets eine besondere Anziehungskraft auf die Einwanderer ausgeübt, von denen viele zeitlebens hier wohnen blieben. Es gibt ältere Italiener oder Spanier, die nie die Sprache des Gastlands erlernt haben, sondern sich mit ein paar Brocken für die wichtigsten Dinge des Lebens begnügen. Seit mehreren Jahren haben Puertoricaner, die mit ihrem amerikanischen Paß ungehindert in das Land ihrer Sehnsucht einreisen können, den Europäern den Rang abgelaufen. Sie tragen dazu bei, daß die Slums auf der östlichen Seite der Stadt immer umfangreicher werden. Hier türmt sich der Abfall zu Bergen, weil viele Hausbesitzer ihre verfallenen Ruinen aufgeben und keine Gebühren für die Müllabfuhr mehr zahlen. Die Heilsarmee hat Straßenküchen eingerichtet, um den ärgsten Hunger der Arbeits- und Obdachlosen zu stillen. Jeder erbettelte Dollar wird in der nächsten Bar freilich in Bier und Fusel umgesetzt.

Die sich nördlich anschließende Midtown reicht bis zum Central Park an der 59. Straße. Noch immer gilt der Times Square, wo der Broadway die Siebte Avenue schräg durchschneidet, als der Mittelpunkt Manhattans. In den umliegenden Straßen reiht sich ein Theater und ein Kino an das andere. Der Glanz der zwanziger und dreißiger Jahre, als von hier aus Komödien und Musicals, Musikfilme und Krimis ihren Siegeszug um die Welt antraten, ist verblichen, der Ruhm der Stars und Starlets verwelkt, die Pracht der Logen und Foyers einem schäbigen Grau gewichen. Die *en suite* gespielten Theaterstücke laufen nicht mehr die ganze Saison über, Evergreens sind die Ausnahme geworden. Die Bühnen, die sich der Stücke zeitgenössischer Schriftsteller annehmen, sind in kleinere Theater abseits vom Broadway gezogen, daher *off Broadway* genannt. In den einstigen Uraufführungskinos der 42. Straße werden heute Blue movies und Pornofilme gezeigt, die mit dem Aufkleber *x-rated* werben, weil sie nur von Erwachsenen besucht werden dürfen. Schmutzige und trostlose Pornoshops vervollständigen die Straßenszene, die einst eine der vornehmsten der Stadt war.

Wenn er nur lange genug sucht, findet der New-York-Besucher im Umkreis des Times Square die traditionsreichen Theaterrestaurants, in denen man vor den Vorstellungen einen Drink nimmt oder hinterher speist, um seine ebenfalls hier verkehrenden Lieblingsschauspieler aus der Nähe betrachten zu können. In den Zen-

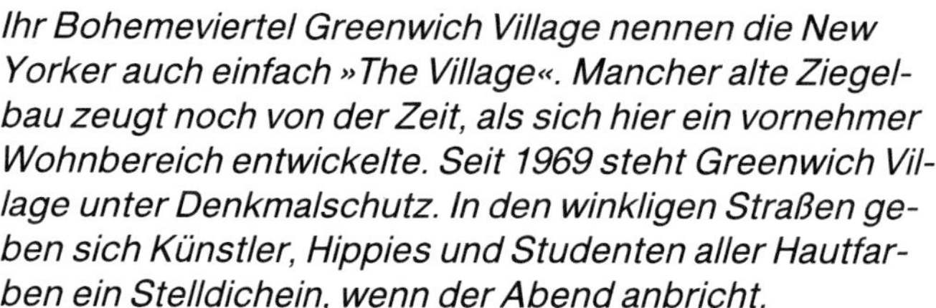

Ihr Bohemeviertel Greenwich Village nennen die New Yorker auch einfach »The Village«. Mancher alte Ziegelbau zeugt noch von der Zeit, als sich hier ein vornehmer Wohnbereich entwickelte. Seit 1969 steht Greenwich Village unter Denkmalschutz. In den winkligen Straßen geben sich Künstler, Hippies und Studenten aller Hautfarben ein Stelldichein, wenn der Abend anbricht.

tren der Bars drängen sich die Besucher um die mächtigen Theken, wo alle Gin- und Whisky-Sorten dieser Welt und die Modegetränke der Saison eingeschenkt werden. Daneben wird ein Tellerchen mit köstlichen Nüssen gestellt, eine Draufgabe, die sicherlich im Preis des Drinks inbegriffen ist und zudem den Vorteil hat, den Durst noch größer werden zu lassen.

Die Metropolitan Opera, eines der sechs oder acht großen Opernhäuser der Welt, das prominente Sänger und Sängerinnen anzieht wie das Licht die Motten, ist 1966 der Enge und dem Verfall der Midtown entflohen und hat im Lincoln Center für die darstellenden Künste an der Kreuzung des Broadway mit der 65. Straße eine neue, architektonisch eindrucksvolle Heimstatt gefunden. Der weite Platz wird links und rechts vom New York State Theatre und der Avery Fisher Philharmonic Hall eingerahmt, deren kühn emporsteigende Ränge und gelungene Akustik selbst in Europa ihresgleichen suchen. In der nach ihrem Mäzen benannte Philharmonie gastieren die namhaftesten Orchester der Welt und geben die großen Stimmen unserer Zeit Liederabende. In der Nachbarschaft sind auch die Juilliard School und das Vivian Beaumont Theatre zu Hause.

Den größten Charme entwickelt die Theater- und Musikstadt New York in ihren traditionsreichen Stätten, beispielsweise in der Carnegie Hall an der Ecke der Siebten Avenue und der 57. Straße, in der Benny Goodman 1938 sein berühmtes Konzert gab, das durch den Mitschnitt eines Jazzliebhabers Musikgeschichte machte. Um die Radio City Music Hall, die einer der großen vom Atlantik zum Pazifik reichenden Radio- und Fernsehketten der Vereinigten Staaten gehört, kennenzulernen, schließt man sich am besten einer der Führungen an. Tag für Tag bilden sich um den Straßenblock an der Avenue of Americas und der 50. Straße lange Schlangen, die nach Karten für eine der hier fast täglich aufgenommenen Fernsehshows anstehen.

Kultur und Subkultur blühen überall, wohin man seine Schritte in New York auch lenkt. Einzigartig aber ist die Museumsdichte, ganz gleich, ob man an die Quantität oder an die Qualität der gesammelten Schätze denkt. Mindestens 60 New Yorker

Museen genießen in der ganzen Welt Achtung und Ansehen. An der Spitze der Kunstmuseen rangiert das in Midtown gelegene Museum of Modern Art in der westlichen 53. Straße. Die Ausstellung zeitgenössischer Künstler und Kunstrichtungen verschafft einen Überblick über die Entwicklung von Malerei und Skulptur, die in der Bundesrepublik mit der Documenta in Kassel nur alle fünf Jahre geboten wird.

Mittelpunkt der New Yorker Museumslandschaft ist die Fünfte Avenue in der Höhe des Central Park. Hier finden sich zwei weitere unvergleichliche Schaufenster der Kunst, wie es sie nur in den USA gibt: Das von Frank Lloyd Wright erbaute Guggenheim Museum an der Ecke der 89. Straße, dessen wegweisende Werke des 20. Jahrhunderts man sich über eine spiralenförmig nach oben führenden Rampe erwandert, sowie das größte und zugleich amerikanischste aller Kunsthäuser, das Metropolitan Museum of Art gegenüber der 86. Straße, das die amerikanische Kunst bis zur Jahrhundertwende in 1600 Bildern, 1000 Aquarellen und Zeichnungen und mehr als 100 Skulpturen präsentiert. Aber es zeigt weitaus mehr, etwa Originalstücke der Architektur in der Form von Fassaden, Portalen und Loggien, auch Gebrauchs- und Kunstgegenstände aus Edelmetall, Glas, Keramik und Stein, Möbel aus der frühen Kolonialzeit und Volkskunst der Eingeborenen und Einwanderer.

Nur ein paar Häuserblöcke weiter liegt zwischen der 70. und 71. Straße das Frick Museum mit Sammlungen aus der Zeit des französischen Königs Ludwig XVI., an der 103. Straße das Museum der Stadt New York mit Zeugnissen aus den Geburtsjahren der Stadt sowie das berühmte Whitney Museum an der Ecke Madison Avenue und 75. Straße, das die größte Sammlung amerikanischer Kunst unseres Jahrhunderts beherbergt. Am Hochufer des Hudson liegen die Cloisters, eine Ansammlung europäischer Klöster und Kapellen, die mit dem Schiff nach New York gebracht und hier originalgetreu wieder aufgebaut wurden. In ihnen ist eine einzigartige Sammlung mittelalterlicher Kunst zu besichtigen.

New York und Manhattan, das sind auch seine Universitäten, seine historischen Denkmäler (das Fraunces' Tavern an der Pearl und Broad Street, das Grabmal General Grants am Riverside, das alte Zeughaus am Central Park oder Gracie Mansion an East End Avenue und 88. Straße, in dem der New Yorker Bürgermeister wohnt), seine Kirchen (an erster Stelle die neugotische St. Patrick's Cathedral an der Fünften Avenue zwischen 50. und 51. Straße, zugleich Sitz des New Yorker Erzbischofs, die Riverside Kirche mit ihrem 120 Meter hohen Turm und ihrem mit 74 Glocken größten Glockenspiel der Welt, sowie die St. John's Cathedral an der Amsterdam Avenue, eines der größten Bauwerke der Welt im gotischen Stil), seine Brücken (die Verrazano Narrows Bridge, die längste Hängebrücke der Welt; die 1867 von dem deutschen Ingenieur John Roebling erbaute Brooklyn Bridge über den East River sowie die George Washington Bridge über dem Hudson, über die 14 Fahrbahnen in zwei Stockwerken führen), seine Parks (mit dem Battery Park, dem East River Park und den zusammenhängenden Grünflächen im Norden Manhattans, den Zoologischen Gärten im Central Park und in Bronx) sowie seine vielen Borroughs oder Nachbarschaften, in denen sich zumeist geschlossene ethnische Gruppen niederlassen. Dazu gehört auch Yorkville, das die östlichen achtziger Straßen umfaßt und in dem Restaurants mit für Deutschen vertrauten Namen wie Loreley, Hofbrau, Bremen House und Café Hindenburg viele Landsleute anlocken.

Rings um die 125. Straße erstreckt sich das Negerviertel Harlem, das bis in den zwanziger Jahren noch von wohlhabenden Weißen bewohnt war, während heute leere Fensterhöhlen, ausgebrannte Läden und häßliche Brandmauern von den Rassenunruhen der vergangenen Jahre künden. New York besitzt auch zahlreiche Sportarenen, beginnend mit dem Madison Square Garden, Schauplatz großer Ringschlachten, Radrennen und Leichtathletik-Hallenveranstaltungen, das Yankee Stadium in Bronx, in dem vornehmlich Baseball gespielt wird, das Shea Stadium in Queens für die Liebhaber des Football, des amerikanischen Kampfsports, der eher mit dem Rugby als dem uns vertrauten Fußball verwandt ist, und schließlich das am gegenüberliegenden Hudson-Ufer in New Jersey liegende Fußballstadion von Cosmos New York, das durch das vierjährige Gastspiel des deutschen Spitzenfußballers Franz Beckenbauer Berühmtheit erlangte.

Staat New York: Erinnerungen an den Rhein

Wenn man den aus dem Staat New York kommenden Hudson mit dem Schiff hinauffährt, dann wird man an den Rhein erinnert. Dort wie hier tauchen Burgen, Schlösser, Klöster und Gutshöfe auf beiden Uferseiten auf, wobei die amerikanischen Bauten ihre europäischen Vorbilder nicht verleugnen können. Bewaldete Hügel begleiten den Fluß, der sich in vielen Windungen durch die Bear Mountains zwängt. Auch Weinberge lassen sich an den Hudsonhängen entdekken, wenngleich nicht in der Dichte, wie es weinselige Rheinbesucher gewohnt sind. Immerhin: In Brotherhood steht Amerikas ältester Weinkeller, in dem *Rhine Wine* lagert und in dem Kostproben unentgeltlich gereicht werden.

Der Hessen Lake hat seinen Namen von den hauptsächlich in diesem Land rekrutierten Söldnern des amerikanischen Unabhängigkeitskriegs. Die Militärakademie West Point am Fuße der Battle Mountains erinnert zugleich an einen der vielen Schlachtorte dieses Krieges, die jeder amerikanische Schüler lernen muß. Was europäischen Besuchern ungewöhn-

Die amerikanische Militärakademie West Point liegt im Südosten des Bundesstaates New York am rechten Hudson-Ufer. Die berühmte Ausbildungsstätte, 1802 gegründet, beherbergt 4400 Kadetten. Zahlreiche burgartige Bauten zeugen noch von der Gründungszeit. In den letzten 180 Jahren wurde das Akademiegelände von 75 auf 6470 Hektar ausgedehnt. West Point steht zur Besichtigung offen und bietet u. a. ein eigenes Militärmuseum in der Thayer Hall und das berühmte Battle Monument, eine Siegessäule.

lich erscheinen mag: West Point kann besichtigt werden und ist nicht nur für Militärhistoriker interessant.
Selbst die mehr als 400 Kilometer von New York entfernten Niagarafälle gehören noch zum Staat New York. Zumindest der rechte, der nach dem indianischen Namen für »donnerndes Wasser« benannt ist und eines der größten Naturereignisse darstellt. Zwischen Erie- und Ontario-See stürzen die Wassermassen in einer Breite von 300 Metern und aus einer Höhe von 60 Metern in die Tiefe, wo sie ein 60 Meter tiefes Becken ausgehöhlt haben. Der benachbarte, noch eindrucksvollere Hufeisenfall ist 900 Meter breit und nur 48 Meter hoch. Er liegt bereits auf kanadischem Boden. Hochseeschiffe können dieses natürliche Hindernis durch zwei Kanäle überwinden, um auf diese Weise alle Küstenstädte an den Großen Seen anzulaufen. Die höchsten Erhebungen im Staat New York bilden die Adirondack Mountains mit dem 1628 Meter hohen Mount Marcy. In dem nahe gelegenen Wintersportort Lake Placid am Fuße des White Face Mountain fanden im Februar 1980 die Olympischen Winterspiele statt.

New Jersey: Sandstrände und Kiefernwälder

New Yorks südlicher Nachbarstaat New Jersey zwischen Hudson und Delaware ist in weiten Teilen zu einem »Schlafzimmer« der Millionenstadt geworden. Der neuerbaute Flughafen der Stadt Newark, über Brücken und durch Tunnels innerhalb weniger Minuten von Manhattan aus zu erreichen, gilt nach John F. Kennedy und dem im Stadtteil Queens gelegenen La-Guardia-Flughafen (benannt nach einem früheren Bürgermeister) als der dritte New Yorker Flughafen, der einen beträchtlichen Teil des inneramerikanischen Verkehrs auf sich zieht. Auch über den Hafen Newark geht ein erhebliches Quantum der für die Stadt bestimmten Güter.
Der atlantische Küstenstaat besitzt lange, einsame Sandstrände mit dahinter liegenden weiten Kiefernwäldern. Von besonderem Reiz ist das Seebad Atlantic City, das den reichen New Yorkern noch vor einem halben Jahrhundert als begehrter Sommeraufenthalt diente. Zum Meer hin rekken sich gewaltige Hotelburgen in den Himmel, deren ungewohnt große Zimmerfluchten, lange Gänge, weite und hohe Empfangs-, Ball- und Speisesäle sowie altmodische Aufzüge von vergangener Pracht erzählen. Der Zahn der Zeit machte kostspielige Reparaturen und aufwendige Erneuerungsarbeiten notwendig. Sie lohnen den Aufwand inzwischen nicht mehr, da das zahlungskräftige Badepublikum seine Zelte längst in Florida, in Mexiko oder in der Karibik aufgeschlagen hat. Alle diese Reiseziele sind dank der Entwicklung des Flugverkehrs innerhalb von drei Stunden bequem und erschwinglich zu erreichen. Das ist etwa die gleiche Zeit, die man früher für eine Autofahrt von New York nach Atlantic City benötigte.
In jüngster Zeit wird der Versuch unternommen, das einstige vornehme Seebad in ein Spielerparadies à la Las Vegas zu verwandeln. Die altersschwarzen Hotelpaläste werden abgerissen und durch neue ersetzt, in denen rund um die Uhr die Spielertische besetzt sind und die Glücksautomaten rattern. Der Reiz vergangener Jahrzehnte ist aber noch auf der Strandpromenade zu verspüren, die aus Holz besteht und vom Autoverkehr freigehalten wird. Auf ihr kann man ungestört spazierengehen, die Auslagen in den Schaufenstern der vielen Geschäfte bestaunen und den Rummelpark besuchen.
In Atlantic City befindet sich auch das Technische Zentrum des amerikanischen Luftfahrtbundesamts, in dem neue Flugsicherungsanlagen auf ihre Verwendung im alltäglichen Verkehr hin überprüft werden. New Jerseys Hauptstadt Trenton liegt am linken Ufer des unteren Delaware. In der 1714 gegründeten Stadt sind noch eine Anzahl Bauten aus der Kolonialzeit erhalten, die einen südlichen Charme ausstrahlen. Trenton war im Unabhängigkeitskrieg mehrfach umkämpft und weist einige Denkmäler auf, die an diesen wichtigen Abschnitt der amerikanischen Geschichte erinnern.

Wo alles begann

Connecticut · Boston · Massachusetts · Rhode Island
Vermont · New Hampshire · Maine

Jede Küste verbreitet eine Stimmung von Abschied und Wiederkehr. Die Strände der Neu-England-Staaten lassen das ferne Europa ahnen, von dem aus dieser Landstrich entdeckt, erobert und in der Folgezeit immer wieder angesteuert wurde. Der Leuchtturm in Maine, der allnächtlich seine Lichtfinger in den Himmel wirft, verrät etwas von der Einsamkeit, die hier ertragen werden muß. Schiffahrt und Fischfang sind die Haupterwerbszweige an der buchtenreichen Atlantikküste von Connecticut, Rhode Island, Massachusetts, New Hampshire und Maine. In den kleinen Hafenstädten scheint die Zeit stillzustehen. Hier treffen sich Seefahrer, Fischer und Bootsbauer an den langen Winterabenden in den alten Hafenkneipen, in die sich so leicht kein Fremder verirrt, um den Lauf der Welt aus ihrer von den Vorvätern überlieferten Sicht zu beleuchten. In erster Linie aber geht es um ihre eigene Welt, um das Meer, ihre Schiffe, das Wetter und den Fang.

Im Schiffahrtsmuseum von Mystic Seaport in Connecticut liegen viele Windjammer inzwischen auf dem Trockenen (unten). Im Hafen von Rockport (Massachusetts) bietet ein Fischer stolz einen gefangenen Riesenhummer zum Verkauf an (darunter). Die romantischen Gassen des Fischerstädtchens sind Anziehungspunkt für viele Touristen (rechte Seite). Die alte Steinbrücke in Vermont ist für Fremde schon schwieriger zu finden (unten rechts). Das traditionsreiche Bauwerk wird als Denkmal sorgfältig gepflegt.

Holland House
IMPORTS · JEWELRY · CLOCKS
Rockport Leather Design
HOLLAND HOUSE

Das Erbe der Vergangenheit wird in der Neuen Welt häufig sorgfältiger gehütet als in der Alten. Dieser Eindruck drängt sich auf, wenn man die vielen erhaltenen überdachten Flußbrücken in New Hampshire sieht (oben). Die Halbinsel Kap Cod in Massachusetts ist mit ihren weiten Sanddünen ein beliebtes Ausflugsziel für Badegäste und Segler aus Boston und Umgebung (rechts).

Wiege der Freiheit

Noch schwimmt das historische Schiff im Hafen von Boston, aus dessen Frachträumen Kisten mit Tee aufgebrochen und in das Wasser entleert wurden. Das war das Zeichen zum Beginn des amerikanischen Unabhängigkeitskrieges (oben). Auch das Old State House gehört zu den gehüteten Zeugen der Vergangenheit. Von seinem Balkon aus wurde am 4. Juli 1776 die Unabhängigkeitserklärung erstmals öffentlich verlesen. Der prächtige Giebel wird von einem Löwen und einem Einhorn eingerahmt. Die Briten erbauten das Haus 1713 als Sitz ihrer Kolonialregierung (rechts).

3056

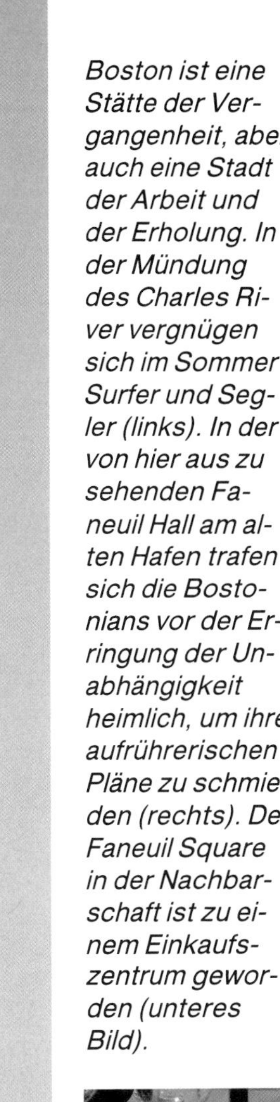

Boston ist eine Stätte der Vergangenheit, aber auch eine Stadt der Arbeit und der Erholung. In der Mündung des Charles River vergnügen sich im Sommer Surfer und Segler (links). In der von hier aus zu sehenden Faneuil Hall am alten Hafen trafen sich die Bostonians vor der Erringung der Unabhängigkeit heimlich, um ihre aufrührerischen Pläne zu schmieden (rechts). Der Faneuil Square in der Nachbarschaft ist zu einem Einkaufszentrum geworden (unteres Bild).

Die Zeit steht still in den kleinen Hafenstädten

Der Kapitän, der auf allen sieben Meeren zu Hause war, der Kap Hoorn gleich ein dutzendmal umfahren hat, wollte Wasser, Wellen und die Weite des Horizonts auch im Alter nicht missen. Er ließ sich deshalb auf einer hochragenden Landzunge des Connecticut Rivers bei Middletown, knapp fünfzig Kilometer von dessen Mündung in den Long-Island-Sund entfernt, einen Ausguck über Wasser und Land bauen, der anderswo so gediegen und nobel nicht so leicht zu finden ist. Hier ließ sich leben und sterben, hier, wo die Sommer dank der Meeresnähe erträglich, die Winter mild, wenn auch neblig, und die Übergangsjahreszeiten feucht zu sein pflegen, für einen Seemann das gewohnte und geliebte Element.

Connecticut: Die Fischküche der USA

Nur ein paar Kilometer weiter, mitten in Connecticut, dem südlichsten, drittgrößten und industriereichsten Neu-England-Staat, steht ein Landhaus allein in der parkartigen Landschaft, mit dem Reitstall in Steinwurfnähe und dem Golfplatz gleich

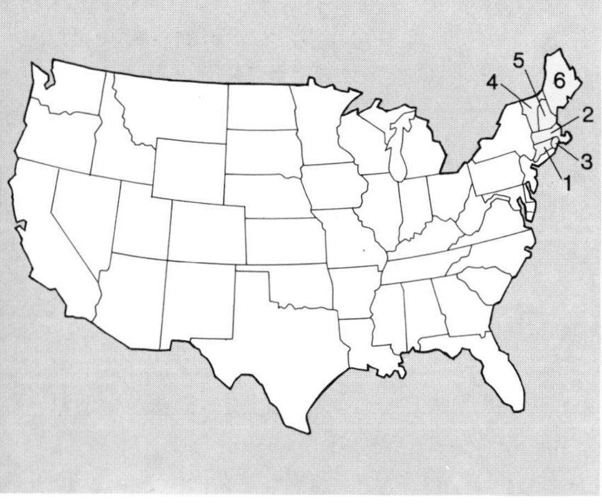

Neu-England-Staaten

1 Connecticut
2 Massachusetts
3 Rhode Island
4 Vermont
5 New Hampshire
6 Maine

vor der Hintertür. Welche Gäste in diesem Restaurant zu speisen pflegen, läßt sich an den Typenschildern der parkenden Automobile ablesen.

Vom steinernen Sockel an ist das 200 Jahr alte Herrenhaus, das einem Gouverneur einst als Heimstatt diente, ganz aus Holz gebaut. Die weiß gestrichenen Türen kontrastieren mit dem dunkel gebeizten Eichenholz. Die schmalen, aber hohen Fenster in der Halle des Hauses lassen den Blick weit in die Landschaft schweifen, die an Surrey oder Somerset erinnert, englische Gegenden, aus denen viele der ersten Siedler anreisten, um in der Neuen Welt ein neues, glücklicheres und freieres Leben zu beginnen.

Die kleine, aber gehaltvolle Speisekarte bietet die Spezialitäten dieses Landstrichs zwischen Atlantik und Appalachen an: Eine Terrine Muschelsuppe, *Clam Chowder* genannt, die bei kleinem Hunger allein den Magen füllt. Sie ist mit Milch und sämigen Kartoffeln zubereitet, in ihr schwimmen neben den Muscheln auch Fischstücke und ganze Austern. Als Hauptgericht gibt es Langusten oder Hummer aus den weiten Fanggründen der buchtenreichen Neu-England-Küste. Alle angebotenen Wassertiere schwammen 24 Stunden zuvor noch in ihrem Element, das garantiert der Koch und jeder Gast nimmt es ihm gerne ab.

Zu den Köstlichkeiten einer der besten Fischküchen des ganzen Landes werden Weißweine gereicht, die aus Connecticut, vornehmlich aber aus Kalifornien stammen und die sich dank sorgfältiger Behandlung und Pflege nicht mehr hinter den großen europäischen Kreszenzen zu verstekken brauchen. Auf den Weinbau im eigenen Land weist das aus dem Jahr 1650 stammende Staatswappen hin, das drei Weinstöcke in Silber zeigt.

In der Hauptstadt Hartford versteckt sich das alte Capitol mit der unvermeidlichen Kuppel hinter himmelstrebenden Hochhäusern, in denen zumeist Sach- oder Lebensversicherungen ansässig sind. Sie haben sich hier bereits früh angesiedelt, so daß sich Hartford heute stolz die Versicherungshauptstadt der USA nennt.

Die größte Stadt indessen ist Bridgeport, das wie die anderen Hafenstädte Stamford, New Haven und New London ganze Flotten von Hochseejachten beherbergt. Die Industrie, die vornehmlich Elektrogeräte, Flugzeugtriebwerke und Hubschrauber baut und deren größtes Einzelunternehmen der Rüstungsgigant United Technologies Corporation mit dem Sitz in Hartford ist, drängt jedoch nirgendwo störend in den Vordergrund.

Die westlichen Küstenstriche gegenüber dem zum Staat New York gehörenden Long Island sind zu Wohnzentren der wohlhabenden New Yorker geworden, die hier ihren beliebten Sportarten wie Segeln, Wasserski, Fischen und Golf ungestört nachgehen können.

Boston: Die Wiege der Freiheit

Wer verstehen will, warum sich das 1630 gegründete Boston stolz die »Wiege der Freiheit« nennt, »wo alles begann«, der begibt sich am besten in einen kleinen Pavillon am Ufer des Charles River und zu Füßen des 52 Meter hohen Prudential Towers, wo in einer mitreißenden Multi-Media-Show 40 Projektoren auf acht Riesenleinwänden die Geschichte der Stadt und des Landes eindringlich und verständlich darstellen: Nachdem es bereits 1770 mehrfach zu Auseinandersetzungen zwischen Soldaten der englischen Kolonialherren und den nach Unabhängigkeit strebenden Bewohnern der amerikanischen Ostküste gekommen war, brach in der Nacht zum 17. Dezember 1773 die offene Revolution aus. Der englische Gouverneur Lord North hatte darauf bestanden, die Zollabgaben auf den gern getrunkenen Tee nicht aufzuheben, was zu einer Machtprobe zwischen dem englischen König George III. und seinen nordamerikanischen Untertanen führte. In New York und Philadelphia wurden alle Schiffe aus dem fer-

Gemütliche Holzhäuser an einer Dorfstraße in Vermont. Bei aller Industrialisierung ist der Staat der grünen Berge ein Landwirtschaftsgebiet geblieben, das u. a. Ahornzucker, Obst und Fleisch erzeugt, Kartoffeln und Molkereierzeugnisse liefert.

nen England, die Tee an Bord hatten, nicht entladen, in Charleston wurde er in Lagerhallen eingeschlossen und nicht für den Verkauf freigegeben.
In Boston aber, wo die Erregung besonders groß war, führte Sam Adams, der Kopf des Widerstands, eine Gruppe von 50 als Indianer verkleideten Bürgern an, enterte die im Hafen liegenden Schiffe, ließ 343 Kisten mit Tee aufbrechen und ihren Inhalt in den Hafen entleeren. Der Gewaltakt wurde von Georgia bis Maine mit lebhafter Zustimmung begrüßt und ging als *Bostoner Tea Party* in die Geschichte der Vereinigten Staaten ein. Boston hatte der Krone damit den Fehdehandschuh hingeworfen, den diese sofort aufnahm. Der Unabhängigkeitskrieg war nicht mehr zu verhindern.
In dem modernen Geschichtsspektakel dargestellt wird auch der Beginn des Krieges am 18. April 1775, als der englische Gouverneur von Massachusetts und Oberbefehlshaber der Truppen, General Gage, mit 800 Soldaten nach Lexington und Concord aufbrach, um ein in seinen Augen ungesetzliches Waffenlager der Aufständischen zu beschlagnahmen. Mit zwei Laternen im Turm der alten Nordkirche von Boston wurde der jenseits des Charles-Flusses wohnende Patriot und Silberschmied Paul Revere gewarnt. Dieser rief sofort seine Landsleute zum Kampf gegen die verhaßten englischen »Rotröcke« auf.
Es entstand die amerikanische Kontinentalarmee, deren Oberbefehl George Washington übernahm. Während der ersten großen Schlacht am 16. und 17. Juni bei Bunker Hill rückten die Engländer so nahe an die Amerikaner heran, daß diese »das Weiße im Auge ihrer Feinde« sehen konnten. Sie töteten 1054 Engländer, während sie selbst nur 441 Opfer zu beklagen hatten.
Der Sieg von Bunker Hill bestärkte die Amerikaner in ihrer Überzeugung, die überseeischen Herren für immer abschütteln zu können. Freilich zog sich der Krieg noch sechs Jahre hin, und die Patrioten schienen oft dem Untergang geweiht zu sein. Am Ende aber stand die Unabhängigkeitserklärung der Vereinigten Staaten vom 4. Juli 1976, die die Handschrift des aus dem Bostoner Vorort Quincy stammenden John Adams trägt.
Die Erinnerungen an die entscheidenden Stationen der amerikanischen Geschichte sind in Boston auf Schritt und Tritt zu finden. Fährt man nach der Ankunft auf dem weit in den Hafen hineingebauten Logan-Flughafen durch den Sumnertunnel in die Innenstadt, sind es nur zwei Häuserzeilen bis zum Wohnhaus Paul Reveres und der nicht weit entfernten Nordkirche. Auf der anderen Seite des Charles River steht auch das Denkmal, das an die mörderische Schlacht von Bunker Hill gemahnt.
Boston ist wie New York eine Stadt der Museen, Bibliotheken und Universitäten. Das Athenäum, die erste öffentliche Bibliothek des ganzen Landes, birgt viele Bücher aus dem Privatbesitz George Washingtons. Bis vor kurzem wurde in dem altehrwürdigen Haus für die Ausleiher und zumeist jungen Leser die Tasse Tee noch zu demselben Preis verkauft wie zu Zeiten von John Adams. Sie kostete zwei Cent, ein Stück Keks ein Cent und ein solches mit Rosinen wiederum zwei Cent. Der Teeverkauf wurde eingestellt, nachdem sich niemand fand, der die Teetassen unentgeltlich abspülen wollte.
Gleich gegenüber dem alten Staatshaus liegt die Suffolk Universität, im Fenway Park die Northeastern Universität. Im Stadtteil Cambridge auf dem nördlichen Ufer des Charles River breiten sich die berühmte Harvard Universität und das Massachusetts Institute of Technology (MIT) aus, beide hervorragende Pflegestätten des Geistes, der Kultur und der Technik.
Das Boston von heute präsentiert sich durch eine Reihe markanter Hochhäuser, die den überlieferten Bestand von alten Bauten jedoch nicht erdrükken. Eines der eindrucksvollsten Baudenkmäler unserer Zeit ist der gläserne Turm, der nach dem ebenfalls in Quincy geborenen Versicherungsgründer John Hancock genannt ist. In ihm spiegelt sich die mehr als hundert Jahre ältere Backsteinarchitektur des Copley Squares. Die Auflösung der faszinierenden Fassade in dunkles Spiegelglas hat solide technische Gründe. Durch die Tönung der Scheiben wird die Sonneneinstrahlung gedämpft und der Energieaufwand für die Klimatisierung des Gebäudeinneren gesenkt.
Der Bauherr des John Hancock Towers mußte jedoch nach der Vollendung teures Lehrgeld zahlen. Die Hälfte der insgesamt 10 344 Scheiben sprang infolge der Sonnenwärme in Scherben und mußte für rund 30 Millionen Mark durch eine beständigere Glasqualität ersetzt werden. Seither wachen jeden Tag von früh bis spät

zwei Männer darüber, ob eine Scheibe blind wird, was das baldige Zerspringen anzeigt. Die Scheibe wird dann rechtzeitig durch eine neue ersetzt.

Massachusetts: Landungsplatz der Pilgerväter

Der Staat Massachusetts, dessen Hauptstadt und zugleich größte Ansiedlung Boston ist, besteht aus hügeligen, seenreichen Landschaften mitteleuropäischen Zuschnitts mit geschäftigen Industrierevieren, die jedoch wegen des Fehlens von Stahlwerken oder Kohlengruben nie den Charakter des Ruhrgebiets, des Saarlandes oder Lothringens annehmen. Die zumeist schornsteinlosen Fabriken massieren sich in den Vororten Bostons, in Worcester, Springfield und New Bedford. Boston ist zugleich der größte Schiffsbauplatz der Vereinigten Staaten.
Eine geographische Besonderheit stellt das wie eine Sichel weit in den Atlantik vorspringende Kap Cod dar. Hier wohnen in roten Backsteinhäusern mit leuchtend weißen Türen und Fenstern, von gepflegten Parks und Gärten umgeben, die reichen und angesehenen Familien des Landes. In Hyannis Port hat sich die ursprünglich aus Irland stammende Familie Kennedy angesiedelt, deren ehrgeizige Mitglieder seit Generationen führende diplomatische und politische Positionen eingenommen haben. Joseph Patrick Kennedy, Vater des gegenwärtigen Clans, war Bankier, Reeder, auch Spekulant, als Mitglied des Repräsentantenhauses Vorsitzender von dessen Flottenausschuß und Botschafter in London. Sein Sohn John Fitzgerald brachte es zum Präsidenten der Vereinigten Staaten und starb wie sein Bruder, der Senator Robert Francis, durch Mörderhand. Der dritte Bruder, Edward Moore, strebte 1980 vergeblich die demokratische Präsidentschaftskandidatur an. Schuld daran trug die Verstrickung in einem Unglücksfall, bei der am 18. Juli 1969 — zwei Tage vor der ersten amerikanischen Mondlandung — seine Sekretärin ums Leben kam.
Am nördlichen Ende der Halbinsel Kap Cod liegt Provinceville, in dessen Nähe ein Denkmal an die 1620 aus dem englischen Plymouth mit der »Mayflower« über den Atlantik gekommenen ersten Einwanderer, die Pilgerväter, erinnert. Das 180 Tonnen große Schiff landete auf der gegenüberliegenden Festlandküste an einem Platz, der im Hinblick auf die Herkunft der Europamüden fortan gleichfalls Plymouth genannt wurde. Auf die Pilgerväter führen noch einige der angesehensten Familien Bostons ihre Abstammung zurück. Wer diesen Nachweis erbringen kann, gehört zum höchsten Adel, den die amerikanische Demokratie zu vergeben hat.

Rhode Island: Zufluchtsstätte von Dissidenten

Zwischen Connecticut und Massachusetts liegt der kleinste Neu-England-Staat Rhode Island, dessen Name anderswo durch die gleichnamige Hühnerrasse bekannt ist. Hier wendet sich die hauptsächlich von Nord nach Süd verlaufene Küstenlinie des nordamerikanischen Kontinents nach Westen. Fjordartige Buchten strecken ihre Finger weit ins Land. Sie werden durch mächtige Brückenkonstruktionen überspannt.
In dem kleinsten Staat der USA leben mit einem Anteil von nur zwei Prozent auch die wenigsten Neger. Noch immer spielt in Rhode Island die Landwirtschaft und mit ihr vor allem die Hühner- und Milchviehzucht eine hervorragende Rolle. Die meisten Arbeiter verdienen in der Textilindustrie ihr Brot.
Zwischen der Hauptstadt Providence, in der etliche bauliche Zeugen an das Gründungsjahr 1640 erinnern, und der Industriestadt Warwick liegt als viel besuchte Landmarke der Roger Williams Park. Er erinnert an den Gründer des Staates, der hier religiöse Dissidenten aus Massachusetts ansiedelte. In Rhode Island wurde als erster englischer Kolonie die strikte Trennung von Staat und Kirche praktiziert. Seither gilt der Staat als Zufluchtsstätte vertriebener Religionsanhänger wie Quäker, Baptisten und Juden.

Vermont und New Hampshire: Die Schwester-Staaten

Nördlich an Massachusetts schließen sich die Schwester-Staaten Vermont und New Hampshire an, von denen nur der letztere einen schmalen Küstenstreifen von rund 25 Kilometern Länge besitzt. In einem frühen Reisebericht aus dem Jahr 1672 wird das Land als felsig und dicht bewaldet beschrieben, einen Eindruck, den man auch heute noch gewinnen kann. Die höchste Erhebung im gesamten Nordosten der USA bildet mit etwas mehr als 2000 Metern der Mount Washington in den White Mountains. Er ist Mittelpunkt eines Wintersportparadieses, in dem die Ski- und Schlittenfahrer jedoch in manchen Jahren lange auf Schnee warten müssen, weil die arktische Kälte zumeist nur die Flüsse und Seen zufrieren läßt.
In Vermont erreichen die südwestlich der Hauptstadt Montpelier gelegenen Green Mountains im 1338 Meter hohen Mount Abraham ihre höchste Erhebung. Sie sind zu vier Fünfteln mit Wald bedeckt, was ihren Namen erklärlich macht. Die westliche Grenze zum Staat New York bildet der nach seinem Entdecker benannte Lake Champlain, der einen Abfluß zum St.-Lorenz-Strom und damit nach Kanada hat. Diese natürliche Öffnung nach Norden hat Vermont seit seinem Eintreten in die Geschichte zu einem Zankapfel zwischen den englischen und französischen Kolonialisten gemacht. Die Franzosen bauten zur Sicherung ihres Besitzstandes schon 1666 Fort St. Anne, dem die Engländer erst 1724 Fort Dummer entgegensetzten. In den folgenden Jahren erhoben New Hampshire und New York Besitzansprüche an den einzigen Neu-Eng-

An der Küste von Maine gedeihen die Hummer am besten. In vielen Restaurants kann man sie frisch gekocht genießen. Hier ist ein Hummerkocher unter freiem Himmel damit beschäftigt, die roten Speisekrebse fachgerecht zuzubereiten.

land-Staat, der keinen Zugang zum Meer hat. Unter der Führung von Ethan Allen machte sich Vermont 1777 selbständig, ehe es 1791 als vierter Staat in die Union der Vereinigten Staaten aufgenommen wurde.
New Hampshire mit seiner Hauptstadt Concord am Merrimack River war zeitweise von Massachusetts abhängig, weil beide Staaten denselben Gouverneur hatten. Besiedelt wurde das Land erst nach 1725, als die Indianer vertrieben waren und die Gefahr von Überfällen nicht mehr bestand.

Maine: Berühmt für seine Hummer

Der mit Ausnahme von Alaska nördlichste Bundesstaat der USA ist fast so groß wie die übrigen fünf Neu-England-Staaten zusammen genommen. Seine Küsten sind stark gegliedert. Zahlreiche Buchten greifen tief ins Landesinnere vor. Der Atlantik zeigt sich in diesen nördlichen Breiten häufig von seinen unangenehmsten Seiten. Stürme lassen die Brandung heftig ans Land schlagen. Die Bucht von Fundy, die durch die Halbinsel Neuschottland gebildet wird, ist ein unerschöpfliches Fischreservoir.
Weltberühmt ist der Hummer aus Maine, der auf dem steinigen Felsenboden der Küste in großen Algenkolonien hervorragende Unterschlupfmöglichkeiten findet. Dort kann er zu kapitaler Größe heranwachsen. In den Fischrestaurants der zahlreichen kleinen Hafenstädte wird er gleich nach dem Fang verzehrt. Eine Hummermahlzeit ist dort ein Ereignis, das mit Freunden in größerer Gesellschaft genossen wird.
Die Hummeresser treffen sich zunächst an der Bar, um einen Begrüßungsschluck zu nehmen, während im Kamin ein flackerndes Feuer prasselt. Nach der Fisch- oder Muschelsuppe erhält man eine schürzenartige Serviette umgebunden und eine silberne Zange bereitgelegt. Dann wird der frisch gesottene Speisekrebs mit seinen mächtigen Scheren, die er zum Öffnen seiner zumeist aus Schalentieren bestehenden Beute benötigt, in feierlicher Zeremonie serviert.
Maine ist der an Flüssen und Seen reichste Bundesstaat der USA. Sie bedecken das Land in seiner ganzen Ausdehnung. Ihre Existenz verdanken sie der letzten Eiszeit, die ähnlich wie im nördlichen und südlichen Alpenvorland zahlreiche Vertiefungen schuf, in denen sich Seen bilden konnten. Die genaue Zahl der Gewässer in Maine läßt sich kaum feststellen.
Die bucklige Gebirgslandschaft, die in den aus New Hampshire herübergreifenden White Mountains mit dem 1292 Meter hohen Sugerloaf (Zukkerhut) am höchsten ist, erinnert an europäische Mittelgebirge. Die gleichfalls fischreichen Flüsse sind kurz, stürzen sich in ihrem oberen Teil über Stromschnellen ins Tal und sind nur in Küstennähe schiffbar. Der Saint Croix bildet die Grenze zur kanadischen Provinz New Brunswick. Am Kennebec liegt die Hauptstadt Augusta und am größten Fluß, dem Penobscot, die Stadt Bangor.
Bangor hat durch seinen internationalen Flughafen Bedeutung erlangt. Auf ihm landen viele Charterflugzeuge aus Europa, die hier auftanken, um nach ihren Zielen im Innern oder im Westen der USA weiter zu fliegen. In Erinnerung ist die amüsante Geschichte eines solchen Charterpassagiers aus der Nähe von Augsburg, der in Bangor sein Flugzeug verließ, weil er sich schon in San Francisco, dem Ziel seiner Reise, wähnte. Sein Irrtum ließ sich als Folge mangelnder Sprachkenntnisse zunächst nicht aufklären. Als er ihn schließlich erkannte, war das Flugzeug längst abgeflogen. Die sprichwörtliche Gastfreundschaft der Bewohner Maines tröstete ihn schnell über sein Mißgeschick hinweg. Sie luden ihn ein Jahr später erneut zu einem Besuch Bangors ein, diesmal jedoch mit einem Abstecher in die Pazifikstadt.
Die nördliche Lage beschert dem Land ein durch die Nachbarschaft des Atlantischen Ozans gemäßigtes kontinentales Klima, das der größten Stadt Portland mit lebhaftem Schiffsverkehr noch ein Jahresmittel von 7,4 Grad Celsius verschafft. Auch das Staatswappen Maines, das erst 1820 als 23. Staat in die Union aufgenommen wurde, erinnert an kühlere Breiten. Es zeigt einen Elch und eine Kiefer, darüber weist der Polarstern die einzuschlagende Richtung an. Das Wappen wird von einem Bauern mit Sense und einem Matrosen mit Anker gehalten, die auf die wichtigsten Erwerbszweige Maines hinweisen.

Das Land George Washingtons

Washington D.C. · Virginia · West Virginia Maryland · Delaware · Philadelphia · Pennsylvania

Kaum ein Volk in der Welt ist so stolz auf sein Parlament als der Stätte der permanenten Meinungsbildung wie es die Amerikaner sind. Das Capitol in Washington, das mit Senat und Repräsentantenhaus beide Häuser der gesetzgebenden Körperschaft beherbergt, ist zum Vorbild aller Regierungsgebäude in den 50 Bundesstaaten geworden. Der 82 Meter hohe Kuppelbau wurde am 2. Dezember 1863 durch die 6,5 Meter hohe Bronzefigur der Freiheit gekrönt, die ein Schwert wehrhaft in Händen hält. Wie an den europäischen Kathedralen geht auch am Capitol die Arbeit ständig weiter. Noch Präsident Dwight D. Eisenhower hatte am Nationalfeiertag des Jahres 1959 den Grundstein für einen Erweiterungsabschnitt des Capitols gelegt, der zur Amtseinführung Präsident John F. Kennedys am 20. Januar 1961 dann eingeweiht werden konnte.

Die Vereinigten Staaten ehren ihre verdienstvollen Staatsmänner durch prachtvolle Denkmäler, die nach Vorbildern des klassischen Rom oder Athen gestaltet sind. Das Lincoln Memorial in Washington (oben) ist wie der Parthenon aus weißem Marmor errichtet. Auf dem Ehrenfriedhof von Arlington (oben rechts) haben 160000 Soldaten ihre letzte Ruhestätte gefunden, darunter auch der ermordete Präsident John F. Kennedy, dessen Grab (unten rechts) zur vielbesuchten nationalen Wallfahrtsstätte wurde.

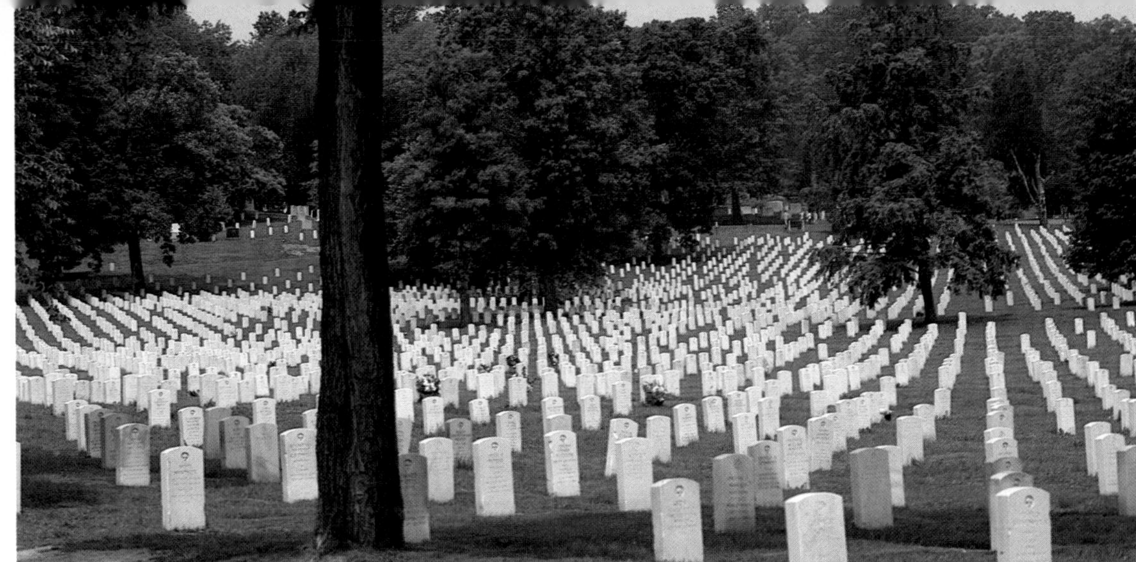

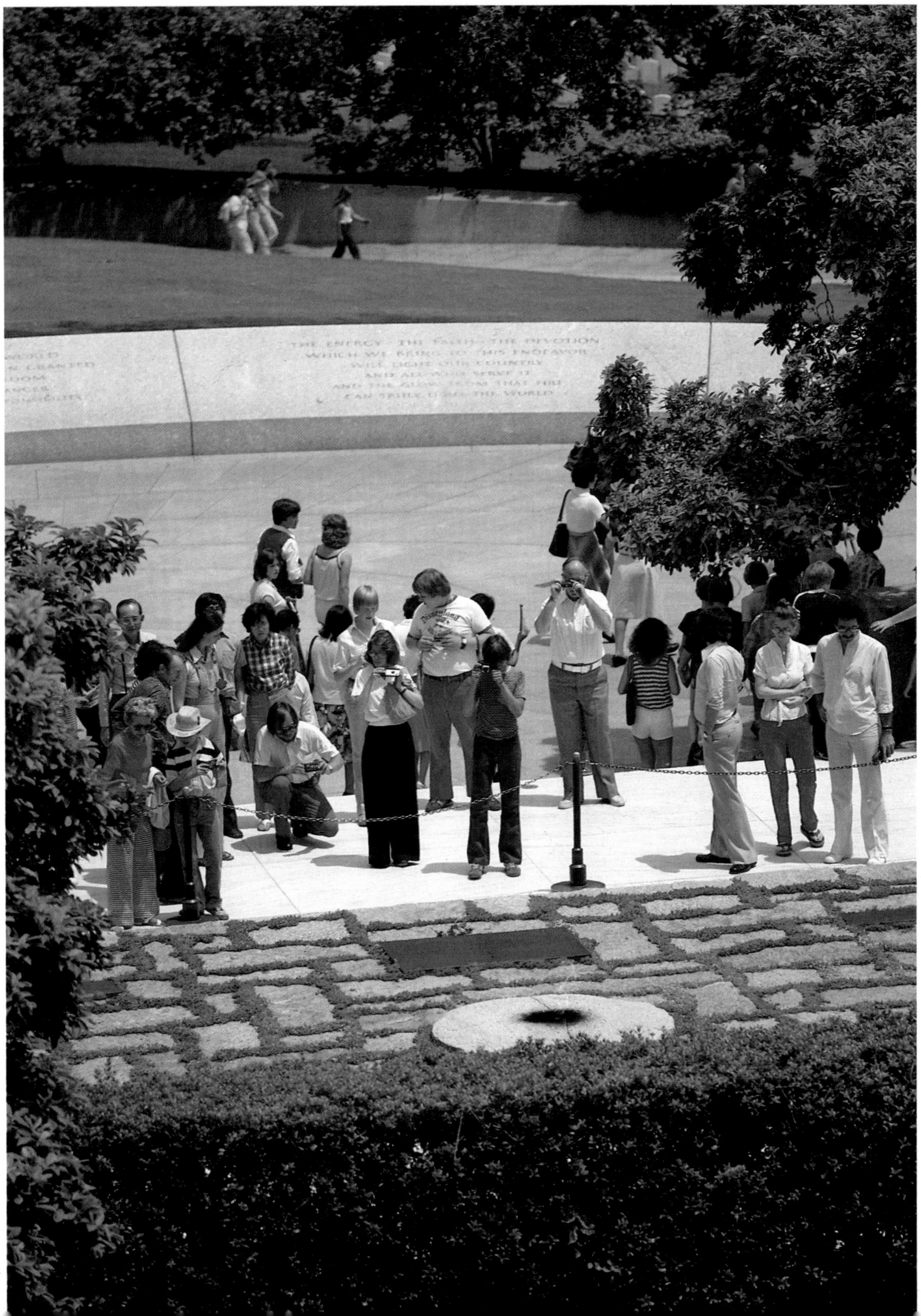
THE ENERGY THE FAITH THE DEVOTION
WHICH WE BRING TO THIS ENDEAVOR
WILL LIGHT OUR COUNTRY

Zu den Sehenswürdigkeiten Washingtons, die kein Besucher versäumt, gehören das Weiße Haus als Amts- und Wohnsitz aller Präsidenten (unten), das Jefferson Memorial (darunter) und das Luft- und Raumfahrtmuseum mit einer aus dem Weltraum zurückgekehrten Apollo-Kapsel und dem ersten Motorflugzeug der Brüder Wright (rechts), das hoch über den Besuchern schwebt.

Einübung in Demokratie

Ein lebendiges Museum ist die erste Hauptstadt des Staates Virginia, Williamsburg, mit dem House of Burgesses. Dieses erste amerikanische Parlament stammt aus dem Jahre 1699 (ganz oben). Während des Sommers spielen die Einwohner ihren Besuchern Szenen der Vergangenheit vor (darunter). Im Hafen von Jamestown, der ältesten britischen Ansiedlung in Amerika, ist die Rekonstruktion eines Einwandererschiffs zu bewundern (rechts).

Stadt der brüderlichen Liebe

Als Heiligtum ihrer Vergangenheit betrachten die Amerikaner die 1752 in England gegossene Freiheitsglocke. Sie wurde 24 Jahre später in Philadelphia zur Erklärung der Unabhängigkeit geläutet und gilt seither als nationale Sehenswürdigkeit der USA. In dem historischen Quadrat zwischen Delaware-Ufer und dem State House wird sie heute noch ausgestellt.

Das alte Rathaus zwischen Walnut und Race Street wird von modernen Verwaltungsgebäuden schier erdrückt (rechts). Überdachte Einkaufsstraßen nach europäischem Vorbild beherrschen das Philadelphia unserer Tage (unten rechts).

Steingewordener Volkswille

Wer aus dem immer noch größten östlichen Einfallstor der Vereinigten Staaten, New York, in die Hauptstadt Washington D. C. kommt, fühlt sich in einer südlicheren Welt, wie sie aus den Romanen William Faulkners und Margaret Mitchells vertraut ist. Das Bild, das sich den frühen Einwanderern in der Form grüner Hügel, Weiden und Wälder, breiter fischreicher Ströme und Seen bot, wird hier auf der geographischen Breite Neapels üppiger und ungeordneter. Auch das Wetter ist krasser, wilder, ungebändigter. Im Schein einer fahlen Wintersonne kann sich das Hügelland um das alte Indianergewässer des Potomac unter dem eisernen Griff eines polaren Kälteeinbruchs ducken, während im Sommer eine feuchte Hitzewelle Wäsche, Hemd und Anzug am Körper kleben läßt.

Die Abende im Hochsommer beginnen häufig mit urwelthaften Gewittern, die sich über den Gewässern und Wäldern zusammenbrauen, den schwarzen, von Blitzen durchzuckten Himmel bis auf die Erde drücken und nach einem in der Nähe niedergehenden furchterregenden Blitzschlag einen Wassersturz auslösen, als ergieße sich eine Meeresflut über das Land.

Südost-Staaten

1 *Washington D.C.*
2 *Virginia*
3 *West Virginia*
4 *Maryland*
5 *Delaware*
6 *Pennsylvania*

Washington D. C.: Ein Franzose plant die Hauptstadt

Den Wetterkapriolen zum Trotz drängt es jeden Besucher der Stadt, die 1792 nach den weiträumigen Vorstellungen des in Frankreich geborenen Ingenieuroffiziers Pierre Charles L'Enfant angelegt wurde, zu den beiden politischen Machtzentren: dem Capitol und dem Weißen Haus. Der Sitz beider Häuser des amerikanischen Parlaments ist nach einem Wort des Romanciers Nathaniel Hawthorne »das Zentrum und Herz Amerikas«. Die Welt habe, fügte der über seine engere Heimat nie hinausgekommene Dichter hinzu, »sicherlich keine stattlicheren und schöneren Gebäude«. Dieses Urteil läßt sich sicherlich anfechten, jedoch muß man dem in eineinhalb Jahrhunderten zu seiner heutigen Größe und Form gewachsenem Capitol als Symbol der amerikanischen Demokratie Respekt bezeugen. Es setzt einen stärkeren Akzent in die Stadt, als es Westminster in London oder die Assemblée Nationale in Paris vermöchten.

Ein Jahr vor der Gründung ritten Präsident George Washington und sein Städteplaner L'Enfant in die waldige, sumpfige Wildnis, die später die Hauptstadt der Vereinigten Staaten werden sollte. Auf einer Karte legte der Franzose fest, daß die Heimstatt der beiden Staatsgewalten durch eine breite, baumbestandene Promenade verbunden werden sollte, wie sie sich heute in der von eindrucksvollen Bauten flankierten Mall darbietet. »Weit und breit ließ sich keine gewachsene Landschaft finden«, schrieb L'Enfant, »die sich wie die Jenkins-Höhenzüge für den Platz eines Parlaments besser geeignet hätte.« Und dann folgte der oft zitierte Satz: »Sie sind der natürliche Sockel, der auf das Denkmal wartet.«

Ein Bauwettbewerb für 500 Dollar und einen Bauplatz in der künftigen Stadt wurde ausgeschrieben, den William Thornton gewann. Er war Arzt mit künstlerischen Ambitionen, Porträtmaler, versuchte, ein Dampfboot zu bauen, und war schließlich auch so etwas wie ein Amateurarchitekt. Sein Plan eines an europäischen klassischen Vorbildern ausgerichteten dreistöckigen Gebäudes mit einem Portikus in der Mitte, mit einem von Balustraden eingefaßten Flachdach und mit einer flachen Kuppel, die mit der heutigen nichts gemein hat, war eigentlich ein stilistisches Durcheinander. Er überzeugte die Bauherren jedoch »durch seine Größe, Schlichtheit und Zweckmäßigkeit«, so daß er nach wenigen Änderungen auch gebaut wurde.

Präsident George Washington, gekleidet in seine Staatsuniform mit Dreispitz und angetan mit einer bestickten Maurerschürze, legte am 18. September 1793 den Grundstein. Der mit Edelsteinen geschmückte Hammer und die silberne Maurerkelle, die er bei der Zeremonie benutzte, befinden sich heute in der Bibliothek des Kongresses, während der Grundstein einige Jahre später bei einem Erweiterungsbau schon nicht mehr gefunden werden konnte.

Der englische Architekt Benjamin Henry Latrobe setzte 1803 den klassizistischen Ausbau des Rohbaus fort. Englische Truppen waren es auch elf Jahre später, die nach der Kriegserklärung der USA unter der Führung von Konteradmiral Sir George Cockburn bei Benedict am Patuxent River landeten, Washington am 24. August 1814 einnahmen und öffentliche Gebäude ansteckten. Der Admiral drang an der Spitze seiner Marinesoldaten in das Repräsentantenhaus ein, setzte sich auf den Stuhl des Parlamentspräsidenten und fragte: »Sollen wir diesen Hort der amerikanischen Demokratie dem Feuer überliefern?« Die Antwort seiner Soldaten war ein vielstimmiges »Ja«. Sessel, Tische und Bücher in beiden Häusern des Parlaments wurden angezündet. Das ganze Capitol wäre vermutlich ein Opfer der Flammen geworden, wenn nicht plötzlich ein heftiger Regen

Das Washington Monument in der amerikanischen Hauptstadt ist ein 169 Meter hoher Obelisk aus weißem Marylandmarmor – stolzes Denkmal für einen großen Mann. Ein Fahrstuhl führt im Innern des Baues nach oben, dazu eine 898-Stufen-Treppe.

über Washington niedergegangen wäre.
Die Bürger sorgten für raschen Ersatz und mieteten ein Gebäude an der Stelle, wo heute der Oberste Gerichtshof der Vereinigten Staaten steht, für ein Ersatzparlament an, das unter dem Namen »Backstein-Capitol« bekannt wurde. Vor diesem wenig repräsentativen Haus legte Präsident James Monroe am 4. März 1817 als erster seinen Amtseid im Freien ab. Er begründete damit eine Tradition, deren Zeremoniell noch heute — zumeist an bitterkalten Januartagen — vor dem Capitol abgehalten wird.
Architekt Latrobe wurde auch mit dem Wiederaufbau des Capitols beauftragt. Er übergab seine Aufgabe 1817 dem aus Boston stammenden Berufskollegen Charles Bulfinch, dem ersten einheimischen Baumeister, dem die Ehre zuteil wurde, das Heiligtum der Nation zu gestalten. Auf ihn geht vor allem die eindrucksvolle Westfassade zurück, wie sie heute noch erhalten ist.
In den fünfziger und sechziger Jahren wurden der südliche und nördliche Flügel mit den breiten Freitreppen auf beiden Seiten und die mächtige Kuppel über den Zentralbau mit der thronenden Figur der Freiheit hinzugefügt, die von dem Bildhauer Thomas Crawford geschaffen wurde. Es entstand das Bild, das heute noch die Stadtlandschaft von Washington prägt.
Zur selben Zeit wie das Capitol wurden die Pläne für sein Gegenstück, den Amtssitz des amerikanischen Präsidenten, geschmiedet. Es wurde abseits der Achse vom Capitol zum 1884 fertiggestellten Washington Monument errichtet, einem eindrucksvollen knapp 200 Meter hohen Obelisken, den der aus Irland stammende Architekt James Hoban schuf. Er liegt inmitten einer weiten Park- und Wiesenlandschaft, die zur Zeit der Kirschen- und Rhododendron-Blüte im Frühjahr einen bezaubernden Anblick bietet.
Der Gesamteindruck des im Kolonialstil errichteten Weißen Hauses wird durch die mächtigen Steinquader der einrahmenden Gebäude gestört. Ganz im Gegensatz dazu gilt das neben dem gegenüberliegenden Lafayette-Park liegende Blair House, heute das Gästehaus der Regierung, neben vielen häßlichen Gebäuden als ein Schmuckstück der Hauptstadt.
Washington erlebte mit der Stärkung seiner Regierungsmacht ein zügelloses Wachstum, wobei auf die klassischen Ausbaupläne L'Enfants über Jahrzehnte hinweg keine Rücksicht genommen wurde. Ein Beispiel dafür ist der geradezu von Cambridge nach Washington verpflanzt zu sein scheinende Backstein-Komplex des Smithsonian-Instituts, das als der Welt größtes technisches Museum gilt, obschon es keineswegs nur eine Aufbewahrungs- und Schaustätte des Wissens und der Forschung ist. Seinen Namen verdankt es dem 1765 in Frankreich geborenen James Smithson, der 70 Jahre später den Vereinigten Staaten, ohne je dort gewesen zu sein oder dort Freunde gehabt zu haben, eine Erbschaft von 100 000 Pfund mit der Maßgabe hin-

terließ, »eine Einrichtung zur Verbreiterung und Durchdringung des Wissens unter den Menschen« zu schaffen.

Der Grundstein wurde am 1. Mai 1847 gelegt. Acht Jahre später war das Werk des Architekten James Renwick vollendet. Er hatte zuvor in New York die Gnadenkirche gebaut und die St.-Patricks-Kathedrale vollendet. Die dort angewandten historisierenden Bauformen finden sich auch in den Gebäuden wieder, in denen in Zukunft Technik und Wissenschaft regieren sollten. Forscher und Erfinder wurden aufgefordert, ihre Arbeiten dem Smithsonian-Institut zur Verfügung zu stellen. Danach wurden naturwissenschaftliche Ausstellungsstücke gesammelt. Sie bestanden zumeist aus Skeletten, Schädeln, ausgestopften Tieren und Skulpturen und wurden in dem Anfang dieses Jahrhunderts gebauten Naturwissenschaftlichen Museum auf der gegenüberliegenden Seite der Mall ausgestellt.

Den größten Wandel in der Sammlungspraxis bewirkte der Astrophysiker Samuel Pierpoint Langley, der 1887 in den wissenschaftlichen Führungsstab des Instituts berufen wurde und bereits wenig später mit der Errichtung eines einfachen Observatoriums astronomische Beobachtungen ermöglichte. Seine weitgespannten Interessen führten ihn auch zur Fliegerei. Zusammen mit seinem Assistenten Charles Manly gelangte er zu der Überzeugung, daß zu einer Flugmaschine, die diesen Namen wirklich verdiente, ein genügend starker Motor gehörte, dessen Antriebskraft im richtigen Verhältnis zu seinem Gewicht stand.

Mit einem von dem New Yorker Ingenieur Stephen Balzer konstruierten Motor von 53 PS wollte er seine nur 57 Kilogramm schwere Flugmaschine von einem Boot auf dem Potomac River bei Washington aus starten. Als er es am 7. Oktober 1903 mit Hilfe eines Katapults versuchte, plumpste die Konstruktion wie ein Stein ins Wasser. Auch ein folgender Versuch endete erfolglos. Die Nachricht von diesem gescheiterten ersten Motorflug erreichte auch die in Dayton im Bundesstaat Ohio lebenden Brüder Orville und Wilbur Wright, die dort eine Fahrradfabrik betrieben, sich in der Freizeit aber mit dem gleichen Problem beschäftigten. Sie intensivierten daraufhin ihre Anstrengungen. Nur wenige Wochen später, am 17. Dezember desselben Jahres, gelang es ihnen in den Sanddünen von Kitty Hawk in North Carolina, das Zeitalter der Fliegerei einzuläuten.

Langleys Verdienste bestanden darin, daß er alle frühen technischen Meisterwerke der Luftfahrt seines Landes zusammentrug und sie der Nachwelt erhielt. Hinzu kamen die von Ryan in San Diego gebaute »Spirit of St. Louis«, mit der Oberst Charles Lindbergh im Mai 1927 den ersten Alleinflug von New York nach Paris wagte, später die von Bell gebaute »X 1«, mit der Charles Yeager am 14. Oktober 1956 zum erstenmal die Schallmauer durchbrach, die erste Flüssigkeitsrakete aus der Werkstatt des Raumfahrtpioniers Robert Hutchinson Goddard, die er am 10. März 1926 von der Farm seiner Tante Effie in Auburn (Massachusetts) aus startete und schließlich das dreisitzige Raumschiff »Columbia« aus den Rockwell-Werken in Downey bei Los Angeles, mit dem die Astronauten Neil Armstrong, Edwin Aldrin und Michael Collins am 17. Juli 1969 auf dem Weltraumbahnhof Kap Canaveral starteten und mit dem sie sieben Tage später wieder heil zur Erde zurückkehrten, nachdem Armstrong und Aldrin als erste Menschen den Mond betreten hatten.

Amerikas bahnbrechende Beiträge zur Luft- und Raumfahrt wirkten in den engen, wenngleich hohen Hallen des Smithsonian-Instituts etwas anachronistisch. Dasselbe galt von den in den Himmel ragenden Raketen, die vor der roten Backsteinfront im Hof aufgebaut waren. Alle diese technischen Spitzenleistungen sind nun in dem am 1. Juli 1976 eröffneten National Air and Space Museum aufgehängt oder aufgestellt, das der Japaner Gyo Obata nur 500 Meter entfernt auf der südlichen Seite der Mall errichtet hat. Die nur zur Mall hin in Glas aufgelösten sieben Museumskuben haben der Hauptstadt der USA einen unverwechselbaren architektonischen Akzent verliehen. Die Zehntausende von Besuchern werden sowohl von der raffinierten Schlichtheit des Hauses wie auch von dem geschickt präsentierten Inhalt angezogen.

Nicht minder geglückte Bauzeugen unserer Zeit sind das auf der gegenüberliegenden Seite der Mall gebaute Museum für die Geschichte der Technologie, das Nationalmuseum für Geschichte der Naturwissenschaften und die Nationalgalerie mit einem bemerkenswerten Erweiterungsbau an der vom Capitol zum Weißen Haus führenden Pennsylvania Avenue. Die dominierende Nachbarschaft des Parlamentsgebäudes verlangte auch hier die einfühlsame Hand eines Baumeisters, der mit den Gestaltungsmitteln Stahl und Beton umzugehen wußte. Die fensterlosen Räume mit Oberlichtöffnungen, die Gemälde und Plastiken ins richtige Licht rücken, sind mit den Arbeiten amerikanischer Künstler vieler Stilrichtungen gefüllt, die fast alle aus Privatbesitz stammen.

Wer die 820 Stufen bis zur Aussichtsplattform des Washington-Obelisken erklommen hat, wird für diese schweißtreibende Anstrengung mit einem atemberaubenden Blick über die Hauptstadt der Vereinigten Staaten belohnt, die es an Schönheit sehr wohl mit anderen Metropolen der Erde aufnehmen kann. Es sind die städtebaulichen Achsen vom Capitol zum Lincoln-Denkmal und vom Weißen Haus zum Jefferson-Denkmal, die der Stadt ihr Gepräge geben. Nach Westen zu ist in den letzten Jahren am Potomac-Ufer der moderne Theaterbau des John-F.-Kennedy-Zentrums für die darstellenden Künste und der Watergate-Komplex entstanden, der in aller Welt unrühmlich bekannt wurde, nachdem sich

Vor den Toren Washingtons wurde 1941–1943 das fünfeckige Pentagon errichtet, Sitz des Verteidigungsministeriums. Es bietet 30000 Beschäftigten Platz. Die Flure des Riesenbaues sind 28 Kilometer lang. Ringsum gibt es 10000 Parkplätze.

dort die Nixon-Regierung mittels eines Einbruchs Einblicke in Parteiprotokolle verschaffte, die sie eigentlich nichts angingen.

Wendet man den Blick nach Südwesten und Süden, erblickt man den schon in Virginia liegenden Hügel von Arlington, der zu einem großen Teil von dem gleichnamigen Nationalfriedhof bedeckt ist. Auf ihm sind viele große amerikanische Politiker und Soldaten beerdigt, auch der nur zweieinhalb Jahre nach seinem Amtsantritt ermordete Präsident John F. Kennedy.

Südlich des Friedhofs erweckt das mächtige Fünfeck des amerikanischen Verteidigungsministeriums Aufmerksamkeit, das nach seiner ungewöhnlichen Form Pentagon genannt wird. Fern am Horizont ist Alexandria zu erkennen, an dessen südlichem Stadtrand Mount Vernon, der im klassizistischen Stil gebaute Landsitz George Washingtons, liegt. Er ist wie Arlington zu einer nationalen Weihestätte geworden.

Querab dröhnt auf einer aufgeschütteten Landzunge am Potomac-Ufer fast pausenlos der Luftverkehr des Nationalflughafens. Er liegt nur fünf Kilometer von der Stadtmitte und dem Regierungsviertel entfernt und bewältigt den größten Teil des Luftverkehrs der Hauptstadt. Der 40 Kilometer westwärts in Virginia gelegene Dulles International Airport hinkt mit seinen Passagierzahlen hinterher. Sehenswert ist dort das von dem finnischen Architekten Eero Saarinen gebaute Empfangsgebäude.

Blickt man vom Washington-Monument nach Osten und Norden, dann beherrschen mächtige Regierungs- und Geschäftsgebäude das Feld. Von ihnen ist keines höher als zwölf Stockwerke, um die Kuppel des Capitols nicht zu übertreffen. Neben und hinter dem Zentralbau Washingtons erheben sich die Bürogebäude von Senat und Repräsentantenhaus sowie die Kongreßbibliothek mit mehr als zwölf Millionen Büchern und Druckschriften. Daneben liegt auch der Oberste Gerichtshof der Vereinigten Staaten, den man besichtigen kann, wenn seine Richter keine Sitzungen abhalten.

Virginia: Geschichtsbuch der USA

Washington D. C. ist von den Bundesstaaten Virginia und Maryland umgeben, die in der amerikanischen Geschichte eine große Rolle spielen. Das gilt insbesondere für die Halbinsel, die sich zwischen James und York River in die Chesapeake Bay erstreckt und an deren Spitze der Marinehafen Newport News liegt.

Im Colonial Natural Historical Park sind drei Stationen amerikanischer Geschichte zu besichtigen, die für das Werden des Staates von großer Bedeutung sind. Folgt man dem chronologischen Ablauf, dann beginnt der Besuch in Jamestown am Südufer der Landzunge. In dieser damals sumpfigen und feuchtheißen Gegend landeten 1607 die drei englischen Schiffe »Constant«, »Discovery« und »Godspeed«, deren Besatzungen die erste Siedlung in Virginia gründeten. Das hatten ein Jahrhundert zuvor schon Spanier versucht, waren aber von Indianern wieder vertrieben worden. Das hölzerne Fort, das die Engländer zum Schutz gegen ein ähnliches Schicksal errichteten, wurde von der zweiten Generation der Einwanderer zu einer Siedlung erweitert, von der heute noch der Kirchturm erhalten ist.

Wie in Jamestown sind fast alle Siedlungen und Pflanzungen der Südstaaten entweder an der Küste oder an einem Fluß oder Bach gelegen, um die Erzeugnisse des Landes bequem mit einem Boot oder Schiff transportieren zu können. Zu diesen Produkten gehörten insbesondere die Blätter des Maulbeerbaums, Futter für Seidenraupen, und der Tabak, der in Europa im 18. Jahrhundert schon ein begehrtes Genußmittel war.

Die Wohnhäuser dieser Siedlung waren schon aus Steinen oder Ziegeln gebaut. In den Nebengebäuden waren die Ernte und die Vorräte, Schmiede, Wagnerei und Küferei untergebracht, kurzum alle Werkstätten, die für das Leben auf dem Lande, das noch keine Arbeitsteilung kannte, benötigt wurden. Die Häuser der reichen Farmer waren von großzügigem Zuschnitt. Man gelangte zunächst in eine große Halle, von der eine geschwungene Treppe in das obere Stockwerk mit den Schlafräumen führte. Die besten Häuser waren mit Mahagonimöbeln ausgestattet, die zumeist aus England kamen, bald aber auch schon in Amerika gefertigt wurden. Auch bei den Vorhängen aus Seide und Damast, bei Prozellan und Tafelsilber wurden europäische Waren bevorzugt. Später errichteten die wohlhabenden Pflanzer Stadthäuser in Williamsburg, Annapolis oder Charleston, wo man sich zur Winterzeit auf Bällen, Gesellschaften, Pferde- und Hunderennen oder beim Kartenspiel vergnügte.

Nur ein paar Dutzend Kilometer weiter erinnert die 30 Meter hohe Siegessäule von Yorktown an den 19. Oktober 1781, als hier die letzte Schlacht im Unabhängigkeitskrieg ausgetragen wurde. Die Engländer hatten sich damals an die Mündung des York Rivers zurückgezogen und die Stadt befestigt. George Washington ließ in langen Eilmärschen eine Armee von 16000 Amerikanern und Franzosen folgen. Zur See hin wurde die Festung durch Schiffe des französischen Admirals de Grasse abgeriegelt. Das bedeutete für die Engländer das Ende. Ihr Befehlshaber Lord Cornwallis übergab sein Schwert an den amerikanischen General Benjamin Lincoln.

Zwei Jahre lang weigerte sich König George III., die Niederlage einzugestehen. Dann wurde 1783 der Friede von Versailles geschlossen, in dem England die Unabhängigkeit der Vereinigten Staaten anerkannte. In dem Museum innerhalb der geschleiften Festung wird die Schlacht von Yorktown noch immer nachvollzogen.

Dritte Station dieser geschichtlichen Erinnerungsfahrt ist das nahe liegende Williamsburg, das als erste amerikanische Stadt ein Parlament besaß. Als 1699 das Virginia House of Burgesses errichtet wurde, bestand die Stadt erst aus 200 Häusern mit etwa 800 Einwohnern. Das heute noch erhaltene Gebäude ist ein schönes Beispiel architektonischer Geschlossenheit. Der auf drei Turmdurchgängen ruhende Mittelbau wird von einem schlanken Turm mit Umgang überragt und von zwei mächtigen Ecktürmen abgeschlossen. Auf dem Turm flatterte die erste Fahne mit 13 rot-weißen Streifen, die alle nach Unabhängigkeit strebenden Kolonien symbolisierten. 1779 wurde die Hauptstadt Virginias von Williamsburg nach Richmond verlegt.

West Virginia: Verkehrsmittel der Zukunft

Das in die Appalachen hineinragende West Virginia trennte sich im Bürgerkrieg 1861 von Virginia und machte sich selbständig. Zwei Jahre später trat es als 35. Staat der Union bei. Eine besondere Attraktion lockt in der Universitätsstadt Morgantown: Die erste vollautomatische Kabinenbahn der Welt. Sie steht auf einer Strecke von vorerst vier Kilometern den 26000 Studenten zur Verfügung, die das Leben in der nur 30000 Einwohnern zählenden Stadt am Monongahela River prägen.

Dieses neuartige Verkehrsmittel versucht, die Vorteile des individuellen Verkehrs, wie sie in der Freizügigkeit des Automobils bestehen, mit denen des öffentlichen Verkehrs zu verbinden, die in der Beförderung großer Menschenmassen zwischen stark frequentierten Knotenpunkten liegen. Die Lösung, die in Morgantown gefunden wurde, ist ein fahrerloses Taxi auf eigener Fahrbahn, das durch moderne Antriebs- und Führungstechnik angetrieben und gelenkt wird, während der Betrieb und dessen Sicherheit durch ein Computersystem überwacht werden.

Der Vorteil des bis zu 21 Personen fassenden Verkehrsmittels besteht darin, daß rund um die Uhr ein Fahrzeug zur Verfügung steht, das mit einer Länge von rund fünf Metern einer Limousine gleicht, die mit ihrer Höhe von zwei Metern jedoch das Stehen erlaubt, zwei Türen auf beiden Seiten und breite Fenster besitzt. Die Scheiben können jedoch nicht heruntergelassen werden, weil das Innere vollklimatisiert ist. Der Elektroantrieb sowie die Gummibereifung sorgen dafür, daß die Fahrzeuge lärmarm und abgasfrei verkehren, ihr Betrieb also umweltfreundlich ist.

Morgantown eignete sich aus mehreren Gründen besonders gut für dieses Experiment mit einem Verkehrsmittel der Zukunft. Da ist zunächst seine geographische Lage in einem engen Tal des Quellflusses des Ohio Rivers. Neben Fluß und Eisenbahn findet nur noch eine Straße Platz, die sowohl den starken Orts- wie den Fernverkehr aufnehmen muß. Die aus allen Nähten platzende Universität teilt sich in drei Zentren auf, die jeweils drei Kilometer auseinander liegen. Von Campus zu Campus war früher eine Flotte von 70 Schulbussen unterwegs, um Studenten und Professoren von einer Vorlesung zur anderen zu bringen. Das brachte den Straßenverkehr an den Rand des Zusammenbruchs.

Das Betonband der ersten Kabinenbahn Amerikas wurde behutsam in die Landschaft und die bestehende Bebauung gelegt. Der zielreine Verkehr, der kein Umsteigen und keinen Zwischenaufenthalt der Kabine zwischen Abfahrt und Ankunft erfordert, hat die Verkehrssituation in dieser Mittelstadt West Virginias inzwischen erheblich verbessert. Das System eignet sich nach den bisherigen Erfahrungen vor allem für die verkehrsmäßige Erschließung von Klein- und Mittelstädten, die über einen zielreinen Verkehr verfügen.

Maryland und Delaware: Austern und Tabak

Die Nachbarstaaten Maryland und Delaware teilen sich die Halbinsel zwischen der Chesapeake Bay, die vom Susquehanna River gespeist wird, und dem Delaware River. Beide Staaten erheben Anspruch darauf, die nördlichsten Tabakanbaugebiete der Vereinigten Staaten zu besitzen. In den teilweise versumpften Küstenstrichen ist auch die Austernzucht lohnenswert. In Delaware, dem zweitkleinsten Staat der USA, gründete der aus Wesel stammende Peter Minuit 1683 im schwedischen Auftrag die erste und einzige Kolonie dieses skandinavischen Landes, die jedoch nur 17 Jahre bestand. Nach einem holländischen Zwischenspiel fiel Delaware bereits neun Jahre später an England und erreichte 1775 endlich seine Eigenständigkeit. Die Hauptstadt des Landes ist Dover mit einem großen Luftstützpunkt, die größte Stadt jedoch Wilmington an der Mündung des Delaware Rivers in die gleichnamige Bucht mit großen Hafenanlagen und Schiffswerften.

Das Schlachtfeld von Gettysburg in Pennsylvania wurde als »National Military Park« zur nationalen Gedenkstätte erklärt. Über 1400 Denkmäler und 400 Geschütze erinnern an die berühmte Schlacht vom Juli 1863, die die Unionstruppen gewannen.

Eine noch bessere Lage zwischen Land und Meer hat Baltimore, Zentral- und Hauptstadt Marylands. Es besitzt einen der besten Tiefseehäfen an der atlantischen Küste der USA überhaupt. Die Stadt ist nach Lord Baltimore benannt, dem das Gebiet größtenteils gehörte, auf dem sie sich jetzt ausdehnt.

Philadelphia: Wo William Penn landete

Der zweite Eckstein der amerikanischen Geschichte nach Boston ist Philadelphia, die größte Stadt Pennsylvanias. Kein Besucher der Stadt versäumt es, das historische Quadrat zu besichtigen, das sich zwischen der Landungsstelle des Staatsgründers William Penn am Delaware-Ufer und dem Rathaus sowie zwischen Walnut und Race Street erstreckt. Größter Anziehungspunkt darin ist die Unabhängigkeitshalle, das frühere State House, in der am 2. Juli 1776 die Unabhängigkeitserklärung der 13 Neu-England-Staaten unterschrieben wurde, ehe sie zwei Tage später in Boston verkündet wurde.

Bis zur 200-Jahr-Feier der USA 1976 barg sie auch die Freiheitsglocke, die dann in einem eigenen Pavillon aufgestellt wurde, um als eine der Reliquien aus den Gründungsjahren der Vereinigten Staaten von ihren geschichtsbewußten Bürgern verehrt zu werden. Eine Nachbildung der Liberty Bell wurde 1950 von dem amerikanischen General Lucius D. Clay an den damaligen Regierenden Bürgermeister Westberlins, Ernst Reuter, übergeben, der sie im Turm des Schöneberger Rathauses aufhängen ließ.

Im gleichfalls 1976 eröffneten Living History Center an der Ecke der 6. Straße und Race Street wird die Geschichte der Stadt, des Staates und der ganzen Vereinigten Staaten lebendig dargestellt. Auf dem Friedhof der Christuskirche liegt Benjamin Franklin begraben. Auf seine Initiative hin wurde 1743 die amerikanische Philosophische Gesellschaft gegründet.

In Philadelphia ist die älteste Bank der Vereinigten Staaten erhalten. Die Stadt besitzt wie Boston und New York viele Museen, Bibliotheken und Universitäten. Sie gilt auch als das Verlagszentrum der Vereinigten Staaten, in dem die meisten Bücher gedruckt und vertrieben werden. Den umfassendsten Überblick über die Stadt und ihr Umland, über den Delaware und den hier mündenden Schuilkyll River, hat man von der 90 Meter hohen Plattform der Penn-Mutual-Lebensversicherung gegenüber der Unabhängigkeitshalle. Schon die Auffahrt mit einem am Haus angebrachten Fahrstuhl, dessen Glaswände den Blick nach außen gestatten, ist ein Erlebnis.

Eine Vorstadt Philadelphias ist Germantown. Sie wurde 1683 von deutschen Einwanderern gegründet. Viele ihrer Nachfahren im südlichen Pennsylvania und im nördlichen Maryland halten noch heute an ihrer Sprache fest. Sie sprechen einen Dialekt, der stark an die Pfälzer und hessische Mundart erinnert.

Pennsylvania: Geschichtliche Wallfahrtsstätten

Wallfahrtsstätten der amerikanischen Geschichte sind das eine halbe Stunde von Philadelphia entfernte Valley Forge und Gettysburg. In der an englische Landschaften erinnernden Umgebung von Valley Forge überwinterte 1777/78 Washingtons geschwächte und hungernde Armee in ärmlichen Holzhäusern nach der Niederlage gegen den englischen General Howe bei Germantown. Seine 3000 Mann waren nach zeitgenössischen Berichten »zerlumpt, verlaust und verdreckt«, während Howe mit seinen 20000 gut ausgebildeten und ausgestatteten Soldaten in Philadelphia einrückte, wo er Häuser und Lebensmittel beschlagnahmte, um seinen Truppen ein warmes Nachtlager und ausreichende Verpflegung zu verschaffen.

Der Schlachtort Gettysburg erinnert an einen der Höhepunkte im Bruderkrieg zwischen den Truppen der südlichen Konföderierten und der nördlichen Union. Der Konföderierten-General Robert E. Lee zögerte mit dem Angriff, als sich eine größere gegnerische Streitmacht näherte, was ihn schließlich den Sieg kostete. Er mußte sich trotz heldenhafter Einzelaktionen seiner Männer zum Potomac zurückziehen. Der Friedhof von Gettysburg, auf dem viele Tote beider Armeen begraben liegen, wurde 1895 zur nationalen Gedenkstätte erklärt.

Pennsylvania ist einer der größten Industriestaaten der USA, mit den Schwerpunkten Pittsburgh, der Doppelstadt Allentown-Bethlehem und Philadelphia. Es ist mit großen Steinkohlen- und Ölvorkommen auch reich an Bodenschätzen. Die Eisen- und Stahlerzeugung ist rund um Pittsburgh und Allentown konzentriert, während die elektronische Industrie und der Schiffsbau ihren Schwerpunkt in Philadelphia haben. Vom Flughafen aus sind die Werften, in denen vor allem Kriegsschiffe gebaut werden, gut zu beobachten.

PLAYBOY

Im Herzen der USA

Chicago · Illinois · Indiana · Ohio · Michigan · Wisconsin · Minnesota · Iowa

Welche Stadt auch immer sich an dem Wettbewerb beteiligen würde, die typischste amerikanische Stadt zu sein, Chicago hätte die größten Aussichten, ihn zu gewinnen. An Superlativen nimmt es Chicago leicht mit den anderen Metropolen des Landes auf: Es liegt, wenn auch inmitten riesiger Landmassen, an einem Binnenmeer, das den Vergleich mit einem Ozean nicht zu scheuen braucht; es hat in seinen Mauern das höchste Gebäude der Welt errichtet, in dieser Stadt ist ein Verwaltungszentrum entstanden, das von keiner anderen so leicht übertrumpft wird. Der Blick vom Hancock Center nach Norden läßt etwas von der Unendlichkeit erahnen, die im mittleren Westen der USA besonders intensiv zu verspüren ist. Wer in den Vereinigten Staaten war und Chicago nicht gesehen hat, kann sich nicht rühmen das Land zu kennen.

Mekka der Architekten

Obschon Chicago viele Paradebeispiele moderner Architektur zu bieten hat, ist das Sears-Roebuck-Gebäude als höchstes Haus der Welt nicht gerade ein Musterexemplar überzeugender Baukunst (unten). Der Blick vom Sears-Tower nach Norden mit den Maiskolben-Türmen der Marina City im Vordergrund und dem Hancock Center vor dem Michigansee läßt eine weitsichtige Stadtplanung vermissen (rechts). Im Einzugsbereich der zweitgrößten Stadt der USA leben heute mehr als 7,6 Millionen Menschen.

PLAYBOY
700·720

Straßen sind Mangelware

Seen und Wälder prägen die Staaten des mittleren Westens an der Grenze nach Kanada: Minnesota nennt sich stolz das Land der 11 000 Seen. Ein Elch in der Einsamkeit der Wälder ist ein häufig anzutreffendes Bild. Die Szene an einer Seenplatte Wisconsins zeigt das friedliche Zusammenleben eines Anglers mit dem Bären am anderen Ufer des fischreichen Gewässers (rechts). Hier kann man noch ungestört in großer Einsamkeit seinen Urlaub verbringen – ungestört vom Verkehrslärm, denn nicht überallhin führen Straßen.

Sattes Grün bis zum Horizont

Erntereifes Bauernland, so weit das Auge reicht. In den Herzstaaten der USA finden sich fruchtbare Böden in ausreichender Fülle. Sie lassen Überschüsse zu, die auch fremde Staaten ernähren können (oben). Kolonnen von Mähdreschern fahren in Iowa die Weizenernte ein. Im Hintergrund warten Getreidesilos darauf, um mit dem Segen der Erde bis zum Rand gefüllt zu werden (rechts).

Sport, Spiel und Spaß

Kraft und Geschicklichkeit dominieren bei einer der typischen amerikanischen Sportarten, dem zur Sommerzeit bevorzugten Football, der bei uns als Rugby bekannt ist. Der birnenförmige Ball wird dabei im Schutz des Körpers gegen den Widerstand der gegnerischen Mannschaft über eine Linie getragen (links). Das Spiel wird durch musikalische Unterstützung einer in farbenprächtigen Uniformen gekleideten Kapelle vorbereitet (oben).

Das Städtemeer am Michigansee

Es gibt nur wenige Städte in der Welt, die ungeschützt durch Berge oder vorgelagerte Inseln an einem Meer errichtet worden sind und die den hereinbrechenden Winden frank und frei ihre Stirn bieten. Miami ist eine solche Stadt, aber der Atlantik ist dort zumeist zahm und friedlich. Das gleiche gilt für Los Angeles oder Buenos Aires, die größte Ansiedlung auf der südlichen Halbkugel. Ganz anders Chicago, das im Sommer ein Tummelplatz der Winde ist und sich im Winter unter der unbarmherzigen Pranke des polaren Wetters duckt.

Chicago: Hafenstadt mitten im Land

Chicago ist eine Hafenstadt, die inmitten der Vereinigten Staaten liegt. Auf dem Michigansee verkehren zum Erstaunen aller Fremden Ozeandampfer, die über den Großschifffahrtsweg der Großen Seen und den St.-Lorenz-Strom das offene Meer erreichen. Chicago ist auch eine Stadt des Verkehrs, auf die, wie ein halbzerissenes Spinnennetz anzuschauen, Autobahnen zulaufen, vor allem aber eine Stadt des Luftverkehrs. Der nordwestlich der City gelegene O'Hare-Flughafen ist nach der Zahl der landenden und startenden Flugzeuge sowie der Passagiere der größte der Welt.

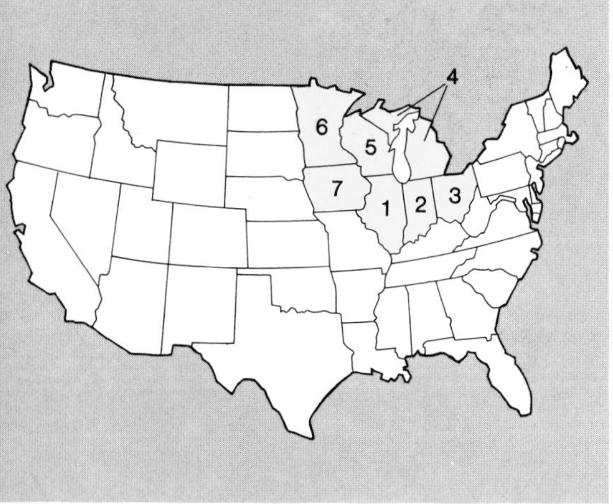

Mittlerer Westen

1 *Illinois*
2 *Indiana*
3 *Ohio*
4 *Michigan*
5 *Wisconsin*
6 *Minnesota*
7 *Iowa*

Die zweitgrößte Stadt der USA beansprucht viele *firsts* für sich, Einzigartigkeiten, die sonst auf dem Globus nicht zu finden sind. Wo sich früher Indianerpfade in alle Himmelsrichtungen kreuzten, gründete Jean Baptiste des Sable, ein Negermischling, 1784 eine erste feste Niederlassung, aus der 1803 das Fort Dearborn entstand. 1830 — vor 150 Jahren — war Chicago noch ein Dorf mit zwölf Häusern und 70 Einwohnern. Schon sieben Jahre später wurde es zur Stadt erhoben, wuchs und wuchs bis zu seiner heutigen Größe, die auch von der Aussichtsplattform des höchsten Hauses der Welt, des Verwaltungsgebäudes der Versandfirma Sears, Roebuck & Co., nicht zu überblicken ist.

Eine Besichtigungstour beginnt in der Regel am schlanken, zinnenbewehrten Wasserturm, dem einzigen historischen Gebäude der Stadt, das den großen Brand am 8. und 9. Oktober 1871 unversehrt überstanden hat. »Die magische Meile« nennen die Chicagoer dieses Stück der Michigan Avenue von hier bis zur alten Klappbrücke über den Chicago River, wo mit dem Wrigley Building einer der ersten Wolkenkratzer der Welt entstand. Er erinnert an einen Hochzeitskuchen aus weißem Zuckerguß, der aufs Anschneiden wartet.

Gegenüber das Hochhaus einer großen Zeitung, deren mit Kreuzblumen gekrönte Eingänge in das Innere einer neugotischen Kathedrale zu führen scheinen. Die Wände sind mit Bronzeabdrucken der Ausgaben geschmückt, die über große historische Ereignisse des Landes berichteten. Die Schlagzeilen künden von der Ermordung Präsident Abraham Lincolns, einem Helden des Staates Illinois, von Lindberghs umjubeltem Paris-Flug, vom japanischen Überfall auf Pearl Harbor, dem Abwurf der ersten Atombomben auf Hiroschima und Nagasaki und der ersten Mondlandung am 20. Juli des Jahres 1969.

Die Geschichte des Häuserbaus ist in Chicago mit sehenswerten Beispielen geschrieben worden. Hier baute William Le Baron Jenney 1885 mit dem neungeschossigen Home Insurance Building das erste Gebäude, in dem Stahlstrukturteile verwendet wurden, nachdem zuvor nur Schmiedeeisen und Gußeisen für die gewünschte Festigkeit und Elastizität sorgten. Da die bestellten Stahlteile jedoch erst eintrafen, als das sechste Geschoß bereits fertiggestellt war, nutzte sie der Architekt wenigstens für die drei folgenden Geschosse. Zehn Jahre später entstand dann mit dem Reliance Building die erste Stahlskelettstruktur, deren Fassade sich nicht selber trägt, sondern einfach vorgehängt ist und die zum größten Teil aus Glas besteht.

Jünger der Chicago School of Architecture errichteten so wegweisende Bauten wie das mit Ornamenten reich verzierte Kaufhaus Carson Pirie Scott, das Monadnock Building aus dem Jahr 1891, das mit seinen 16 Geschossen eines der höchsten aus Mauerwerk errichteten Gebäude ist und erstaunlich modern aussieht. Heute stehen von den fünf höchsten Gebäuden der Welt drei in Chicago, darunter der unproportioniert wirkende Sears-Roebuck-Klotz mit seinen 110 Geschossen, die 443 Meter in den Himmel ragen, 30 Meter höher als das World Trade Center in New York. Den 16500 Menschen, die in dem Superwolkenkratzer arbeiten, stehen 103 Aufzüge zur Verfügung, darunter zwei Expreßaufzüge, die innerhalb von 90 Sekunden die Besucherterrasse im 103. Stock erreichen. Neben 76000 Tonnen Stahl wurden für das Gebäude nur noch Aluminium, Glas und Kunststoff verwendet. Die beiden Architekten Bruce Graham und Fazlur Kahn behaupten, mit der von ihnen angewandten Bauweise doppelt so hohe Häuser bauen zu können.

Aber die Stadt hat noch weitere architektonische Wunderwerke aufzuweisen: Die runden Doppeltürme der

Die »Maiskolbenhäuser« von Chicago, Marina City genannt, sind einer der Superlative in der an Höhepunkten nicht armen Stadt. Steckbrief: 170 Meter hoch, 30 Meter Durchmesser, 912 Appartements für 2000 Menschen in 60 Stockwerken.

Marina Towers am Chicago River, an deren Stegen man mit dem Boot anlegen und in deren darüber liegenden Parketagen man sein Auto abstellen kann, ehe man die Büros und Wohnungen erreicht, die um so teurer werden, je höher sie liegen und je weiter die Aussicht ist. Beispiele neuzeitlichen Bauens sind auch das zwischen 1965 und 1970 hochgezogene John Hancock Center mit seinen 100 Stockwerken, die First National Bank, das Appartementhaus Lake Point Tower und das Rathaus inmitten des Loop, der in Höhe des ersten Stockwerks von der alten Stadtbahn befahren wird und eine Schlinge bildet. Hier schlägt das Herz Chicagos mit seinen Banken, Warenhäusern und Verwaltungsgebäuden. Die State Street bildet das Einkaufszentrum mit dem großen Warenhaus Marshall Field. In der La Salle Street wird das Geld des Mittelwestens verwaltet und vermehrt.

Ein paar Straßenzüge weiter, in der Rush Street, türmen sich Kinos, Theater, Nachtclubs und Restaurants zuhauf, die Chicago seit den bewegten zwanziger Jahren zu einer Hauptstadt des Vergnügens gemacht haben. Man kann dort auch deutsche Restaurants finden, wie sie in der Bundesrepublik kaum noch existieren: Weite, holzgetäfelte Räume mit Theken, die gut zwei Dutzend Meter lang sind. An den messingglänzenden Stangen können sich Biertrinker festhalten, die nicht mehr sicher auf ihren Beinen stehen. Pausenlos schenken die Kellner hinter dem Tresen den frisch gezapften Gerstensaft aus, der auch in den USA auf dem besten Weg ist, das Volksgetränk Nr. 1 zu werden.

Drei Musikanten mischen sich unter die Zecher. Sie spielen auf dem Schifferklavier, auf der Geige und auf der Gitarre Trink- und Studentenlieder, besingen den Rhein und den Wein, die Berliner Luft und das Münchner Hofbräuhaus. Die Männer verbreiten jene gemütvolle und gefühlsselige Stimmung, die man als typisch deutsch bezeichnet, die in der Heimat selbst aber kaum noch anzutreffen ist.

Besucher aus der Bundesrepublik horchen deshalb verwundert auf, einige wenden sich peinlich berührt ab. Alle schweigen und leisten der Aufforderung des Sängers zum Mitsingen und Mitschunkeln keine Folge. Bis dann doch der Alkohol seine Wirkung tut und ein ganzer Männerchor in die Lieder einfällt, die ihm aus der Jugendzeit noch vertraut sind.

Nur wenige Straßenecken weiter erstreckt sich Soldier's Field am Seeufer, wo Sportveranstaltungen und Musikveranstaltungen stattfinden. Das Field Museum für Naturgeschichte liegt hier, das Shedd Aquarium, das Adler Planetarium, das große Kongreßzentrum am McCormick-Platz und das Museum für Wissenschaft und Industrie, das technische Erfindungen und industrielle Produkte präsentiert. Im Freigelände ist neben Dampflokomotiven der großen Eisenbahngesellschaften auch ein deutsches U-Boot ausgestellt, das während des Zweiten Weltkriegs in amerikanischen Gewässern aufgebracht wurde.

Tausende von Geschäftsreisenden strömen Tag für Tag zum Merchandise Mart, dem zeitweise größten Gebäude der Welt, wenn man den Rauminhalt als Maßstab nimmt. Sie besuchen die vielen Firmen der Leicht- und Schwerindustrie, die sich in den Vororten angesiedelt haben, sie eilen zur Aktien- und Warenbörse, die eine der größten dieser Erde ist. Hier werden die Preise für Getreide und Vieh weltweit festgelegt.

Noch gibt es auch die großen Schlachthöfe südlich des Loop, noch ist hier »der Schweinemetzger der Welt« zu Hause, der die Tiere maschinell tötet und ausnimmt, ihr Fleisch am Fließband verarbeitet, einfriert und über das ganze Land versendet. Viele bekannte Firmen wie Armour und Swift aber haben ihre Fabriken geschlossen.

Die ständig wachsende Handels- und Industriestadt hat viele Neger angelockt, die inzwischen etwa ein Viertel der Bevölkerung ausmachen. Rassenunruhen in wirtschaftlichen Notzeiten, wenn die schwarzen Arbeiter als erste gefeuert werden und von Arbeitslosenunterstützung und Lebensmittelhilfen nur kärglich leben kön-

nen, sind dann die Folgen. Die Siedlungsgebiete sind strenger als in anderen Städten nach Rassen- und Sozialschichten getrennt. Im Süden liegt das »Bronceville« der Neger, der Westen gilt als das Revier europäischer Einwanderer, unter denen besonders viele Polen sind, während die wohlhabenden Weißen am nördlichen parkartigen Seeufer der »Gold Coast« wohnen. Hier haben sich die Vororte fast bis ins 130 Kilometer entfernte Milwaukee im Nachbarstaat Wisconsin ausgedehnt.
Was ist anders in Chicago als in den anderen Millionenstädten Nordamerikas, was ist anders als in New York? Die Frage ist leicht beantwortet: Der große Schmelztiegel an der Ostküste ist kosmopolitisch, aufgeschlossener, heiterer, fröhlicher, fast gemütlich. Chicago ist eher in sich gekehrt, kühl, hart und ernst. Nicht umsonst wird es die »windige Stadt« genannt. Dieser Wind, der zumeist über den Michigansee einfällt, ist nicht der Wind des Meeres, der die Frische mit sich bringt, der die Haut prickeln läßt und den Kopf frei und beschwingt macht.
Der Wind von Chicago, sagt ein kluger Kenner der Stadt, läßt die Drohung der Blizzards und der Tornados erahnen. Er erzählt von reichen und armen Ernten in den umliegenden Getreideprovinzen der Prärie, er läßt an die Bodenerosionen in den blauen Bergen denken und an die Verzweiflung und Hoffnungslosigkeit, die er hinterläßt, wenn er im Sommer nur hitzeflirrende Trockenheit und keinen Regen mit sich führt oder im Winter tagelang als Schneesturm regiert, von keinem natürlichen oder künstlichen Hindernis aufgehalten.

Illinois: Lincolns Heimat

Der Staat Illinois bildet geographisch betrachtet die Verbindungsklammer zwischen den Großen Seen und dem Mississippi, der zugleich seine westliche Grenze darstellt. Historisch gesehen ist er Lincoln-Land: Abraham Lincoln, der 16. Präsident der Vereinigten Staaten, wurde zwar in Kentucky geboren, wuchs aber in Illinois auf und begann in der Hauptstadt Springfield seine politische Laufbahn, war im dortigen Parlament Einpeitscher der Republikanischen Partei und wurde von ihr 1860 für die Präsidentschaft nominiert.
Seine Wahl führte zur Spaltung der Demokratischen Partei und schließlich zum Bürgerkrieg, in dem es um die von den Nordstaaten geforderte Abschaffung der Sklaverei in den Südstaaten ging. Ihre Führer gründeten in Montgomery (Alabama) im Februar 1861 die Konföderierten Staaten von Amerika, wählten Jefferson Davis zu ihrem vorläufigen Präsidenten und eröffneten am 12. April des gleichen Jahres das Feuer auf Fort Sumter im Hafen von Charleston.
Lincoln, der sich als Sohn einer armen Familie ohne fremde Hilfe zum Rechtsanwalt emporgearbeitet hatte und lange Zeit als linkisch, ungehobelt und ungebildet galt, zeigte jetzt seine wahre Persönlichkeit. Seine politischen Führungsqualitäten erwiesen sich unerwartet als so überragend, daß seine Anhänger von dem größten Führer sprachen, den die Welt je gesehen habe. Seine Reden und Schriften — die Gettysburg-Botschaft, die Rede zu seiner Amtseinführung nach seiner Wiederwahl 1864 und seine Briefe — gehören zu den Meisterwerken englischer Prosa.
Nachdem Lincoln den Bürgerkrieg zu einem friedlichen Ende geführt hatte und die Sklaverei durch die Emancipation Proclamation endlich abgeschafft war, wurde er durch den aus den Südstaaten stammenden fanatischen Schauspieler John Wilkes Booths während eines Theaterbesuchs ermordet. Booth flüchtete und wurde von seinen Verfolgern erschossen. Das Grabmal Lincolns liegt im Norden der Stadt Springfield, das Haus, in dem er während seiner Tätigkeit im Capitol von Illinois wohnte, in der Stadtmitte.
Der Präriestaat ist bis auf wenige Erhebungen am Illinois River im Westen und den Ausläufern der Ozark-Berge im Süden tischeben. Auf seinen fruchtbaren Böden, die früher von hochwachsenden Gräsern bedeckt waren und großen Viehherden Nahrung boten, wachsen hauptsächlich Mais und Sojabohnen, die als Viehfutter verwendet werden, sowie Weizen und Gerste für Nahrungszwecke.
Zu den Städten am Mississippi gehören Kaskaskia, das durch eine Brücke mit St. Mary's in Missouri verbunden ist, und Cairo am Zusammenfluß von Ohio und Mississippi, Quincy und Moline. Ihre heutige Bedeutung ist gering, wohl aber bewahren einige von ihnen geschichtliche Erinnerungen. Cairo ist von hohen Deichen mit stählernen Deichtoren umgeben, die geschlossen werden können, wenn die beiden mächtigen Ströme Hochwasser führen und das weite Land überfluten. In Kaskaskia befand sich auch die Glocke, die der Freiheitskämpfer George Rogers Clark läuten ließ, als er die Stadt 1778 aufforderte, sich auf die Seite der aufständischen Kolonien zu schlagen. Die »Freiheitsglocke des Westens« wurde 1881 vom Hochwasser des Mississippi mitgeführt und blieb bis 1918 verschwunden. Als man sie, von Erdmassen verborgen, wiederfand, wurde sie in einem Schrein auf der Mississippi-Insel aufgestellt, wo sie heute noch viele Besucher anzieht.
Das nördlich von Quincy gelegene Nauvoo wurde 1839 von Mormonen erbaut. Als ihr Anführer Joseph Smith im Gefängnis des nahe gelegenen Carthage ermordet wurde, folgten die meisten Anhänger seinem Nachfolger Brigham Young, der sie in den Westen des Landes zu führen versprach. Noch immer sind Häuser zu sehen, die von Smith gebaut worden sind.

Indiana: Amerika, wie es im Buche steht

Viele Ortschaften in den Vereinigten Staaten wetteifern darum, »unsere kleine Stadt« zu sein, wie sie der in Madison (Wisconsin) geborene Dichter Thornton Wilder in einem vielgespielten Theaterstück beschrieben

Rennsportfans kennen den Namen der Stadt Indianapolis in Indiana vor allem wegen der vier Kilometer langen Rundrennstrecke, auf der alljährlich im Mai das berühmte 500-Meilen-Rennen (800 km) stattfindet, in den USA »Indy 500« genannt.

hat. Die Stadt, die Wilder im Sinn hatte, ist unzweifelhaft im mittleren Westen der USA gelegen. Sie könnte gut im Bundesstaat Indiana liegen, wo Besucher ein Amerika antreffen, wie es im Buche steht. Die typische amerikanische Kleinstadt könnte — um noch genauer zu sein — Evansville sein, das am Ohio River in der südwestlichen Ecke des Staates hart an der Grenze nach Illinois liegt.

Evansville hat einen Flugplatz, von dem ein halbes Dutzend Flugzeuge in den Abend- und Morgenstunden die Verbindung mit den größeren Städten des Landes aufrecht erhalten. Es hat einen Bahnhof, der klein und schläfrig auf die wenigen Fahrgäste wartet, die hier abreisen oder ankommen. Die Hauptstraße mit ihren eintönig werbenden Geschäften, den Ordnung und Sauberkeit propagierenden Papierkörben und den spärlichen Fußgängern könnte geradezu für ein Bühnenbild des Stückes Verwendung finden. Da gibt es den kleinen Coffee Shop, in dem nur zu den Mahlzeiten am Tag Leben herrscht, das freundliche, wie alle anderen Häuser der gleichnamigen Kette aussehende Hotel, das am Abend auf Geschäftsreisende und die Teilnehmer einer Party wartet, und die schmuddelige Bar am Stadtrand, in der unbeachtet immer dasselbe Fernsehprogramm über die Mattscheibe zu flimmern scheint und in der eine Handvoll Stammgäste gerade die nächste Runde ausknobelt: Gin und Tonic, Bourbon oder ein Dosenbier, dessen fader Geschmack von keiner Konkurrenzmarke übertroffen wird. Draußen vor der Stadt ziehen sich weißgestrichene Holzhäuser die grünen Hügel hinauf. Von ihnen hat man einen Blick auf die mächtige Flußschleife im Süden, die nur hin und wieder von träge dahinziehenden Schleppzügen belebt wird.

Die wenigen Sehenswürdigkeiten des Staates sind in der südwestlichen Ecke westlich von New Albany zu finden: Der Flecken Corydon mit einem alten Backsteinhaus, das von 1816 bis 1824 immerhin als Capitol diente und in dem Indianas erste Verfassung niedergeschrieben wurde. Unweit davon führt die Wyandotte Cave in das weitestverzweigte Höhlensystem der Vereinigten Staaten, durch das man mehr als 40 Kilometer weit in das Berginnere eindringen kann.

Die Hauptstadt Indianapolis, ziemlich genau in der Mitte des Staates gelegen, wurde 1820 nach dem Plan eines erfahrenen Städtebauers geräumig angelegt. Sie ist mit 340 Kirchen und dem Sitz eines Erzbischofs eines der katholischen Zentren der USA. Hier residieren auch der einflußreiche Veteranenverband der American Legion und die Verwaltung des US-Heeres. Präsident Benjamin Harrison und der Lyriker James Whitcomb wurden hier geboren. In der ganzen Welt bekannt ist die Autorennstrecke, auf der alljährlich die 500 Meilen von Indianapolis gefahren werden. Touristenziel sind auch die weißen Sanddünen am Ufer des Michigansees, die zu den schönsten und seltensten Biotopen des ganzen Landes zählen.

Ohio: Ein Stück Europa in den USA

»Drüben in Indiana sind die Leute ein wenig zu bedächtig, und jenseits des Ohio in Kentucky lieben sie zu sehr die Frauen und die Pferde. Hier in Ohio haben wir die arbeitsamsten und tüchtigsten Menschen in ganz Amerika gefunden und aus diesem Grund unser Werk nach Cincinnati verlegt.« Diese humorvolle und nicht ganz ernsthafte Bemerkung eines Industriekapitäns erklärt den Gewerbefleiß und die Betriebsamkeit des Staates, der mit seiner Industrieproduktion nach New York und Kalifornien an dritter Stelle in den Vereinigten Staaten steht.

Ohio bildet den westlichen Teil des längs des Allegheny-Gebirges liegenden Industriegürtels der Vereinigten Staaten, in dem sich fast alle wichtigen Branchen angesiedelt haben. Neben einer hochentwickelten Landwirtschaft wird auch Kohle abgebaut und Kalkstein gebrochen, Erdöl und Erdgas gefördert, Eisen und Stahl erzeugt und weiterverarbeitet. Die Gummiindustrie hat in Akron mit den Firmen Firestone, General Tire, Goodrich und Goodyear ihren Schwerpunkt. In Cincinnati werden Flugzeugtriebwerke und Werkzeugmaschinen gebaut, aber auch Waschmittel und Kosmetika hergestellt.

Die Stadt am Ohio ist nach dem im fünften Jahrhundert vor Christus lebenden römischen Staatsmann Lucius Quinctius Cincinnatus benannt, der sich im Dienst am Staat aufrieb. Einst war die Stadt durch ihre Brauereien — ein Erbe des starken deutschen Einwandererstroms — und ihre Schlachthäuser bekannt, die ihr den Namen Porcopolis (Schweinestadt) einbrachte. In diesem ersten geistigen Zentrum des Mittelwestens lebte die Schriftstellerin Harriet Beecher-

Detroit ist stolz auf den Titel »Welthauptstadt des Automobils«. Hier kann jeder die modernsten Montagebänder besichtigen – in Detroit wurden sie von Henry Ford erstmals im Automobilbau angewendet und zu großer Perfektion entwickelt.

Stowe, die hier die Idee für den Roman »Onkel Toms Hütte« hatte. Das moderne Cincinnati mit seinen Hochhäusern über dem Steilufer des Ohio hat als bauliche Eigenart Fußgängerbrücken aufzuweisen, über die man die Geschäfte und Kaufhäuser gefahrlos erreichen kann, ohne die Straßen überqueren zu müssen.

Das nördlich von Cincinnati gelegene Dayton ist als Heimat der Brüder Wright bekannt, die hier Fahrräder, Drachen, später die von ihnen zuvor erprobten Flugzeuge und sogar einen Windkanal bauten. Der Luftstützpunkt Wright-Patterson im Osten der Stadt beherbergt das Forschungszentrum der US-Luftwaffe und zugleich ein Luftfahrtmuseum mit vielen technischen Raritäten aus der Frühzeit der Fliegerei.

In der zentral gelegenen Ohio-Hauptstadt Columbus erinnert eine der vielen Steinfiguren vor dem Capitol an den 1843 in dem Dorf Niles geborenen Präsidenten William McKinley, der 1901 in Buffalo ermordet wurde. Ohio stellte insgesamt sieben Präsidenten der USA und gilt als eine Hochburg der konservativen Republikaner, denen es um die Erhaltung des bewährten American Way of Life geht. Zahlreiche Museen mit Kunstgegenständen und historischen Erinnerungsstücken sind hier wie in allen größeren Städten des Landes zu besichtigen.

Marietta, an einer der zahlreichen Windungen des bei Pittsburgh aus dem Zusammenfluß von Allegheny und Monongahela entstandenen Ohio Rivers gelegen, ist die älteste Siedlung des Staates. Sie wurde von dem englischen Einwanderer Rufus Putnam als ein hochwassersicheres Fort angelegt.

Die glänzende Metropole des nach seiner Einwohnerzahl sechstgrößten US-Staates ist jedoch Cleveland am südlichen Ufer des Erie-Sees, die mit ihrer kosmopolitischen Ausstrahlung viele Einwanderer aus allen Erdteilen anzog. Sie pflegen ihre nationalen Eigenheiten weiter und demonstrieren dies im Rockefeller Park durch das Pflanzen eines typischen Strauches ihrer Heimat. Das Herz der achtgrößten Stadt der USA schlägt am Seeufer, wo die Mall, die erste Fußgängerzone im ganzen Land, und der 215 Meter hohe Terminal Tower als Wahrzeichen entstanden. Die Aussicht vom 52. Stockwerk ist eindrucksvoll.

In der Euclid Avenue wohnten einst die meisten der vielen hier ansässigen Millionäre. Heute haben sich hier die vornehmen Geschäfte und Boutiquen eingerichtet. Ein beliebter Treffpunkt der Jugend ist das original wiederaufgebaute Dunham Tavern, in dem vor 150 Jahren die Pferdekutscher zwischen Buffalo und Detroit Station machten und in dem noch viele Gegenstände an die längst vergangenen Zeiten erinnern.

Die Kulturstadt Cleveland präsentiert sich am überzeugendsten mit ihrem Symphonieorchester, einem der namhaftesten im ganzen Land, dem Naturwissenschaftlichen Museum, dem Planetarium, dem Museum für Jüdische Religion, mit Zoo und Aquarium. Das Schauspielhaus beschäftigt ein festes Ensemble und spielt Stücke von Shakespeare bis zum Broadway Musical. Die Sportstadt Cleveland ist bekannt durch erfolgreiche Vereine, die das ganze Spektrum amerikanischer Sportarten abdecken.

Am wichtigsten aber ist die Industriestadt Cleveland mit mehr als 1500 Groß- und Mittelbetrieben. Der ideale Hafenplatz am größten amerikanischen Binnenmeer begünstigt die Ansiedlung von Hüttenwerken, Stahlwerken und Gießereien, den Maschinen- und Fahrzeugbau. Erzeugnisse der Auto- und Flugzeugindustrie sind im Auto Aviation Museum zu besichtigen.

Michigan: Weißer Strand im Binnenland

Lage und Bedeutung dieses fruchtbaren und industriereichen Binnenlandes der USA läßt sich schon aus dem im 17. Jahrhundert entstandenen Staatswappen herauslesen: »Si quaeris peninsulam amoenam, circumspice«, heißt es da im vornehmen Lateinisch (Schau dich hier um, wenn du eine schöne Halbinsel suchst). Genauer gesagt, besteht Michigan aus zwei Halbinseln, die an der Straße von Mackinac bis auf acht Kilometer zusammenkommen und auf diese Weise eine Verbindung zwischen Michigan- und Huronsee freilassen. Eine 1957 fertiggestellte mächtige Hängebrücke ermöglicht den Autoverkehr zwischen beiden Teilen des Staates. Ihr Bau kostete 100 Millionen Dollar. Das Geld dafür bringen jedoch die Autofahrer auf, die für ihre Benutzung Maut bezahlen müssen.

Die nach Norden wie ein mächtiges Schwert vorspringende Halbinsel grenzt auch an den Erie-See und an den kleineren St.-Clair-See, während der nördlich gelegene Teil des Staates vom Oberen und Michigan-See begrenzt wird. Sault Ste. Marie, eine französische Gründung und zugleich älteste Stadt Michigans, liegt an der engsten Stelle zwischen beiden Seen. Ozeanschiffe müssen hier den Höhenunterschied zwischen beiden Seen mit Hilfe eines Schleusensystems überwinden, das von den USA und Kanada gemeinsam betrieben wird.

Michigan hat nach Alaska mit 3620 Kilometern die längste Küstenlinie in den USA. Die bewaldeten und von Dünen eingefaßten Ufer sind im Sommer ein einziges Ferienparadies. Auf der Mackinac-Insel steht ein altes englisches Fort, das zum Schutz der wichtigen Wasserstraße angelegt wurde. Das darin eingerichtete Museum erinnert an die Bedeutung des Pelztierhandels für die frühen Siedler. Auf der Insel verkehren keine Autos, allein Fahrräder und Pferde sind als Fortbewegungsmittel zugelassen.

Von den Cass-Klippen aus überblickt man — wie Kenner meinen — das schönste Seenpanorama der Vereinigten Staaten.

Traverse City macht seine Besucher darauf aufmerksam, daß sie sich genau auf dem halben Weg zwischen

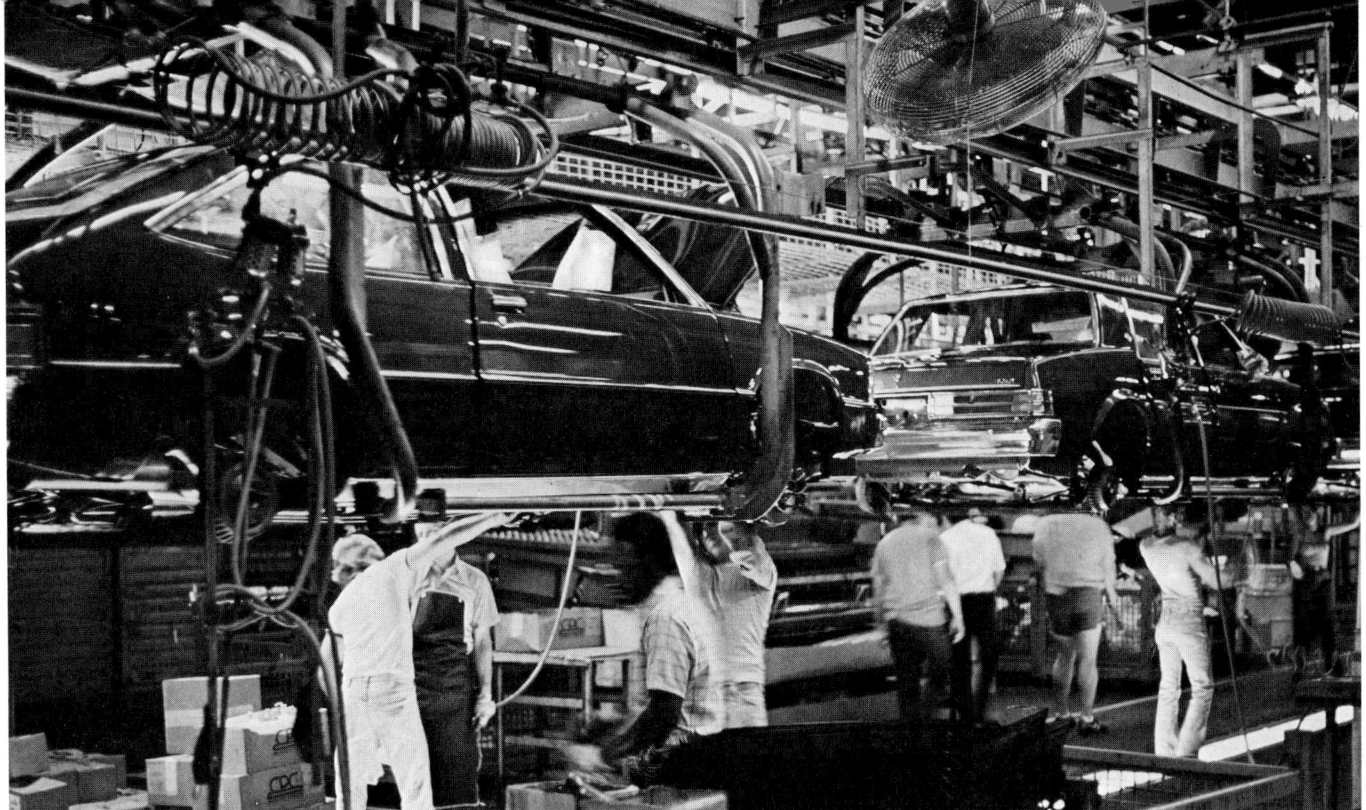

Nordpol und Äquator befinden. Über die nahe gelegenen Dünen des schlafenden Bären flitzen Strandsegler. In Manistee wird Salz gewonnen. Vom Fischerstädtchen Ludington aus besteht eine Fährverbindung nach Wisconsin, das hier das westliche Ufer des Michigansees bildet. Muskegon rühmt sich, einst der Welt größter Umschlagplatz für Bauholz gewesen zu sein.

Im nördlichen Landesteil liegt unweit von Ispheming der 603 Meter hohe Curwood, der als höchster Berg Michigans Zentrum des Wintersports ist. Wie häufig in den Vereinigten Staaten liegt die Hauptstadt Lansing inmitten des Staates. Bekannt ist Michigan in aller Welt durch seine größte Stadt Detroit. In der Welthauptstadt des Automobils können bei den führenden Herstellern General Motors, Ford und Chrysler die Montagewerke der Marken Cadillac, Continental, Dodge, Lincoln, Mercury und Plymouth besichtigt werden.

In Detroit und seinen von der Fahrzeugindustrie geprägten Vororten Dearborn, River Rouge, Highland Park, Warren und Pontiac sieht man jedoch — anders als sonstwo in den Vereinigten Staaten — keine Datsuns oder Toyotas, da hier acht von zehn Arbeitern mit dem Automobilbau zu tun haben und sich mit ihm identifizieren. Wie sehr die Stadt mit dem Automobil verwachsen ist, erkennt man nicht so sehr daran, daß sich hier mehr Menschen auf Rädern fortbewegen als in anderen Städten des Landes, sondern daran, daß hier eleganter und rücksichtsvoller als anderswo gefahren wird. Verkehrsregeln werden selten verletzt. Hupen oder Lichthupen gelten als schlechte Manieren und werden den Fremden überlassen.

Die markante Lage der Stadt am Detroit-Fluß, der Seeverbindung zwischen dem St.-Clair-See und dem Erie-See, wird durch architektonische Schwerpunkte betont. Der Klotz der Cobo-Halle gehört dazu. Sie wurde nach einem Detroiter Bürgermeister der fünfziger Jahre benannt und faßt mehrere tausend Menschen, die ihre Autos auf dem Flachdach des Gebäudes parken können. Vom Restaurant in der Rundhalle aus überblickt man den Fluß, der als eine der verkehrsreichsten Wasserstraßen der Welt gilt. In der nach dem früheren Schwergewichts-Weltmeister Joe Louis benannten Arena finden Sport- und andere Massenveranstaltungen statt. Dazu ist in den siebziger Jahren das gewaltige Renaissance Center gekommen, dessen Name auf die Wiedergeburt der Stadt nach Jahren des Verfalls aufmerksam machen soll. Neben einem Hotel und 24 Restaurants beherbergt es mehrere hundert Büros und Wohnungen.

Die gleichfalls am Ufer gelegene neuerbaute, nach dem Michigan-Senator Philipp A. Hart benannte Plaza ist eine Symphonie in Beton, der dennoch jegliche Erdenschwere fehlt. Der japanische Architekt Isamu Noguchi hat sie konzipiert. Um eine 36 Meter hohe Säule sind viele Skulpturen gruppiert, die sich in einem Brunnen spiegeln, der sein Wasser von oben nach unten speit.

Diese meisterhaften Schöpfungen moderner Stadtarchitektur stehen im krassen Gegensatz zu den kilometerlangen Slums entlang der Cass Avenue. Hier ist eine Brutstätte des Lasters und des Verbrechens, die Detroits Mordrate an die Spitze des ganzen Landes gebracht hat. Dem jahrelangen Niedergang ist mit ersten Sanierungsmaßnahmen jedoch Einhalt geboten worden. Auffallend sind die vielen Beratungsstellen für Alkoholiker und Rauschgiftsüchtige, die sich darum bemühen, den in den Trümmern ihrer Häuser vegetierenden Menschen die Hoffnung auf ein besseres Leben zu vermitteln.

Wisconsin: Land der Deutschen

Deutsche Einwanderer haben Wisconsin zu einem Staat gemacht, in dem viele Familien- und Ortsnamen an die alte Heimat erinnern. Deutsche Braumeister haben die größte Stadt Milwaukee zu einem Synonym für Bier werden lassen. Das sind Vorurteile, die weit verbreitet, aber heute nicht mehr unbedingt zutreffend sind. Der Anteil der Deutschstämmigen in diesem Land der Seen und Wälder sinkt ständig, wenngleich ihr

Einfluß noch spürbar ist. Ihre Charaktereigenschaften und ihre Lebensart werden sehr geschätzt und für nachahmenswert gehalten.
In Milwaukee spielen Brauereien noch eine große Rolle. Besucher versäumen nicht, den Gär- und Brauvorgang zu studieren, um mit einem Bierkrug als Erinnerungsgabe und Werbeträger davonzugehen. Der steigende Anteil des Gerstensaftes am Getränkeumsatz, der auf Kosten der hochkonzentrierten alkoholischen Drinks geht, hat zu Brauereikonzentrationen geführt. Inzwischen sind andere große Braustätten in St. Louis oder New Orleans hinzugekommen, so daß der Bierausstoß Milwaukees längst nicht mehr der größte in den Vereinigten Staaten ist.
Auch deutsche Restaurants, die mit ihrer typischen, Schweinefleisch und Kartoffeln bevorzugenden Küche und Biergarten-Gemütlichkeit aufwarten, sind ebenfalls nicht mehr so zahlreich wie einst anzutreffen. Heute ist die Stadt ein wichtiger Handelsplatz, Verkehrsmittelpunkt und ein Zentrum kulturellen Lebens. Der Hafen hat seine Bedeutung seit der Eröffnung des St.-Lorenz-Seewegs, der Ozeanschiffe bis zu den Städten an den Großen Seen gelangen läßt, erheblich gesteigert. Er ist dort angelegt, wo gleich mehrere Flüsse auf einmal in den Michigansee münden. In der Nachbarschaft konzentrieren sich die Behörden und Geschäfte, während das Wohnviertel auf dem Hochufer angesiedelt ist.
Milwaukee wuchs aus einem alten Umschlagplatz für Felle und Pelze zu seiner heutigen Bedeutung heran. Die Jäger und Händler wiederum zogen Gerber und Färber an. In den letzten hundert Jahren kamen Getreidemühlen, Fleischfabriken, Sägereien und Möbelwerke hinzu. Im Public Museum ist die Technikgeschichte des Staates zu studieren, im Art Center sind Gemälde von Goya bis Picasso zu bewundern.
Die Pelztierjäger fanden früher in der Prairie du Chien ihre Jagdgründe. In den Wäldern und an den Seen des Landes begegnet man kaum einem Menschen, denn zwei von drei Einwohnern Wisconsins leben in den Städten. Das Land mit seinem gemäßigten kontinentalen Klima, mit sonnigen, aber nicht zu heißen Sommern und bitterkalten Wintern ist ein Geheimtip für alle Naturfreunde, Zeltler und Camper, die sich lieber in der freien Natur als in einem Hotelzimmer aufhalten.
Von Seen umgeben ist auch die Hauptstadt Madison. Die City mit dem Capitol liegt auf einer aufgeschütteten Landenge zwischen zwei Seen, so daß die Stadt nur aus Uferlandschaften zu bestehen scheint. In dieser reizvollen Umgebung kommen die öffentlichen Gebäude der Stadt wie die Universität, das Kunstmuseum und das Gouverneursgebäude gut zur Geltung.
Der Michigansee prägt auch die Lage der Universitätsstadt Green Bay, die am Ende der gleichnamigen Bucht liegt. Sie ist in den ganzen Vereinigten Staaten bekannt, weil sie viele Sportarten pflegt und jahrelang das beste Football-Team in der amerikanischen Amateurliga stellte. Auch Baseball, mit dem früher bei uns oft gespielten Schlagball verwandt, und Basketball oder Korbball gehören dazu.

Minnesota: Wo der Mississippi entspringt

Wer den »Vater aller Gewässer«, den majestätischen Mississippi, erstmals in seinem Ursprungsland Minnesota zu Gesicht bekommt, kann es kaum glauben, daß aus ihm einmal der größte Strom Nordamerikas werden wird. Touristen machen sich einen Spaß daraus, ihn an der Stelle, wo er aus dem 445 Meter hoch gelegenen Itasca-See als schmales Rinnsal austritt, zu durchwaten oder ihn über ein paar aufgeschütteten Steinen trockenen Fußes zu überqueren.
Der Name des Sees ist keineswegs, wie es scheint, indianischen Ursprungs, sondern geht auf seinen Entdecker, den Gelehrten Henry Rowe Schollcraft zurück, der sich vor 150 Jahren daranmachte, die Quelle des Stromes zu suchen. Nach monatelanger Wasserwanderung in einem kleinen Boot erreichte er am 13. Juli 1832 den See, der keine Zuflüsse aufweist und deshalb als Ursprung des Mississippi gilt. Schollcraft besann sich seiner lateinischen Bildung und strich von der Bezeichnung Veritas caput (wahres Haupt) die erste und letzte Silbe, so daß der Name Itasca übrigblieb.
Das Flüßchen wird auf seinem Weg durch Minnesota, das Land der »himmelblauen Wasser«, von Sand- und Kalksteinfelsen begleitet, die ihm manchmal in die Quere kommen und auf diese Weise malerische Wasserfälle bilden. Sie sind das einzige Hindernis für die zahlreichen Wassersportler, die das wasserreiche Land im Sommer bevölkern. Die vielen Inseln und Sandbänke laden zum Rasten und Verweilen ein. Allein in dem Städtchen Winona mit seinen 20000 Einwohnern ankern 1500 Segel- und Motorboote am Flußufer. Wenn sich an Sonn- und Feiertagen gar zu viele Wasserratten auf dem Mississippi drängen, sieht sich die Polizei gezwungen, den Verkehr auf dem Wasser von Booten aus zu regeln.
Erst dort, wo der Mississippi den Minnesota-Fluß aufnimmt, ist aus dem Flüßchen ein Fluß geworden. Zahlreiche Brücken verbinden die beiden Steilufer, an denen sich die Doppelstadt St.-Paul-Minneapolis ausbreitet. Das auf der östlichen Seite gelegene St. Paul ist die Hauptstadt, das auf der Westseite gelegene Minneapolis die größte Stadt des Staates. Die rund eine Million Einwohner sind zu einem großen Teil skandinavischer Abstammung. Auch der deutsche Anteil ist beträchtlich.
Von der Doppelstadt an ist der Mississippi schiffbar. Auf ihm werden die umfangreichen Getreideprodukte Minnesotas transportiert, das in dieser Hinsicht an fünfter Stelle in den Vereinigten Staaten steht. Sie sind zuvor in den Großmühlen der Stadt zu Mehl oder Schrot verarbeitet wor-

Breit und verzweigt strömt der Mississippi durch Minnesota. Von der Doppelstadt St. Paul-Minneapolis an ist der Fluß schiffbar. Fast bis zu seinem Delta im tiefen Süden bildet er die Grenze amerikanischer Bundesstaaten.

den. Minnesota ist jedoch nicht ausschließlich Bauernland, sondern das größte amerikanische Reservoir an Erzen, Kohle und Öl. Im Norden des Landes, unweit der kanadischen Grenze, sind nicht nur 11 000 Seen und die umfangreichsten Torfmoore der USA, sondern auch die ertragreichsten Gruben und Minen zu finden. Eisenerz wird in der Mesabi und Vermilion Range teilweise über Tage abgebaut und über das nahe gelegene, an einer Bucht des Oberen Sees geschmiegte Duluth ins In- und Ausland verschifft. Über die Großen Seen mit dem offenen Meer verbunden, ist Duluth zugleich der westlichste Seehafen des Nordatlantiks. Westlich der Erzlagerstätten liegt Chisholm, in dessen Bergbaumuseum und dem Eisenerzzentrum alles Wissenswerte über den Abbau der unterirdischen Schätze zu erfahren ist.

Einer der unberührtesten Plätze Minnesotas und der ganzen USA ist das an eine Pfeilspitze erinnernde Gebiet zwischen dem Oberen See und der kanadischen Provinz Ontario. In dem aus Seen und Sümpfen bestehenden Superior-Nationalpark gibt es außer der an der Küste entlangführenden Nationalstraße nur wenige befestigte Wege, die mit dem Auto zu befahren sind. Um die reichhaltige Flora und Fauna ungestört erleben zu können, bewegt man sich zweckmäßigerweise mit Boot und Zelt durch die einzigartige Natur.

Im Süden des Staates liegt Rochester, eines der medizinischen Zentren der USA. Unter den vielen Krankenhäusern der Stadt genießt vor allem die Mayo-Klinik Weltruf, in der Operationen am offenen Herzen ausgeführt werden. Patienten aus aller Welt nutzen die medizinischen Kapazitäten der Krankenhäuser.

Iowa: Gelb der Weizen, grün der Mais

Minutenlang rattert die Eisenbahn über die riesige Eisenkonstruktion der Mississippi-Brücke zwischen Illinois und Iowa. Diese größte doppelstöckige Brücke der Welt wird von Eisenbahnfreunden gern besucht. Im kurz dahinter liegenden Bahnhof von Fort Madison halten alle Züge auf der 3800 Kilometer langen Strecke zwischen Chicago und Los Angeles, früher, um die Tender mit Kohle und Wasser aufzufüllen, heute, damit sich die Fahrgäste nach stundenlanger Fahrt ein wenig die Beine vertreten können, ehe sie die Große Prärie mit ihren nicht endenwollenden Getreidefeldern durchqueren.

Fort Madison hat neben Erinnerungen an die großen Jahre der Eisenbahn auch geschichtliche Reminiszenzen zu bieten. Zweimal wurde die Siedlung, die den Übergang über den Strom sichern sollte, von Indianern gestürmt, die alle aus Holz gebauten Häuser in Brand setzten, so daß nur der steinerne Kamin übrigblieb. Die hier alljährlich ausgetragene Rodeo-Meisterschaft zwischen den Staaten Iowa, Illinois und Missouri ist eine der größten und spannendsten von Küste zu Küste.

Gelb von Weizen und grün von Mais erstreckt sich Iowa, wohin das Auge blickt. Meilenweit liegen die Farmen oft auseinander. Viele ducken sich unter Baumgruppen und erinnern an Bauernhäuser in Westfalen oder Niedersachsen. In Mount Pleasant treffen sich alljährlich zur Erntezeit Farmer mit alten Dampf-Dreschmaschinen, die darum streiten, innerhalb einer festgelegten Frist die größte Weizenmenge zu verarbeiten. In Iowa City steht das erste Capitol des Staates, das für seine Kuppel und die freitragende Treppe berühmt ist. Heute dient es der Staatsuniversität als Verwaltungssitz.

Im nahe gelegenen West Branch wurde Präsident Herbert Hoover als Sohn eines Quäkers und Hufschmieds geboren. Rund um Amana westlich von Iowa City gründeten Anhänger einer aus Deutschland eingewanderten lutherischen Sekte um 1850 sieben Dörfer, in denen ihre Nachfahren noch heute alles selbst anfertigen, was sie für ihr Leben benötigen. Ihr Rauchfleisch und Schwarzbrot gelten als Delikatessen. In Cedar Rapids inmitten des Weizengürtels steht die größte Getreidemühle der Welt. Aus ihr kommen Haferflocken und Corn Flakes.

Die Hauptstadt Des Moines ist stolz darauf, daß die Kuppel ihres Capitols mit 22karätigem Gold eingedeckt ist, was Rückschlüsse auf den Reichtum der Bewohner zuläßt. Das Kunstmuseum birgt in seinen modernen Mauern eine Fülle moderner Gemälde. In dem nach dem Erfinder des Buchdrucks benannten Guttenberg wird eine Kopie der Gutenberg-Bibel aufbewahrt, die nach dem Zweiten Weltkrieg in Mainz erworben wurde. In einem kleinen Haus in Spillville lebte 1893 der tschechische Musiker Anton Dvorak. Einige persönliche Erinnerungsstücke erinnern daran, daß er hier die »Humoreske« und die Symphonie »Aus der Neuen Welt« komponierte.

Der alte Westen

North Dakota · South Dakota · Nebraska
Colorado · Utah · Wyoming · Montana

Amerikas Abenteuer lassen sich am spannendsten in seinen mehr als 30 großen Naturparks erleben. In vielen von ihnen kann man die Geschichte unserer Erde wie in einem Bilderbuch nachlesen: Wüsten, einsam wie Mondlandschaften, Canyons und steile Felsklippen mit schwindelerregend tiefen Schluchten und Wasserfällen, steil in die Luft steigende Geysire und brodelnde Schlammquellen, versteinerte Wälder und majestätische Bergzinnen, aber auch weitverzweigte Höhlen, Vulkane und abgrundtiefe azurblaue Kraterseen. Die meisten Nationalparks wurden im alten Westen auf beiden Seiten des Großen Felsengebirges geschaffen, das die Amerikaner Rocky Mountains nennen. Der älteste und eindrucksvollste von allen ist der Yellowstone-Nationalpark in Wyoming hart an der Grenze nach Montana. Der Tower Fall stürzt in diesem »Urweltpark« 94 Meter in die Tiefe — Natur in Breitwand-Supercolor-Format.

Landschaft aus dem Bilderbuch

Erst die Farbfotografie hat die Schönheiten der Erde zu einem Fest für unsere Augen werden lassen. Die Stimmung eines Sommermorgens wird in dem Quellbecken des Morning Glory Pool festgehalten (links). Der Giant Geyser wirft einen dichten Wasservorhang bis zu 70 Meter hoch in die Stille des Yellowstone-Parks (oben). Er ist nur einer von 200 Geisern und Springquellen.

Die Natur hält im Yellowstone-Nationalpark Ideen über Ideen für Ausstattungschefs eines phantastischen Theaterstücks oder eines Abenteuerfilms bereit. Ein Beispiel dafür sind die Terrassen, über die heiße Quellen des Mammoth Geysers fließen (oben links). Ohne mühselige Pirsch läßt sich ein Wapiti-Hirsch mit der Kamera »erlegen«. Von seinesgleichen und manchem anderen selte-

nen Getier sind hier viele Exemplare anzutreffen (unten links). Wenn die Geiser im Yellowstone emporsteigen, als habe ein Parkwächter den Sperriegel geöffnet, dann finden sich viele Besucher ein, um das Naturschauspiel zu bewundern oder auf den Film zu bannen (oben). Seit seiner Begründung (1872) ist der Yellowstone-Park eine der größten Touristenattraktionen der Welt.

Berge - made in USA

Über 264 Meter aus der umgebenden Landschaft heraus erhebt sich ein erstarrter Lava-Pfropfen in den Himmel, an dem sich Wind und Wasser die Zähne ausgebissen haben. Der Teufelsturm, nahe Sundance in Wyoming gelegen, ist ein beliebtes Ziel von Bergsteigern, die hier ein ideales Übungsgelände vorfinden. Rings um den Turm tummeln sich Angehörige einer Präriehundkolonie.

Unvergessener Buffalo Bill

Keineswegs ein einziges Vergnügen ist die Arbeit der Cowboys im alten Westen der USA. Sie tragen die Verantwortung für riesige Rinderherden, um die sie sich kümmern müssen, wenn die Tiere nicht verlorengehen sollen. Um sie auf den ausgedehnten Weiden Nebraskas, die keine Einfriedungen oder Elektrozäune kennen, für ihre Besitzer erkennbar zu machen, werden die Jungtiere mit einem Brandmal gezeichnet (unten).

Rodeo in North Platte am Ufer des Platte, der Nebraska in West-Ost-Richtung durchfließt und südlich von Omaha in den Missouri mündet. Zur Feier des Tages wird eine Miß Buffalo Bill gekürt, die an den berühmten Büffeljäger erinnert (oben).

Natur und Kunst, sie scheinen sich zu fliehen

Die eindrucksvolle Fleißarbeit des Bildhauers Gutzon Borglum, der von 1927 bis 1941 mit Hilfe seines Sohnes die Köpfe der Präsidenten George Washington, Thomas Jefferson, Theodore Roosevelt und Abraham Lincoln aus dem harten Granit der Black Hills heraussprengte und -meißelte. Die Steinköpfe sind fast 20 Meter hoch. Borglum erlebte die Fertigstellung nicht mehr. Als »Schrein der Demokratie« sind die Köpfe heute ein Wahrzeichen der USA.

Bilder wie vom Mond

An der Grenze zwischen South und North Dakota liegen die Badlands, deren durch Wind und Wasser blankgescheuerte Bergformen an eine Mondlandschaft erinnern. Präsident Theodore Roosevelt entdeckte die eindrucksvolle Schönheit dieser Landschaft, ließ sich hier nieder und gab seinen Namen für einen Nationalpark, der als einer der stillsten und ungewöhnlichsten in den USA gilt. Eine Autostraße erschließt den Park, in dem Bisonherden angesiedelt wurden. Sie führt 65 Kilometer lang durch das zerfurchte Plateau.

Land der Mormonen

Salzwüsten und Schneeberge formten die Landschaften Utahs. Landsucher schlugen einen weiten Bogen um die trockene und vegetationslose Hochebene westlich der Rocky Mountains – bis die Mormonen kamen. Die Dünen bei Death Horse Point lassen erahnen, wie wenig einladend sich die Natur dem Menschen gegenüber verhält. Für Reiter ist die Landschaft das ideale Ziel.

Die Mormonen sahen in der großartigen Wüsten- und Felslandschaft eine Herausforderung. Die Bewältigung der Natur stellte ihren Glauben auf eine harte Probe. Sie ließen sich am Ufer des Großen Salzsees nieder und schufen aus der Urlandschaft ein Paradies, wie Salt Lake City und seine fruchtbare Landschaft beweisen. Utah verfügt aber auch über reiche Bodenschätze.

Farben von Gottes Palette

An der Grenze zwischen Utah und Arizona liegen die vier Nationalparks Zion, Bryce, Capitol Reef und Arches. Der Bryce Canyon Nationalpark gilt als einer der farbenprächtigsten des ganzen Westens. Seine bizarren Steinformationen bilden ein Lehrbuch der jüngeren Erdgeschichte. Sie bedecken 146 Quadratkilometer. Am oberen Talrand verläuft der Rim Trail, ein reizvoller Fußweg.

Platz für viele Denkmäler

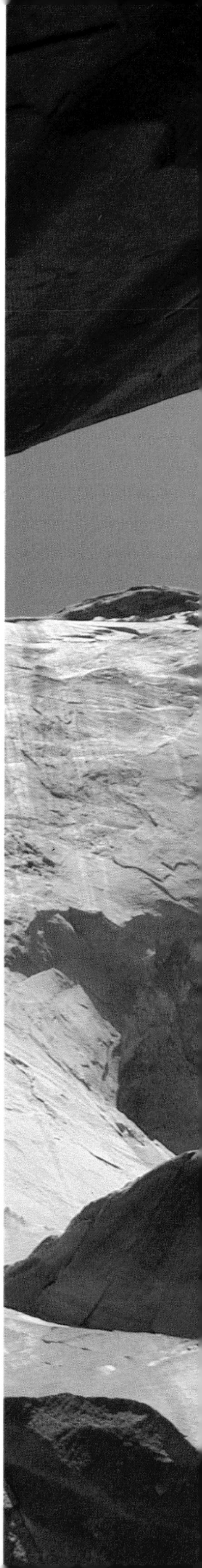

Zu den bemerkenswertesten Landschaftserscheinungen der Vereinigten Staaten gehört das Monument Valley (Denkmaltal) auf der Hochebene zwischen Utah und Arizona. Seine ungewöhnlichen Felsformationen aus Sandstein leuchten am frühen Morgen und bei Sonnenuntergang lachsrot bis violett, sie dienten zahlreichen Westernfilmen als Kulisse. Das Tal ist von Indianern besiedelt, es gehört zum Gebiet der Navajo-Reservation. Die Indianer leben vom Feldbau, züchten Schafe und gestalten Silberarbeiten.

Heimritt in den Wigwam

Ein Indianer aus dem Reservat der Navajos und Hopis im nordöstlichen Arizona nahe der Stadt Flagstaff bildet sich vor dem Horizont wie ein Denkmal ab. Er und seine Stammesgenossen wohnen noch heute in Hogans aus Holz, Reisig und Lehm. Ihre Webdecken und Silberarbeiten sind begehrt.

Natur in Breitwand und Supercolor

Geologisch gesehen ist das Hügelland des Mittelwestens weitaus älter als die Rocky Mountains, die das mächtige Rückgrat des nordamerikanischen Kontinents bilden. Der einst bis zu 6000 Meter hohe Gebirgsstock wurde jedoch über die Jahrtausende hinweg von Wasser und Wind bis auf seinen Kern aus Granit abgeschliffen. Sein höchster Punkt, der 2207 Meter hohe Harney Peak, liegt in den Black Hills unweit von Rapid City in South Dakota. In dieser Drei-Staaten-Ecke, hart an der Grenze nach Wyoming und Nebraska gelegen, ist der alte Westen lebendig geblieben.

North und South Dakota:
60 000 Sioux-Indianer leben noch

Die Goldminenstadt Deadwood ist durch den Western-Helden Wild Bill Hickok berühmt geworden, der in dem noch bestehenden Saloon in der Hauptstraße 10 von hinten erschossen wurde, als er gerade Karten spielte. Der blutbefleckte Stuhl läßt die Besucher erschauern. Sein Grabstein aus rotem Sandstein mußte schon dreimal erneuert werden, weil ständig Erinnerungsstücke herausgebrochen wurden, bis nichts mehr von ihm übrigblieb.
Aus dem harten Granitstein von Mount Rushmore hat der Bildhauer Gutzon Borglum unter der Bezeichnung »Schrein der Demokratie« die Gesichter der vier Präsidenten Washington, Jefferson, Lincoln und Theodore Roosevelt herausgemeißelt. Die Arbeit an dem 30 Meter hohen und 200 Meter breiten Kunstwerk nahm 14 Jahre in Anspruch. Eine Felswand in der Nähe erinnert an den Indianer-Häuptling Crazy Horse und die Wind Cave an das Naturwunder einer Höhle, in der Windbewegungen ein pfeifendes Geräusch erzeugen: Fällt das Barometer, weht der Wind aus der Höhle hinaus, steigt es, bläst er in sie hinein.
In der Indianer-Reservation von Pine Ridge erinnert Wounded Knee an den letzten großen Kampf der amerikanischen Indianerkriege, in dem 1890 mehr als 300 Männer, Frauen und Kinder der Sioux-Nation von Bundestruppen getötet wurden, die selbst den Tod von 225 Soldaten einschließlich ihres Anführers Custer zu beklagen hatten. Die Sioux, die sich selbst Su aussprechen, sind eines der größten Indianervölker Nordamerikas. Heute leben noch etwa 60 000 innerhalb von 13 Stämmen über die Staaten South Dakota, Nebraska und Montana verteilt. Diese nach ihrer Herkunft auch Dakota genannten Stämme weisen unterschiedliche Lebensformen auf. Sie fristeten ihr Leben sowohl als Ackerbauern wie auch als Büffeljäger, während einige Stämme als kühne Reiter ihr Land gegenüber den weißen Eindringlingen zu schützen versuchten.
Die Geschichte der Sioux ist wie bei allen amerikanischen Indianervölkern auch eine Geschichte der gebrochenen Verträge. Die amerikanische Regierung schloß mit verschiedenen Stämmen insgesamt mehr als 300 Abkommen, ohne sich um die daraus erwachsenen Verpflichtungen zu scheren. Eine Änderung in der Indianerpolitik zeichnet sich in den letzten Jahren ab, nachdem mehrere Rothäute, die ihre Interessen durch das amtliche »Büro für indianische Angelegenheiten« nicht gewahrt sahen, Klage wegen der gebrochenen Verträge erhoben und in einigen, Aufsehen erregenden Fällen auch Recht erhielten. So sprach der Oberste Gerichtshof der Vereinigten Staaten im Sommer 1980 den Sioux-Indianern eine Entschädigung von 227 Millionen Dollar einschließlich der inzwischen aufgelaufenen Zinsen für die Enteignung der Black Hills zu.
Die Black Hills setzen sich nach Norden in den Badlands fort, die größtenteils in dem von Touristen weniger aufgesuchten North Dakota liegen. Präsident Theodore Roosevelt zog sich 1883 in den nördlich von Medora gelegenen, später nach ihm benannten Nationalpark zurück, um hier Büffel und andere Wildtiere zu jagen. Nördlich der Hauptstadt Bismarck wird der schlammige Missouri durch den dreieinhalb Kilometer langen Garrison-Damm gestaut. Die größte Stadt, Fargo, erinnert an die legendäre gleichnamige Handelsgesellschaft, deren Kutschen in jedem Westernfilm, der etwas auf sich hält, vorkommen. Die Hauptstadt South Dakotas ist Pierre, größte Stadt Sioux Falls nahe der Grenze nach Iowa.

Nebraska: Der Ein-Kammer-Staat

Das älteste Gebirge Amerikas erstreckt sich auch in den südlichen Nachbarstaat Nebraska hinein. Der Ort Chadron wurde durch eine übermütige Wette bekannt: Neun Einwohner wollten 1893 von hier in das 1000 Meilen entfernte Chicago reiten, nur zwei kamen an, die übrigen gaben auf oder starben gar unter den Anstrengungen und Entbehrungen. Der südlich von Scotts Bluff gelegene Paß, der auf der mühseligen Reise der Siedler nach Oregon überwunden werden mußte, gilt als ein Wahrzeichen für die Eroberung des Westens. Im Felsboden sind die Radspuren noch heute zu sehen.

Hoher Westen

1 North Dakota
2 South Dakota
3 Nebraska
4 Colorado
5 Utah
6 Wyoming
7 Montana

Grizzlybär in den Rocky Mountains in Colorado. Der Verwandte des Braunbärs wird bis zu 2,30 Meter hoch und 350 Kilogramm schwer. Das einst in den USA weitverbreitete Tier ist heute nur noch selten anzutreffen. Es steht unter Naturschutz.

In der Nebraska-Hauptstadt Lincoln ist das 121 Meter in den Himmel ragende Capitol von einer Aussichtsplattform gekrönt, die einen weiten Blick über Stadt und Staat ermöglicht. Nebraska ist der einzige Staat in den USA, dessen Parlament nur aus einer, 43 Mitglieder umfassenden Kammer besteht.

Den Ruf, die größten Schlachthöfe der Welt zu besitzen, mußte Chicago längst an Omaha, die größte Stadt Nebraskas, abtreten, das mitsamt dem auf der östlichen Seite des Missouri liegenden, schon zu Iowa gehörenden Council Bluffs weit mehr als eine halbe Million Einwohner zählt. Zuchtviehausstellungen und Rodeos finden in der Stadthalle statt, die Ak-Sar-Ben genannt wird. Der eigentümliche Name erklärt sich daraus, daß in ihm Nebraska von hinten nach vorn geschrieben ist. Südlich der Stadt ist auf dem Luftstützpunkt Offut das Hauptquartier der Strategischen Luftwaffe stationiert. Es operiert von einem tief in die Felsen gesprengten Bunker aus, dem keine Atomwaffe etwas anhaben kann.

Omaha wurde ausgewählt, weil es ziemlich genau die geometrische Mitte der Vereinigten Staaten markiert. Es liegt im Kreuzungspunkt zweier Linien, die von Seattle im Nordwesten nach Key West im Südosten und von Calais im Nordosten nach San Diego im Südwesten gezogen wurden.

Colorado: Wasserscheide des Kontinents

Der »rote« Fluß Colorado, der dem Bundesstaat seinen Namen gibt, entsteht an der südöstlichen Ecke des Rocky-Mountains-Nationalparks durch den Zusammenfluß von Green und Grand River. Von den drei gleichnamigen Flüssen ist der westliche Colorado der wasserreichste und eindrucksvollste, denn er prägt die Staaten, die er bis zu seiner Mündung im Golf von Kalifornien durchfließt, durch zahlreiche tiefe, Canyons genannte Schluchten. (Der östliche Colorado durchfließt den Staat Texas und mündet in den Golf von Mexiko, ein weiterer Colorado genannter Fluß die südliche Pampa Argentiniens.)

Der östliche Gebirgszug der Rocky Mountains, der zugleich die Wasserscheide zwischen Atlantik und Pazifik bildet, beschert seinen Besuchern zahlreiche unvergleichliche Naturschönheiten. Östlich davon sind die meisten Ansiedlungen entstanden, der milden Winter und gemäßigten Sommer wegen, die ihnen das Klima hier zum Geschenk macht: Die 1630 Meter über dem Meeresspiegel gebaute Hauptstadt Denver mit dem höchstgelegenen internationalen Verkehrsflughafen der USA, der Badeort Colorado Springs mit heilkräftigen Quellen und das aus einem Fort hervorgegangene Pueblo. Von diesen frühen Orten zogen die Abenteurer und Goldsucher nach Westen, um ihr Glück zu finden. Viele gingen dabei zugrunde, aber ihre Spuren sind noch mancherorts zu finden: in Central City, Leadville, Cripple Creek, Alamosa und Durango.

In Colorado ist die höchste Straße der USA in den Fels gesprengt worden. Sie führt von Idaho Springs auf den 4347 Meter hohen Mount Evans. Bei Canon City überspannt eine schwindelerregend hohe Hängebrücke die Royal-Gorge-Schlucht. 320 Meter tiefer schäumt der Arkansas-Fluß. Mit dem 4396 Meter hohen Mount Elbert besitzt Colorado auch den zweithöchsten Berg der USA außerhalb Alaskas. Nur der Mount Whitney im nördlichen Kalifornien ist mit 4418 Metern höher.

Ein weiteres Kuriosum ist das Vier-Staaten-Eck südöstlich von Cortez. In den ganzen Vereinigten Staaten ist dies der einzige Punkt, an dem vier Staaten — nämlich Colorado, New Mexico, Arizona und Utah — rechtwinklig zusammenstoßen. Die Tatsache ist nur auf den ersten Blick erstaunlich, da ja die meisten westlichen Staaten künstliche, den Längen- und Breitengraden des Globus folgende Grenzen besitzen, ohne sich an natürlichen Linien wie Flußläufen oder Gebirgsketten zu orientieren.

Denver ist in einem weiten Umkreis von 1000 Kilometern die einzige Großstadt, was ihre Anziehungskraft über die Grenzen Colorados hinaus verständlich macht. Sie hat auch eine strategische Bedeutung, weil sich in ihrer Nähe Verteidigungsstellungen mit Interkontinentalraketen befinden, die über den Nordpol hinweg Ziele im Innern der Sowjetunion erreichen können. Ministerien und die Streitkräfte verlegten aus diesem Grund viele Dienststellen nach Denver. Unternehmen der Luft- und Raumfahrtindustrie folgten mit Forschungs- und Produktionsstätten. So wurde aus einer Stadt, die einst vom Bergbau und Schlachtvieh lebte, ein modernes Industrie- und Verwaltungszentrum, das von Gebäuden wie dem 28 Stockwerke hohen Wolken-

kratzer der First National Bank oder dem Mile High Center geprägt wird. Der Name dieses Bauwerks mit Läden, Boutiquen, Restaurants und Büroräumen erinnert daran, daß die Stadt genau eine Meile (1609 Meter) über dem Meeresspiegel liegt.
Die seltenen Metalle, die in den alten Bergbaustädten Colorados gefunden werden, haben die Münze von Denver groß gemacht. Sie ist eine der größten Prägeanstalten in den USA. Man kann dort nach Voranmeldung beobachten, wie täglich acht Millionen Münzen geprägt werden, das sind zwei Drittel des benötigten Hartgelds im Land. Die Jahresproduktion von 1,3 Milliarden Kupfer- und Silbermünzen besitzt einen Wert von fast einer Milliarde Mark.
Die meisten Besucher, die in Denver Station machen, aber zieht es in die das ganze Jahr über geöffneten Nationalparks Mesa Verde und Rocky Mountains. Mehr als 65 Berggipfel ragen hier höher als 3000 Meter in den Himmel. Am Rande der Bergseen und Gletscher sind Holzhütten und Campingplätze errichtet. Sie sind im Sommer allerdings so überlaufen, daß die Naturfreunde Schlange stehen müssen, um einen der begehrten Plätze zu erhalten. »Wir wollen uns in der Natur erholen und keine Menschenseele sehen«, ist ein oft gehörter Satz, »statt dessen sind wir in eine Massenveranstaltung geraten.«
Wer sich freilich über die asphaltierten oder betonierten Adern der Zivilisation hinaustraut und bereit ist, auch mal eine Schotterstraße oder einen Trampelpfad zu benutzen, findet kaum berührte Flecken in einer traumhaft schönen Natur, die von schneebedeckten Berggipfeln und immergrünen Nadelwaldkulissen begrenzt ist.
Sommer- wie wintertags wird Aspen von Touristenströmen überflutet. Der aus einer ausgebeuteten Silbermine hervorgegangene Erholungsort gilt als einer der am besten erschlossenen Wintersportplätze des ganzen Landes mit gut 250 Kilometern Abfahrts- und Slalomstrecken aller Schwierigkeitsgrade. Die baumfreien, gleichmäßig ansteigenden Berge wie der Aspen und der Buttermilk Mountain erleichtern die Anlage von Pisten, Liften und Bergbahnen. Über gut ausgebaute Straßen läßt sich Aspen von Leadville aus oder über den von vielen Städten aus angeflogenen eigenen Flugplatz bequem erreichen. Denver ist Ausgangspunkt für Reisen in die Wintersportorte Winter Park und Vail, wo der frühere Präsident Gerald Ford häufig Ski fährt.

Utah: Salzwüsten und Schneeberge

Weiß ist die vorherrschende Farbe dieses Gebirgsstaates, der sich in einem weiten Becken am Fuße der östlichen Kette der Rocky Mountains erstreckt. Der Kings Peak in den Uinta Mountains erreicht eine Höhe von stolzen 4123 Metern. Das fleckige, weil im Sommer häufig ausgeaperte Weiß der Schneeberge setzt sich in der Wüste rund um den Großen Salzsee fort. Sie besteht aus Ausblühungen des stark salzhaltigen Gesteins.
Die an eine ferne, fremde Welt erinnernde Landschaft hat ein aufmerksamer Beobachter »das pockennarbige, vorsintflutliche Runenantlitz der Erde« genannt. Dabei hat sich das Gesicht Utahs im Laufe der letzten Jahrtausende mehrfach gewandelt. Wo heute westlich der Utah-Hauptstadt Salt Lake City der Große Salzsee liegt, befand sich Ende der letzten Eiszeit der Süßwassersee Lake Bonneville, der von Gletschern und Regenfällen gespeist wurde. Das Binnenmeer war bis zu 300 Meter tief und zehnmal so groß wie der Große Salzsee von heute. Trockenes, das Wasser verdampfendes heißes Klima ließ den Spiegel des Sees ständig sinken. Heute ist er eines der salzhaltigsten Gewässer der Erde, das in seiner Konzentration nur noch durch das Tote Meer übertroffen wird. Obschon dem 1400 Meter hoch gelegenen See durch den aus dem Lake Utah kommenden Jordan-Fluß ständig Süßwasser zugeführt wird, schrumpft seine Wassermenge, so daß sein Salzgehalt steigt. Der See läßt auf diese Weise die Salzwüste wachsen.
In diesem kargen, unwirtlichen Land konnten sich nur Menschen ansiedeln, deren Leben von strengen, an Gott ausgerichteten Maßstäben bestimmt war. Noch heute bekennen sich 70 Prozent der Bevölkerung zu der Sekte der Mormonen, die das Land vereinnahmten, es besiedelten und es schließlich in einen Garten Eden verwandelten — ein wahres Wunder in dieser wüsten Welt.
Die Kirche der »Heiligen der letzten Tage«, wie die Mormonen sie nennen, wurde am 6. April 1830 durch den 25jährigen, aus Sharon in Vermont stammenden Joseph Smith gegründet. Er ließ sich ein Jahr später in Kirtland (Ohio) und weitere acht Jahre später in Nauvoo (Illinois) nieder, wo er die erste Mormonen-Gemeinde um sich scharte. Visionen ließen den 18jährigen Smith den Engel Moroni sehen, der ihn aufforderte, auf dem Hügel Cumorah bei Palmyra nach »goldenen Platten« zu suchen. Die Inschriften der von Zeugen bestätigten Funde gab er als »Buch Mormon« heraus, nach dessen Geboten seine Anhänger fortan lebten.
Von ihren Mitmenschen wegen ihres eigenwilligen, gottergebenen Lebens, das dem Mann auch mehrere Frauen zugestand, argwöhnisch beobachtet, verdächtigt, ausgewiesen und verfolgt, zogen 12 000 Mormonen schließlich 1847 mit Ochsenkarren, auf die ihre karge Habe gepackt war, durch das Felsengebirge nach Westen. Angeführt wurden sie von dem Nachfolger des inzwischen ermordeten Gründervaters, dem aus Utah stammenden Brigham Young. Die wenigen Pfadfinder und Jäger, denen sie unterwegs begegneten, warnten sie vor dem gefährlichen Abenteuer und prophezeiten ihnen einen Marsch ins Verderben.
Als der Zug der hungernden und erschöpften, wenngleich nicht verzweifelten Flüchtlinge vom Kamm der Wasatch Mountains aus die Hoch-

Die Nationalparks in Colorado sind Paradiese für Camping uind Caravaning – vorausgesetzt, man hält sich an die Anweisungen der Ranger. Hier bereitet ein Camper in den Rocky Mountains das Mittagessen vor: saftige, daumendicke Grillsteaks.

ebene mit der Salzwüste und dem Salzsee von Utah erblickte, sagte Young zum Erstaunen seiner Glaubensbrüder: »Dies ist der Ort, den wir suchen. Dies soll unser Gelobtes Land werden.«
»Dies ist der Ort« steht auch auf dem Denkmal am Rand der Mormonen-Kapitale Salt Lake City, wo heute der mächtige, sechstürmige Tempel mit der vergoldeten Kuppel des Capitols, dem höchsten Gebäude in Stadt und Staat, wetteifert.
Die Bewohner der von Brigham Youngs Getreuen gegründeten Stadt, die in einem strengen Schachbrettmuster angelegt wurde, sind noch immer stolz darauf, daß Tempel und Regierungsgebäude gebaut wurden, ohne daß geliehenes Geld dafür in Anspruch genommen werden mußte. Das Capitol wurde in bar von der Erbschaftssteuer bezahlt, die von den Söhnen des Eisenbahnkönigs Edward Henry Harriman, dem die Eisenbahngesellschaft Union Pacific gehörte, aufgebracht wurde.
Im Lion Haus von Salt Lake City ist noch das Ehebett Brigham Youngs zu sehen, ein kleinbürgerliches, nur dem Schlaf und der Erschaffung einer gottgefälligen Nachkommenschaft dienendes Gestell. Young, der wie ein Kleinstadtbankier aussah, hatte insgesamt 19 Frauen, die er »Angesiegelte« nannte und die dazu beitrugen, daß Salt Lake City so schnell wuchs und gedieh.
Mit Hilfe eines ausgetüftelten Bewässerungssystem schufen die Mormonen eine grüne und blühende Gartenlandschaft. Youngs Pioniere ließen dem Boden, in dem nicht einmal Unkraut Fuß fassen konnte, schon nach zwei Jahren den ersten Weizen entsprießen. Als die Saat aufging, fielen Heuschrecken über die Felder her. Doch die Gebete der Siedler wurden erhört: Die am Seeufer nistenden Möwen machten dem Ungeziefer bald den Garaus. Die erste Ernte durfte auf Anweisung Youngs nicht angetastet werden, weil sie für die Aussaat des folgenden Jahres benötigt wurde.

Utah ist seit den Tagen der ersten Siedler auch ein Land, in dem nach Gold gesucht und viele seltene Erden und Metalle gefunden wurden. Von Eisenerz bis Uran reicht die Ausbeute, die in Bergwerken abgebaut, in Schmelzhütten von unsauberen Bestandteilen befreit und zu neuen Legierungen verschmolzen werden. In Bingham Canyon in der Nähe Salt Lake Citys steht das größte Kupferbergwerk der Welt. Seitdem dort 1863 reiche Gold-, Silber- und Bleiadern entdeckt wurden, sind der Erde mehr als zwei Milliarden Tonnen Edelmetalle abgerungen worden.
Der im Tagebau ausgebeutete Erzberg sieht mit seinen bis zum Gipfel reichenden Terrassen wie ein geschundenes Stück Natur aus. Jeden Werktag nachmittag um vier Uhr ertönt eine Sirene, die Arbeit wird eingestellt, eine Dynamitexplosion erschüttert die Luft und eine orangerote Detonationswolke wird sichtbar. Die aus dem Stein herausgesprengten Erzbrocken werden daraufhin auf Tieflader geladen und zur Weiterverarbeitung gefahren.
Mormonen trieben auch in Beaver und Price Stollen in die Berge, um nach den Schätzen der Erde zu graben. In Provo errichteten sie das größte Stahlwerk im Westen der USA. Brigham City wurde nach dem Mormonen-Führer benannt, nachdem er hier seine letzte Rede gehalten hatte. Auf seine Baupläne geht Ogden zurück.
Von Cedar City, Richfield, Panguitch oder Moab aus lassen sich Utahs Nationalparks Zion, Bryce Canyon, Capitol Reef und Arches bequem erreichen. Durch die Erosion von Wasser und Wind sind dort phantastische Figuren aus rotem Sandstein entstanden, ihre Gesichter scheinen von modernen Künstlern geformt zu sein. Enge Felsspalten öffnen den Blick auf eindrucksvolle Landschaften, in denen fremdländischen Blumen blühen, versteinerte Bäume sich in die Höhe recken und aus denen der Donner von in die Tiefen stürzenden Wassermassen erschallt. Der durch den südöstlichen Teil von Utah fließende Colorado hat sich tief in den weichen Sandstein eingegraben. Noch bevor er den von Touristenschwärmen täglich übervölkerten Grand Canyon im Staat Arizona erreicht hat, bildet er schon hier bizarre Schluchten mit senkrecht abfallenden Steinwänden. Im Glen Canyon Reservoir wird der Fluß gestaut, um für die Versorgung der Bevölkerung mit Trinkwasser und zur Stromerzeugung genutzt zu werden.

Wyoming:
Eisige Gletscher, heiße Quellen

In einem Bundesgesetz aus dem Jahr 1872 ist vorgeschrieben, daß der älte-

Nur in Schutzgebieten und Reservaten ist das Dickhornschaf mit seinem prächtigen Kopfschmuck (rechts) noch anzutreffen. Daneben: Fast 40 Kilometer lang schäumt der Yellowstone River durch seinen Canyon, eine bis zu 245 Meter tiefe Klamm.

ste, größte und bekannteste Nationalpark der Vereinigten Staaten auf ewige Zeiten unverändert und unzerstört erhalten bleiben muß. Es handelt sich um den Yellowstone-Park, ein einzigartiges Freilichtmuseum und Erholungsgebiet, das mit seinen mehr als 9000 Quadratkilometern etwa so groß wie die Oberpfalz oder Kärnten ist. Es liegt in der nordwestlichen Ecke des Gebirgsstaats Wyoming.

Die Höhepunkte des Yellowstone-Parks: Seine heißen, hoch aus der Erde springenden Quellen vulkanischen Ursprungs, von denen mehr als zehntausend gezählt sind. Old Faithful, der alte Getreue, ist die wasserreichste und am mächtigsten sprudelnde Fontäne, die ihre von kochendheißen Dämpfen hochgedrückten Wassermassen mit der Präzision einer Schweizer Uhr alle 65 Minuten ausstößt. Dabei werden 80000 Liter Wasser bis in eine Höhe von 60 Metern geschleudert. Giant, der Riese, schafft sogar 70 Meter und Giantess, die Riesin, glatte 100 Meter. An der Grenze nach Montana sprudeln die Mammoth Hot Springs, an der südlichen Grenze der Lone Star Geysir.

Der Yellowstone Lake, größter Bergsee Nordamerikas, ist mit seinen 363 Quadratkilometern etwa so groß wie der Gardasee in Oberitalien. Seine Oberfläche liegt 2350 Meter über dem Meeresspiegel. Seine Ufer sind von Nadelwäldern umsäumt. Sein Fischreichtum zieht viele Vögel wie Seeadler, Pelikane und Möwen an, die stets einen reich gedeckten Tisch vorfinden. Auch für Angler bleibt genügend Beute übrig.

Der von dem Norden kommende und in den See mündende Yellowstone River bildet auf seinem Weg einen 40 Kilometer langen Canyon, der sich 245 Meter tief in die gelbroten Felswände eingeschnitten hat. Über die Tower-Fälle stürzen sich die tosenden Wasser 94 Meter tief in den Abgrund. Das ist die fünffache Höhe des Rheinfalls bei Schaffhausen und ein Drittel mehr als bei den Niagara-Fällen. Gesicherte Wege am Rand des Canyons eröffnen immer wieder schwindelerregende und atemberaubende Ausblicke auf die Landschaft, die sich seit den Zeiten der Schöpfung nicht geändert zu haben scheint. In der vor 40 Millionen Jahren aus Lavaströmen erstarrten Gebirgsszenerie ist die tote wie die lebendige Natur vor Eingriffen der Menschen geschützt. Parkwächter achten darauf, daß die Rinden der Bäume vor Messerschnitzern verschont bleiben, daß keine Pflanzen gepflückt und die Tiere geschont werden. Fast überall ist das Wild zutraulich, weil es von Menschen nicht verfolgt wird. Man trifft auf Rotwild, Elche, Bergschafe, Bisons und Antilopen. Auch Braun- und Grizzlybären sind hier zu Hause. Sie nähern sich ohne Scheu den Fahrzeugen der Touristen und schnuppern an den Fensterritzen nach mitgebrachter Nahrung. Die possierlichen Tiere sind freilich gefährlicher, als sie ausschauen. Die Autofahrer werden deshalb immer wieder davor gewarnt, ihre Fahrzeuge zu verlassen oder die Seitenfenster zu weit herunterzukurbeln.

Informationsschilder und Broschüren machen auf die ungezählten Schönheiten des Yellowstone-Parks aufmerksam. Bei Firehole Loop besteht ein Lehrpfad eigens für Blinde, auf dem sie sich mit ihrem Tast-, Gehör- und Geruchssinn über die Tier- und Pflanzenwelt informieren können. Besucher können sich auch Funkgeräte ausleihen, über die ihnen die Wegstrecke und die Sehenswürdigkeiten genau erklärt werden.

Im Süden schließt sich der Grand-Teton-Nationalpark an, der von Jackson und vom Tiefschneeparadies Jackson Hole aus am besten erforscht werden kann. In den tiefeingeschnittenen Tälern mit ihren rauschenden Wasserfällen leben Elche. Während der Brunftzeit im Herbst gehen Elchbullen mit ihren mächtigen Schaufelgeweihen in einem mörderischen Kampf um die Elchkühe aufeinander los, wobei der Schwächere auf der Strecke bleibt. Biber fällen Bäume am Bachrand. Die niederfallenden Bäume stauen das Wasser, wodurch ihr Bau uneinnehmbar für alle Feinde wird. Seltene Vogelarten haben sich im Schutz des dichten Unterholzes erhalten. Die alpinen Pflanzen, die in den Hochmooren wachsen, gleichen der spärlichen Vegetation in den Tundren.

In Wyoming steht die berühmteste Schutzstation des alten Westens, die Reitern und Ochsentreibern auf ihrem mühseligen und gefährlichen Pfad nach Oregon Schutz bot: Fort Laramie. Es wurde 1834 von den Pelzhändlern William Sublette und Robert Campbell gebaut. Erzählungen und Filme haben seinen Namen in der Welt bekannt gemacht. Fort Fetterman, Fort Casper, das in seiner ursprünglichen Form wiedererrichtet wurde, Fort Kearney und Fort Bridger sind dagegen weniger bekannt.

Bei Fort Casper brachte der Mormonenführer Brigham Young seine Glaubensbrüder mit einer Fähre über den North Platte und legte damit den Grundstein für die Besiedlung. Als 1865 der Leutnant Casper Collins in einem Gefecht mit den Sioux-Indianern getötet wurde, bekam das Fort seinen Namen.

Im weiter nördlich an der Grenze nach Montana gelegenen Sheridan versammeln sich in den ersten Augustwochen alljährlich Indianer von mehr als 40 Stämmen, um drei Tage lang ein farbiges, tanzwütiges Fest zu feiern, das an die Tage erinnert, als sich Weiße und Rothäute noch feindlich gegenüberstanden. Dabei wird das schönste Indianermädchen zur Miss Indian American gewählt.

Der Flecken Kemmerer verweist stolz darauf, daß der Warenhauskönig J. C. Penney 1902 hier sein erstes Geschäft mit einer Warenausstattung im Wert von 500 Dollar eröffnete. Inzwischen sind mehr als 1000 Niederlassungen daraus geworden und der Umsatz ist um das Millionenfache gestiegen. In der südöstlichen Ecke des Staates, der mit einem Einwohner pro Quadratkilometer der dünnstbesiedelte in den USA (ohne Alaska) ist,

liegt Wyomings Hauptstadt Cheyenne. Hier wird im Juli die Vergangenheit mit Rodeos und Square Dance beschworen.

Montana:
Wasser, Wälder, Wild und Wanderer

Der nach der Fläche viertgrößte Bundesstaat der USA (nach Alaska, Texas und Kalifornien) gehört mit knapp zwei Einwohnern je Quadratkilometer zu den menschenleersten. Montana hat Anteile an den Rocky Mountains wie an den Großen Ebenen, die nach Westen zu allmählich bis zu einer Höhe von 1500 Meter ansteigen. Dieses ehemals vergletscherte Hochplateau wird vom Oberlauf des Missouri und des Yellowstone Rivers tief eingeschnitten. Bei Fort Peck staut ein Damm die nach ihrer Wassermenge viertgrößte Talsperre der Welt, obschon der Missouri flußabwärts in Norddakota mit dem Lake Saskakawea und Lake Oahe der Fläche nach größere Seen bildet. An seinem Oberlauf sprudelt acht Kilometer östlich von Great Falls — das sich mit Billings darum streitet, die größte Stadt Montanas zu sein — die wasserreichste Quelle der Welt aus der Erde: 1,5 Millionen Liter Wasser am Tag.
Der Missouri entsteht in 1220 Metern Höhe bei Three Forks aus der Vereinigung der Flüsse Jefferson, Madison und Gallatin River. Ein Denkmal erinnert hier daran, wer den Ursprung des Missouri gefunden hat, der bis zu seiner Mündung in den Mississippi bei St. Louis länger und wasserreicher als dieser ist.
Nachdem der Missouri die Belt Mountains in zahlreichen Engstellen und Wasserschnellen durchbrochen hat, tritt er bei Great Falls in die Ebene ein. Hier wird er zu einem Steppenfluß, der je nach der Jahreszeit große Wasserstandsschwankungen aufweist. Der Bau großer Talsperren hat diese Unregelmäßigkeiten jedoch ausgeglichen.
Der über die Grenze in die kanadischen Provinzen Alberta und British Columbia reichende Glacier-Nationalpark wird durch den Sun-Highway erschlossen, der über weite Strecken aus Felsen herausgesprengt werden mußte und der Wasserscheide zwischen Atlantik und Pazifik folgt. Zerklüftete Steilwände und schwindelerregende Gipfel sorgen für die eindrucksvollste Hochgebirgsszenerie der ganzen Vereinigten Staaten. In jedem Waldstück trifft der Wanderer auf Wild.
Ausgangspunkt für Fahrten und Wanderungen in die Fels- und Gletscherkulissen des Parks ist der kleine Ort Kaispell, der von riesigen Fichtenwäldern umgeben ist. In ihnen werden in jedem Herbst 1,5 Millionen Fichten geschlagen, die den Amerikanern als Weihnachtsbäume dienen, nachdem sie sich immer mehr mit diesem deutschen Brauch angefreundet haben.
Der nach Geld zu bemessende Reichtum des Staates liegt in seinen Bodenschätzen. Butte besitzt den »wertvollsten Berg der Welt«, in dem zunächst Gold und später Silber, Zink, Mangan und vor allem Kupfer gewonnen wurden, die in den Berg getriebenen Stollen sind mehr als 1500 Kilometer lang. Im Bergbau-Museum von Butte werden die Abbautechniken anhand von Modellen erläutert. Im benachbarten Anaconda befindet sich die größte Kupferlagerstätte der Erde. Die Kupferhütte, die schon aus weiter Entfernung durch ihren 179 Meter hohen Schornstein zu erkennen ist, mußte im Jahre 1980 geschlossen werden, weil Umweltschützer vor Gericht obsiegten.
Billings wuchs aus einem Eisenbahnknoten zu seiner heutigen Bedeutung heran. Seinen Namen erhielt es folgerichtig 1877 nach dem Besitzer der Gesellschaft Northern Pacific Railroad. Auch das an der Grenze nach Idaho liegende Missoula verdankt sein Entstehen der hier die Rocky Mountains überquerenden Bahnlinie. Heute befindet sich hier die Staatsuniversität.
An der Stelle, wo jetzt die Hauptstraße der Montana-Hauptstadt Helena liegt, wurde einst Gold gefunden. Die Kathedrale der Stadt ist eine verkleinerte Kopie des Kölner Doms. Im Sommer verkehren Touristenbusse, deren Aufbauten Eisenbahnwaggons aus dem vergangenen Jahrhundert vortäuschen.

Der amerikanische Eisschrank

Alaska · Anchorage

Ob es die Russen aus strategischen Gründen bedauern, den von ihnen entdeckten und eroberten »amerikanischen Eisschrank« für aus heutiger Sicht schäbige 7,2 Millionen Dollar verschleudert zu haben, ist nicht bekannt. Die Gewohnheit der Vereinigten Staaten von Amerika, ihnen wichtig erscheinende Gebiete durch Kauf zu erwerben, hat den geschäftstüchtigen Yankees manche Okkasion eingebracht. Der Kaufpreis für Alaska machte sich allein durch die frühen Goldfunde und erst recht durch die reichen Ölbohrungen unserer Tage bezahlt, von den Naturschönheiten dieses arktischen Paradieses gar nicht zu reden. Der Muir-Gletscher im Glacier-Nationalpark westlich der Hauptstadt Juneau ist einer der landschaftlichen Höhepunkte Alaskas. Für eine Reise durch den größten Staat der USA muß man jedoch viel Zeit mitbringen.

Alaska hätte ohne das Flugzeug nicht erschlossen werden können. Kotzebue in der gleichnamigen Bucht kann wie viele andere Siedlungen in diesem größten Staat der USA nur aus der Luft erreicht werden, da Straßenverbindungen fehlen (unten). Andere Verkehrsmittel sind Boote (ganz unten; hier im Hafen der Insel Kodiak) und die berühmten Hundeschlitten (rechts), aufgenommen in wenigen Meilen Entfernung von Anchorage, der größten Stadt des Staates Alaska, die im Süden des Landes an einer Meeresbucht liegt.

Fels, Schnee und Eis beherrschen das ganze Jahr über die meisten Gebiete Alaskas. Sie bilden – wie hier im Matanuska-Gletscher in der Nachbarschaft des Mount McKinley – bizarre Formen (unten). Der mit 6193 Metern höchste Berg der Rocky Mountains und ganz Nordamerikas bietet einen grandiosen Anblick, seitdem man sich ihm über eine 1957 gebaute Autostraße bis an seinen Fuß nähern kann. Bäume und Sträucher wachsen nur bis in eine Höhe von 900 Metern. Es folgt ein Tundrastreifen, über dem sich die felsigen Schneeberge erheben. Der Mount McKinley liegt inmitten eines 7849 Quadratkilometer großen Nationalparks, der 1917 begründet wurde.

Motorisierte Schlitten gehören zu den am häufigsten benutzten Verkehrsmitteln in Alaska. Sie sind in vielen Hotels zu mieten, damit man die winterliche Landschaft besser erkunden kann (oben). Rings um die Glacier Bay sind immer Wale zu beobachten (unten). Rechts: In der Nähe von Nome hat ein Eskimo ein Loch in das Eis geschlagen, um seinen Vorrat an Fischen zu ergänzen. Innerhalb weniger Minuten ist die reiche Beute tiefgefroren.

Der einzige transalaskische Verbindungsstrang ist die Anfang der siebziger Jahre gebaute Ölleitung von Prudhoe Bay zum Pazifikhafen Valdez. Der Tanana River, Nebenfluß des Yukon, wird mit einer Brückenkonstruktion überspannt (links). Überwunden werden mußte auch die Bergkette der Alaska Range nördlich von Anchorage (oben). Die Leitung kostete acht Milliarden Dollar.

Zahlreiche Pumpanlagen waren notwendig, um das »schwarze Gold« über eine Entfernung von mehr als 1400 Kilometern transportieren zu können. Oben: Das Ende der Pipeline in Valdez. Ein Kodiak-Bär nimmt im Brooks River auf der Alaska-Halbinsel im Angesicht des erloschenen Vulkans Mount Katmai ein erfrischendes Bad (unten). Die Bärenart stammt von der Insel Kodiak.

Eine Okkasion für 7,2 Millionen Dollar

Die Amerikaner haben allen Grund, ihren japanischen Gegnern im Zweiten Weltkrieg dankbar zu sein. Die Japaner hatten die Amerika mit Asien verbindende Inselkette der Aleuten besetzt. Washington fühlte sich herausgefordert und begann, in aller Eile eine Straßenverbindung mit seinem nördlichsten Bundesland zu bauen, das zuvor nur mit dem Schiff oder mit dem Flugzeug zu erreichen war. Das über weite Strecken auch heute noch unberührte Land, von dem Ende 1980 ein gutes Drittel durch Präsident Jimmy Carter zum Naturschutzgebiet erklärt wurde, ist dadurch zum zweitenmal erschlossen worden.

Alaskas zweite Erschließung

Die nach kurzer Planungszeit begonnene 2427 Kilometer lange Alaskastraße, auch Alcan Highway (für *Al*aska — *Can*ada) genannt, gilt noch heute als eine der eindrucksvollsten technischen Leistungen. Innerhalb von nur sechs Monaten bahnten sich im Sommer 1942 rund 14000 Soldaten mühsam einen Weg durch die arktische Wildnis. Über die mit Schotter befestigte Autostraße stellten Militärlastwagen die Versorgung der nördlichen Flanke sicher. Sie führt von Dawson Creek an der Grenze zwischen British Columbia und Alberta, wo Kanadas nördlichste Eisenbahnstrecke endet, nach Fairbanks im Yukon-Becken.

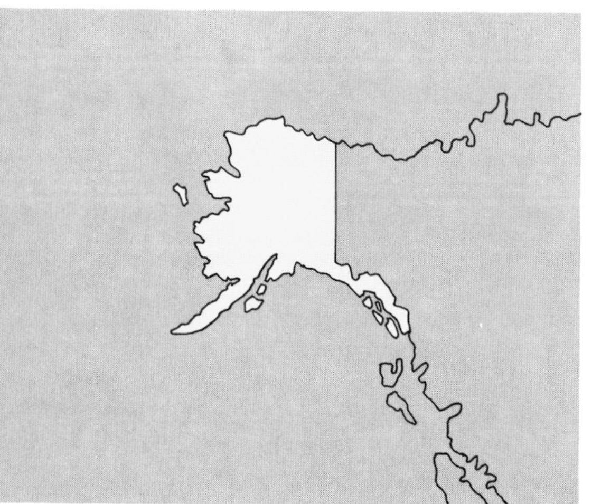

Der 49. Staat *Alaska*

Alaska-Fahrer müssen damit rechnen, daß sie mit Blechbeulen, zersprungenen Windschutzscheiben, defekten Scheinwerfern und nach schweißtreibenden Reifenwechseln erschöpft, aber durch viele Erlebnisse bereichert ihre Expedition in den hohen Norden beenden. Gefahrenquellen sind das vornehmlich zur Dämmerungszeit über die Straße wechselnde Wild, Schottersteine, die von den Reifen des Vordermannes hochgeschleudert werden, aber auch unversehens auftretender Nebel, Glatteis, Überflutungen und Bergrutsche. Blutrünstige Mückenschwärme und plötzlich auftauchende Vogelscharen können die Aufmerksamkeit des Fahrers ablenken.

Motortouristen auf dem Alcan Highway schützen sich vor solchen Unbilden mit Drahtgittern vor den Scheinwerfern, mit einer Gummimatte vor dem Tank, einer gut sortierten Auswahl von Ersatzteilen und Mückenspray. Inzwischen ist die Straße jedoch streckenweise geteert, die Infrastruktur ist verbessert, so daß jede Tankstelle mit Ersatzteilen ausreichend versorgt ist und ein Liegenbleiben meilenweit von der nächsten Hilfsstation entfernt kein großes Problem mehr bedeutet.

Seit 1963 besteht auch eine Fährverbindung von Prince Rupert in British Columbia zum Alexander-Archipel im sogenannten »Pfannenstiel Alaskas«, wo eine bezaubernde pazifische Inselwelt auf die Besucher wartet. Die Schiffsreise bis Skagway dauert 30 Stunden. Sie folgt der Route der Goldsucher vor hundert Jahren, als ein erster Fund einen gewaltigen Ansturm von Glücksrittern auslöste. Während die Reise damals mit alten Seelenverkäufern angetreten werden mußte, in denen die Abenteurer eng aneinander gepreßt saßen oder lagen, verkehren heute moderne Fährboote, von deren Decksplätzen aus die abwechslungsreiche Landschaft oder die kulinarischen Spezialitäten der Bordküche genossen werden können.

Mehr als andere amerikanische Landschaften hat Alaska seinen Besuchern unverfälschte Naturerlebnisse anzubieten: Im Sommer wilde, aber auch stille Gewässer mit reichem Fischbestand, üppige Wiesen oder karg begrünte Tundren, die zur Blütezeit wie in einen Farbtopf getaucht zu sein scheinen, und vor allem die stimmungsvolle Stille der Mittsommernacht. Im Winter läßt eine Eis- und Schneedecke monatelang das Leben erstarren.

Land und Leute

Der Name Alaska kommt von dem Eskimowort »Alasxag«, das soviel wie »großes Land« bedeutet. Als der dänische Asienforscher Vitus Jonassen Bering im Dienste des russischen Zaren Peter des Großen das Ochotskische Meer erkundete, fand er 1782 die Landbrücke zwischen Asien und Amerika, die später nach ihm benannt wurde. Auf einer zweiten Seereise entdeckte er sechs Jahre später Alaska, die Kodiak-Insel und die Aleuten-Kette. Während er mit der Mannschaft seiner Expedition in der weißen Einsamkeit überwinterte, starb er.

Die Russen widmeten ihrem »amerikanischen Eisschrank« nur wenig Aufmerksamkeit. Sie ließen den Pelzhandelsgesellschaften, die sowohl aus ihrem Land wie aus Amerika kamen, freie Hand. Hellhörig wurden sie allerdings, als Washington versuchte, ihnen das Land abzukaufen. Zähe Verhandlungen und das damals stolze Angebot von 7,2 Millionen Dollar waren notwendig, ehe sie 1867 nachgaben und den Kaufvertrag abschlossen.

Die USA richteten erst 1884 eine erste Zivilverwaltung ein, die sie dem Bundesstaat Oregon unterstellten. Die durch Goldfunde um die Jahrhundertwende rasch wachsende Einwohnerzahl ist erst seit 1906 im Kongreß von Washington vertreten. Und Alaska mußte bis 1959 warten, ehe es als 49. Staat in die Vereinigten Staaten aufgenommen wurde.

Mit über 48 000 Einwohnern ist Anchorage die größte Stadt des Bundesstaates Alaska (unten). Im Hintergrund die schneebedeckten Chugach Mountains. Rechts: Pelzversteigerung in Anchorage – wichtiges Ereignis für den Rauchwarenhandel.

Der größte Bundesstaat der USA beeindruckt, ja erschreckt durch seine Dimensionen. Die größte Ost-West-Ausdehnung zwischen der Insel Prince of Wales im Alexander-Archipel bis zur westlichsten Aleuten-Insel Attui beträgt 3620 Kilometer. 2143 Kilometer sind es vom nördlichsten Punkt Point Barrow, der auf der Breite des europäischen Nordkaps liegt, bis zur Aleuten-Insel Adak, die ihren Breitengrad mit Köln teilt.

Nonplusultras gibt es viele in diesem Land, das seit der Jagd nach dem Gold in den neunziger Jahren des vergangenen Jahrhunderts um das Jahr 1970 einen zweiten Boom erlebte, als unter dem ewig gefrorenen Boden der nördlichen Regionen Erdöl gefunden wurde. Man begann sofort mit der Erschließung der Quellen, um den Energiebedarf der Vereinigten Staaten vor ausländischen Einfuhren zu sichern. Zu diesem Zweck wurde das größte Ölfeld an der Prudhoe Bay, dessen Vorräte auf 1,5 Milliarden Tonnen geschätzt werden, durch eine 1400 Kilometer lange Ölleitung über die hohen Gebirgsketten der Brooks Range und der Alaska Range hinweg mit dem fast immer eisfreien Pazifikhafen Valdez verbunden. Die acht Milliarden Dollar kostende Pipeline nahm 1978 ihren Betrieb auf.

Das gebirgige und stark vergletscherte Land besitzt in der Alaska Range mit dem 6193 Meter hohen Mount McKinley den höchsten Berg Nordamerikas. Die indianische Bevölkerung des Landes nennt ihn »Sitz der Sonne«.

Von der nördlich gelegenen Brooks Range wird die südliche Kette durch ein Becken getrennt, das seinen Namen nach dem 3700 Kilometer langen Yukon-Fluß erhalten hat, der es durchfließt. Dieses Gebiet ist neben der Küstenregion am Golf von Alaska am dichtesten besiedelt.

Angesichts der großen polnahen Landmasse darf es nicht verwundern, daß in Alaska höchst unterschiedliche Klimaverhältnisse vorherrschen. Das Kontinentalklima im Innern und Norden des Landes wird von trockenen und kalten Wintern, aber auch heißen Sommern geprägt. An der pazifischen Küste weht stets ein lebhafter Wind, der Wolken und Regen mit sich führt. Hier sind daher die Winter wie in Europa vornehmlich mild und die Sommer kühl. Die Durchschnittstemperatur beträgt im Januar 0 Grad Celsius und im August 13 Grad. Die Sonneneinstrahlung reicht jedoch nur aus, um die Erde in ihren oberen Schichten aufzutauen. Weil die Feuchtigkeit dann nicht versickern kann, wird der Boden schwammig und bringt die Häuser ins Schwimmen, wobei sich die hölzernen Hauswände sowie die Tür- und Fensterrahmen verschieben.

Ein großer Teil der hier lebenden 400 000 Menschen, die sich in dem riesigen Land verlieren und die Bevölkerungsdichte auf einen halben Einwohner pro Quadratkilometer herunterdrücken, sind Eskimos, die den Umzug aus ihren Iglus in Steinhäuser, zu dem sie von den Weißen ermuntert werden, scheuen, da sie darin keinen Vorteil erblicken. Die Nachkommen einer über die nordpazifische Landbrücke der Beringstraße von Asien nach Amerika eingewanderten mongolischen Rasse sind nach der Bedeutung des indianischen Wortes Eskimo »Rohfleischesser«, während sie sich selbst als »Inuit« bezeichnen, was schlicht Mensch heißt.

In ihrer Lebensweise haben sich die Eskimos geschickt den polaren Klimabedingungen angepaßt. Ihre Hauptnahrungsquellen sind die Jagd und der Fischfang. Beides beherrschen sie auch im tiefsten Winter meisterlich. Sie leben von Seehunden, Walen, Rentieren, Moschusochsen, den verschiedensten Fischen und Vögeln. Nur im Sommer haben sie die Möglichkeit, pflanzliche Nahrung wie Beeren und Blätter zu genießen.

Ihre Beförderungsmittel sind von Hunden gezogene Schlitten oder Fellboote, die sie je nach ihrer Verwendungsart Kajak oder Umiak nennen. Während der Kajak schmal, gegen das Eindringen von Wasser ringsum geschlossen und mit einem Sitzloch versehen ist, weil er ihnen zur schnellen Fortbewegung dient, heißt Umiak nichts anderes als »Weiberboot«. Es ist groß, breit und für die Aufnahme von Lasten nach oben offen.

Die aus Häuten und Fellen bestehende Kleidung wird ebenso wie die Behausung nur selten im Jahr gewechselt. Im Sommer genügt dem Eskimo ein aus Fellen gefertigtes Zelt als Dach über dem Kopf. Im Winter baut er sich ein Iglu, dessen Schneemauern auf einer Erdbefestigung stehen.

Die nicht nur in Alaska, sondern auch in Kanada und Grönland lebenden Eskimos haben ihr kulturelles Erbe bis in die Gegenwart bewahrt. Sie drücken ihre Gedanken in einer Bilderschrift aus und pflegen eine kultische Musik mit Trommel und Sprechgesang, ohne allerdings weitere Musikinstrumente zu kennen. Besonders eindrucksvoll sind ihre Malereien und Skulpturen.
Die Eskimos haben sich hauptsächlich am Eismeer und an der Beringstraße angesiedelt. Auf den Aleuten-Inseln machen sie 65 Prozent der Bevölkerung aus. Im Yukon-Becken leben indes auch Indianer, die sich den Klimabedingungen angepaßt haben.

Von Ketchikan bis Kotzebue

Bei der Ankunft in Ketchikan, der südöstlichsten und damit am nächsten zum Mutterland gelegenen Stadt Alaskas, erwartet den Fremden eine andere Welt: Totempfähle und ein Stammeshaus der Indianer gehören zum Alltagsbild und sind nicht etwa als Attraktion für die Touristen herausgeputzt. In dem mit 2000 Fischerbooten größten Fischereihafen Alaskas werden Heilbutt und Hering, in erster Linie aber der in den Flußmündungen gefangene Lachs angelandet. Da die Konsumenten in den USA zu weit entfernt wohnen, um den Fisch frisch verzehren zu können, wird er eingefroren oder in Konserven verpackt. Sägewerke und Zellulosefabriken verarbeiten den Holzreichtum der feuchten, das Wachstum begünstigenden pazifischen Küste.
Die nächste Anlegestelle der Fährboote auf der Reise in den hohen amerikanischen Norden ist Wrangell, eine alte russische Gründung. Die Stadt wird von einem Fort beherrscht, das zum Schutz der Pelztierjäger und -händler angelegt wurde.
Zwei Stunden weiter nördlich liegt Petersburg, das an ein skandinavisches Fischerdorf erinnert, in der Tat auch von norwegischen Seeleuten gegründet wurde. Seine großen Tage erlebt es alljährlich im Mai, wenn seine Bewohner in überlieferten Kostümen und Trachten feiern und tanzen. Der Lachs wird dann am offenen Feuer gegrillt und aus der Hand verzehrt. Das schwerste Prachtexemplar, das jemals hier gefangen wurde, wog 57 Kilogramm und hängt ausgestopft im Rathaus der Stadt.
Sitka ist die alte zaristische und erste amerikanische Hauptstadt des Nordwest-Territoriums der USA. Eine Schule rühmt sich, die älteste in Alaska zu sein. Das sehenswerte Museum zeigt Zeugnisse der russischen, indianischen und amerikanischen Geschichte des Ortes. Auf dem alten Friedhof sind auf Grabsteinen noch kyrillische Buchstaben zu finden. Der Mount Edgecumbe auf der anderen Seite der Hafenbucht ähnelt Japans heiligem Berg, dem Fudschijama, und wird daher gern besucht.
Die auf dem Festland liegende jetzige Alaska-Hauptstadt Juneau trägt ihren Namen nach dem Abenteurer Joe Juneau, der hier 1880 Gold fand, den folgenden Rausch auslöste und die Stadt gründete. Die Gruben, in denen einst nach dem begehrten Metall gegraben wurde, stehen heute leer. An den Bächen sind auch die engmaschigen Siebe verschwunden, durch die das Bachgestein geschüttet wurde, um die glitzernden wertvollen Körner herauszuwaschen. Knapp 20 Kilometer von Juneau entfernt endet der Mendenhal-Gletscher. Seine langsam abschmelzenden Eismassen haben in letzter Zeit einen Wald freigegeben, der vor Jahrtausenden bedeckt wurde und sich in seiner ursprünglichen Art erhalten hat.
Die benachbarten Häfen von Haines und Port Chilkoot waren einst die Eingangspforte zu dem legendären Klondike-Goldrevier. Für die vielen Besucher, die ihren Alaska-Aufenthalt hier beginnen, führen die Chilcat-Indianer Begrüßungstänze auf. Fort Seward, die älteste militärische Einrichtung der USA in Alaska, wird heute als Hotel betrieben.
Skagway ist der Zielhafen der Fähre von Prince Rupert. Von hier aus läßt sich die Fahrt in das Innere Alaskas mit dem Auto fortsetzen. Das im Sommer abends eintreffende Schiff ist für die Bewohner der Stadt das große Ereignis. Nach dem Ausbooten der Passagiere setzt das Nachtleben in den Kneipen, Bars und Spielhallen von Skagway ein. Viele der Etablissements erinnern noch an die Zeiten der Goldsucher und Trapper. Von Skagway aus führt eine 197 Kilometer lange Schmalspurbahn nach Whitehorse im kanadischen Yukon-Territorium. Sie überwindet den Höhenunterschied in atemberaubenden Kehren und Kurven. Begehrtes Touristenziel ist die nahe gelegene Geisterstadt Dyea.
Südwestlich von Haines und Skagway liegt Glacier Bay. Nur mit Booten oder Flugzeugen ist dieses Naturschauspiel aufzusuchen. Von dem 4633 Meter hohen Mount Fairweather, der in der kanadischen Provinz British Columbia liegt und zugleich deren höchste Erhebung ist, zieht sich ein Gletscher zum Pazifik herab, von dem im Sommer ganze Eisberge abkalben und im Meer davonschwimmen. Die unberührte Landschaft ist ein begehrter Tummelplatz seltener Land- und Meerestiere, die unter Naturschutz stehen. Rund 200 Kilometer weiter erhebt sich schon im Yukon-Gebiet der 6050 Meter hohe Mount Logan, höchster Berg in Kanada und zweithöchster in Nordamerika.
Die Hafenstadt Valdez, an einem tief in das Landesinnere reichenden Meeresarm gelegen, ist der nördlichste Hafen Amerikas, der mit geringen Ausnahmen das ganze Jahr über eisfrei bleibt. Neben der Ölpipeline enden hier auch die Straßen nach Fairbanks und Anchorage. Sie bilden mit der Alaska-Straße das Fernstraßennetz des Landes. Entstanden sind sie erst in den sechziger Jahren, vorher waren nur die Verbindungswege in der Nähe der größeren Städte ausgebaut.
Der zweite wichtige Hafen ist Seward, der auf einer Halbinsel südlich der größten Stadt Alaskas, Ancho-

Der Ort Kodiak auf der gleichnamigen Insel im Süden Alaskas ist eine russische Gründung aus dem Jahre 1763. Davon zeugt noch diese russisch-orthodoxe Kirche, Überbleibsel aus längst vergangener Zeit, als Alaska den Russen gehörte.

rage, liegt. Die Fischer bringen hier hauptsächlich Krabben heim, die in Konservenfabriken verarbeitet werden. Bei der Hafenstadt Homer reichen Kohlenflöze bis an das Meeresufer. Die Einwohner decken sich am Strand mit dem begehrten Heizstoff ein, da ein industrieller Abbau sich nicht lohnt.
Auch das näher an Anchorage gelegene Kenai ist eine frühe russische Gründung und mußte bis 1947 der fehlenden Straßen wegen mit Hundeschlitten angesteuert werden. In der aus dem Gründungsjahr 1791 stammenden Kirche werden noch Gottesdienste nach russisch-orthodoxem Ritus abgehalten. Palmer liegt in einem geschützten Tal und ist durch den Fleiß seiner Bewohner zum Garten Alaskas geworden, in dem Gemüse und Getreide angebaut werden, während große Viehherden den Staat mit Milch und Milchprodukten versorgen.

Anchorage: Stützpunkt des Weltluftverkehrs

Die größte Stadt Alaskas, Anchorage, ist zugleich einer der wichtigsten Landeplätze des Weltluftverkehrs. Ihre Bedeutung erlangte sie mit der Einführung der Düsenverkehrsflugzeuge, deren Reichweite ausreichte, um nördlich gelegene Städte in Europa, Amerika und Asien über die Polroute miteinander zu verbinden. Da auf der Strecke von Frankfurt oder London nach Tokio die riesige Landmasse der Sowjetunion umflogen werden muß, ist eine technische Zwischenlandung notwendig, für die sich Anchorage dank seiner günstigen strategischen Lage anbot. Seither sind hier die Jets der großen Luftverkehrsgesellschaften zu Hause.
Auch für den Luftverkehr innerhalb Alaskas, der wegen der fehlenden Straßen- und Eisenbahnverbindungen eine große Bedeutung hat, ist Anchorage die Drehscheibe. Immerhin gibt es in Alaska nicht weniger als 370 Flugplätze, von denen rund 230 dem öffentlichen Verkehr dienen.

Die Stadt Anchorage besteht erst seit 1914, als Arbeiter hier ein Basislager für den Bau der 756 Kilometer langen Eisenbahnstrecke von Seward nach Fairbanks errichteten. Die Bahn überquert die Alaska Range über einen 800 Meter hoch gelegenen Paß. Innerhalb von zwei Generationen ist Anchorage zu einer modernen Großstadt mit Hochhäusern herangewachsen, deren Einwohnerzahl sich bisher alle zehn Jahre verdoppelt hat. 1963 wurde die Entwicklung durch ein schweres Erdbeben gestört. Die Erinnerung daran wird in einem Park an dem Knik Arm genannten Meeresarm des Pazifischen Ozeans lebendig erhalten.
Naturgewalten erschütterten 1912 auch die südwestlich von Anchorage gelegene Alaska-Halbinsel. Ein Vulkan brach aus und schleuderte eine Aschenwolke in den Himmel, die sich um die ganze Welt ausbreitete. Der zehn Kilometer entfernte Mount Katmai sank durch den Ausbruch in sich zusammen. Noch heute steigen aus dem Krater ständig Rauchwolken auf.
Kodiak auf der gleichnamigen Insel wurde schon 1763 durch russische Siedler gegründet. Berühmt sind die Seelöwen-Kolonien vor Kap Chinial und die nach ihrer Herkunft benannten Bären, deren Angriffslust von der Bevölkerung gefürchtet ist. Die einzigen größeren Siedlungen an der Westküste Alaskas sind Nome und Kotzebue. Nome blühte nach Goldfunden im Jahr 1898 auf und besitzt einen wichtigen Flugplatz. Kotzebue ist nach dem Sohn des in Weimar geborenen deutschen Dramatikers August von Kotzebue benannt, der nach Rußland auswanderte und dort einflußreiche Stellungen einnahm. Sein in Reval geborener Sohn Otto unternahm zu Beginn des 19. Jahrhunderts drei Seereisen, die ihn um die ganze Welt führten.
Auf der zweiten Reise entdeckte er 1816 die später nach ihm benannte Bucht in Alaska, die auch der Stadt ihren Namen gab.
Sowohl vom Auto wie vom Zug aus hat man auf der Fahrt von Anchorage nach Fairbanks wundervolle Ausblicke auf den Mount McKinley. Eine Autostraße führt seit 1957 in den gleichnamigen Nationalpark, der sich in seiner Einsamkeit und Schönheit vorteilhaft von den häufig überlaufenen Nationalparks im Nordwesten der USA unterscheidet. Ein Hotel ist den ganzen Sommer über geöffnet. Von ihm aus kann man zahlreiche Touren unternehmen, auf denen mit einigem Glück Biber, Füchse, Hirsche, Elche, die hier Karibu genannten Rentiere, aber auch Wölfe und Bären beobachtet werden können. Das Wild kann zwar fotografiert, darf aber nicht geschossen werden.
Auch das zentral im Yukon-Becken am Tanana-Fluß gelegene Fairbanks ist eine Goldgräber-Gründung. Heute bevölkern Studenten die Staatsuniversität, ein Messe- und Vergnügungsgelände ist das ganze Jahr über geöffnet und viele Museen bergen die Erinnerungsschätze an Stadt und Staat, die nicht einmal hundert Jahre alt sind und daher zu den jüngsten Gemeinwesen in den ganzen Vereinigten Staaten zählen.

7

Der goldene Westen

Washington · Oregon · Idaho · Nevada
San Francisco · California · Los Angeles

Fisherman's Wharf und Chinatown, Mission Dolores und Coit Tower, Golden Gate Bridge und Sausalito, Muir Woods und Frontier Village, Carmel und Big Sur, Yosemite und Lake Tahoe, Beverly Hills und Hollywood, Disneyland und Marineland, Palm Springs und Death Valley — die Liste der Besucherattraktionen Kaliforniens wie der ganzen Westküste der Vereinigten Staaten könnte über viele Seiten weitergeführt werden. Jedes Landschafts- und Naturwunder erhebt den Anspruch, beispiellos in der Welt zu sein: Ein Sonnenuntergang an der nördlichen Küste Kaliforniens beispielsweise (oben) oder die im Frühjahr üppig blühenden Blumenteppiche bei Monterey, Schauplatz der meisten Romane des amerikanischen Schriftstellers John Steinbeck (rechts). Das milde maritime Klima sorgt für viele Frühlingstage auch im Sommer, Herbst und Winter — ein Paradies auf Erden.

Jedermanns Lieblingsstadt

San Francisco bei Nacht (oben) – bis an den Horizont dehnt sich das Lichtermeer der Stadt am goldenen Tor aus. Der Blick über San Francisco nach Süden (links) zeigt im Vordergrund die 260 Meter hohe Transamerica-Pyramide, die während ihres Baus heftig umstritten war, heute aber als Wahrzeichen der Stadt gilt. Das höchste Gebäude von San Francisco wurde auf Stelzen errichtet.

Im Bankenviertel von San Francisco schießen die Wolkenkratzer noch immer wie Pilze aus dem Boden. Der schlanke Turm der Wells Fargo Bank (oben) ist mit seinen 43 Stockwerken und 171 Metern Höhe das fünfthöchste Gebäude der Stadt (nach der Transamerica-Pyramide, der Bank of America, der Security Pacific Bank und dem Gebäude One Market Plaza). Im History Room der Wells Fargo Bank werden Gedenkstücke aus der Zeit des Goldrausches gezeigt – vom echten Goldklumpen bis zur sechsspännigen Western-Kutsche.

Eine Bürgerinitiative »Rettet die Cable Car!« sorgte Anfang der siebziger Jahre dafür, daß San Franciscos weltberühmtes Verkehrsmittel auch weiterhin auf einigen steilen Straßen verkehren kann. Techniker halten das System der an Drahtseilen unterhalb der Straßenoberfläche hängenden Wagen für hoffnungslos veraltet (links). Die leckersten Fischgerichte, den schönsten Krimskrams und die kitschigsten Andenken gibt es an Fisherman's Wharf, dem sehenswerten alten Fischereihafen der Stadt am goldenen Tor (unten).

Die Golden Gate Bridge, harmonische Verbindung zwischen Natur und Technik, überspannt den Einlaß vom Pazifik in die Bucht von San Francisco (links). Ihr Hauptkabel (ganz unten) hat einen Durchmesser von 91 Zentimeter. Unten: Die Insel Alcatraz, einst ein ausbruchsicheres Gefängnis, ist heute wohlfeil zu haben. Al Capones einstiges Domizil ist baufällig und für Besucher gesperrt.

Kurven, wie es sie nur in SF gibt

Die zum Nob Hill führende Lombard Street gilt als eine der kurvenreichsten Straßen der Welt und als eine der schönsten dazu. Auf ihren Rasenflächen und Blumenbeeten begann der Kult der Blumenkinder zu Beginn der sechziger Jahre. Anlage und Pflege der Beete und Rabatten sind übrigens nicht Sache der Stadtgärtnerei – die Anwohner kümmern sich selbst mit viel Liebe und Unkosten um ihren Lieblingsgarten, den Einheimische wie Touristen bewundern.

STOP

UNION BANK
NEW CAR DEPT
CASTLE FORD

Eine Stadt ohne Maß und Ziel

Der breit auseinanderfließende Städtebrei von Los Angeles wird häufig wie von einer Zauberhand verhüllt. Das geschieht immer dann, wenn feuchte Luft vom Pazifik mit dem Schmutz der Autoabgase angereichert wird und sich Smog, eine Mischung aus Nebel und Rauch, entwickelt (links). Im Einzugsgebiet von Los Angeles wohnen über 10 Millionen Menschen. Unten: Der Segelhafen von Marina del Rey ist einer der größten an der Küste Kaliforniens. Berühmt sind seine Undersea Gardens mit über 100 Beobachtungsfenstern.

Wo die Nacht zum Tage wird

Die Nacht wird in Las Vegas zum Tag. Die Stadt, die für Spielernaturen Paradies und Hölle sein kann, ist auf dem »Strip« (oben) so aufregend wie eine Show im mehr als 5000 Gäste fassenden MGM Grand Hotel (oben rechts). »Einarmige Banditen« genannte Spielautomaten und Black-Jack-Spieltische (rechts) sorgen für Dollarumsatz. Las Vegas ist die Stadt mit dem größten gleichmäßig das ganze Jahr über fließenden Touristenstrom der Welt: Über 20 Millionen Besucher kommen jährlich, um ihr Geld schnell loszuwerden.

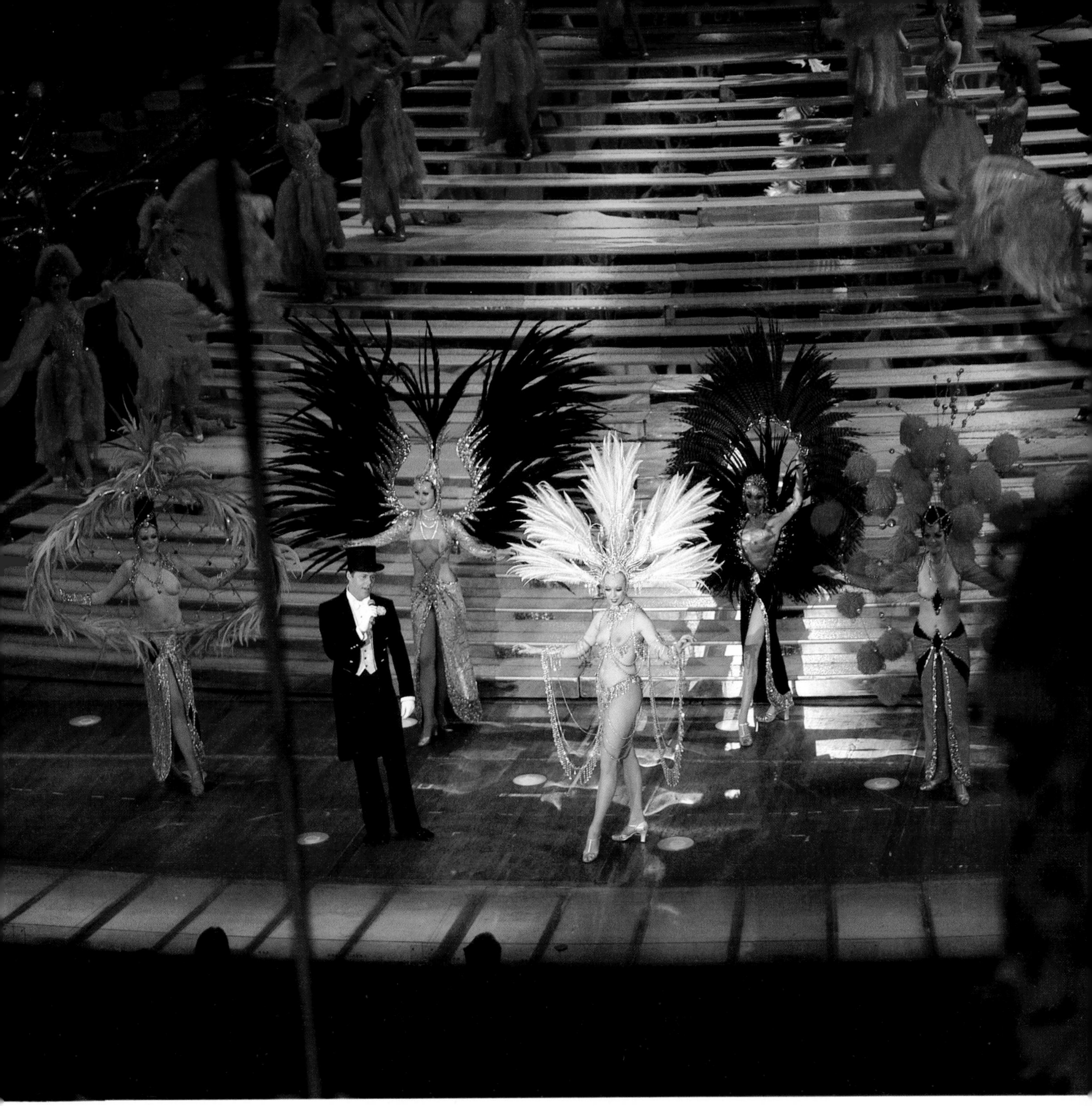

WELCOME TO DEL WEBB'S MINT HOTEL

Ein Kapitel Filmgeschichte: Hollywood

Alle Stars des amerikanischen Films haben im feuchten Beton vor Grauman's Theatre am Hollywood Boulevard ihre guten Wünsche mitsamt ihrem Fuß- und Händeabdruck hinterlassen. Etwas vom Glanz des großen Uraufführungskinos der Westküste fällt auch auf die Besucher ab, wenn sie sich vor dem öffentlichen Gästebuch fotografieren lassen – Fotografen stehen stets bereit.

Farmer's Market hält alle Delikatessen und Spezialitäten der Erde bereit. Die schüsselgroßen Königskrabben, die hier gekocht werden, sind garantiert frisch gefangen (rechts).

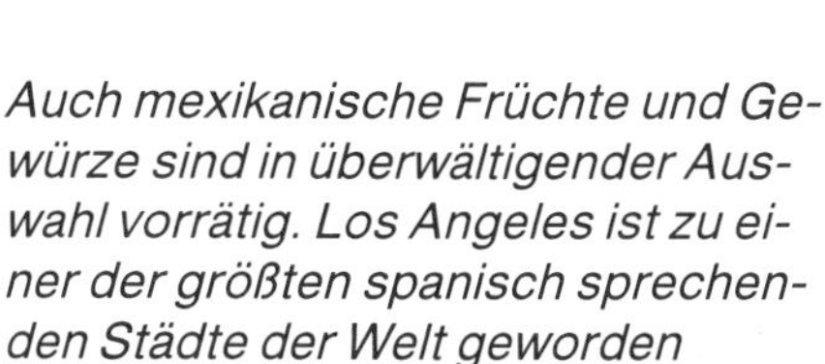

Auch mexikanische Früchte und Gewürze sind in überwältigender Auswahl vorrätig. Los Angeles ist zu einer der größten spanisch sprechenden Städte der Welt geworden

SCENIC

Ein Fluß wächst zu einem See

Der Colorado ist an der Grenze zwischen Nevada und Arizona zu einem der größten künstlichen Seen der Erde gestaut worden. Der Lake Mead versorgt große Teile des amerikanischen Südwestens mit Wasser (links). Die 220 Meter hohe Staumauer des Hoover-Damms in der Nähe von Boulder City hält dem gewaltigen Druck der Wassermassen stand (unten).

Die mächtigsten Bäume der Welt

Sequoia ist der indianische Name für Mammutbäume. In dem gleichnamigen Nationalpark in der Sierra Nevada östlich von San Francisco finden sich prächtige Exemplare der Baumriesen, die zu den ältesten ihrer Gattung zählen, bis zu 90 Meter Höhe und mehr als zwölf Meter Durchmesser erreichen können. Besuchern werden Sequioa-Setzlinge zum Mitnehmen angeboten.

Die Wüste ist tot

Das Tal des Todes in der kaliforni-schen Mojave-Wüste liegt 86 Meter unter dem Meeresspiegel und ist da-mit der tiefste Punkt der Vereinigten Staaten. Tod und Leben sind hier dicht vereint. Die Blütenpracht der Kakteen überrascht immer wieder – nicht weit davon entfernt erinnert ein einsames Kreuz an einen Toten. Eine Fahrt in das Death Valley über gut aus-gebaute Straßen ist freilich heute kein riskantes Abenteuer mehr. Aber heiß kann es werden – bis zu 57 Grad C. Und deshalb wird Touristen geraten, genügend Wasser mitzunehmen.

Auf des »Teufels Golfplatz« in der Nähe von Badwater Basin, wo sich die tiefste Stelle des Todestals befindet, hat sich Salz auf dem Boden abgelagert (links). Salzebenen bilden mit Sanddünen und von vorzeitlichen Wassererosionen zerfressenen Abhängen großartige Landschaftsbilder (unten). Aber auch Bauten hat das Todestal zu bieten: Ruinen von Boraxwerken, eine Geisterstadt mit einem Haus ganz aus Bierflaschen, ein maurisches Wüstenhaus mit wertvoller Inneneinrichtung, die Köhleröfen von Charcoal Kilns.

Das ganze Jahr über Frühling

Die Frage, welcher amerikanische Bundesstaat am ehesten einem europäischen Land gleicht, ist nicht leicht zu beantworten. In den Neu-England-Staaten erinnern Natur und Architektur häufig an die Heimat der ersten Siedler. In New York, Chicago und Detroit glaubt man mitunter, in italienischen oder polnischen Städten zu sein. In Washington, dem nordwestlichen Staat der USA, lassen sich Vergleiche mit fast allen Teilen des alten Kontinents ziehen, der so viele Gesichter hat.

Washington: Majestätische Vulkane

Die Menschen sind häufig Abkömmlinge skandinavischer oder deutscher Einwanderer, was schon ein Blick in die Telefonbücher beweist. An Norwegen erinnert der fjordartige Einschnitt des 160 Kilometer langen Puget-Sunds. Wie dieser Meeresarm und die pazifische Küstenlinie erstreckt sich auch das Kaskadengebirge in Nord-Süd-Richtung. Die mächtige Gebirgskette weist mitunter alpinen Charakter auf. Ihre höchsten Berge sind vulkanischen Ursprungs. Der 4392 Meter hohe Mount Rainier, dessen schneebedeckte Haube majestätisch sein Umland überragt, ist der dritthöchste Berg innerhalb der USA (ohne Alaska). Der 2949 Meter hohe Vulkan St. Helens kam erst in den letzten Jahren nach mehreren Ausbrüchen wieder in die Schlagzeilen. Durch die flüssigen Lavamassen wurden Holzfällerhütten zerstört, einige Menschen kamen ums Leben.

Auch die Pflanzenwelt Washingtons ähnelt unter dem Einfluß eines feuchtwarmen Meeresklimas derjenigen vergleichbarer europäischer Regionen. Hüben wie drüben herrschen Nadelwälder vor. Büsche und Gräser vergilben bei dem häufigen Regen und den wenigen Frosttagen im Jahr kaum und schaffen eine immergrüne Natur, wie sie in anderen Teilen der USA kaum zu finden ist. Unter einem Himmel, unter dem man fast nie einen Wintermantel, dagegen fast immer einen Regenschirm mit sich führen muß, läßt es sich angenehm leben.

Das war auch die Meinung der ersten weißen Siedler, die erst Mitte des vergangenen Jahrhunderts Washingtons Boden betraten und beschlossen, hier ihre Hütten zu bauen. Nach der Überlieferung erreichte am 15. Februar 1852 der aus dem mittleren Westen kommende Arthur A. Denny mit zwölf Erwachsenen und zwölf Kindern auf einem Schiff den Puget-Sund. Er sah ein bewaldetes Ufer vor sich, das undurchdringlich zu sein schien. Das Steilufer an der Stelle, wo heute Seattle sich ausbreitet, imponierte ihnen so sehr, daß sie hier den Grundstein für eine Stadt legten, die nach ihrer bekundeten Absicht einmal größer als New York werden sollte.

Die ersten Bewohner mußten zunächst mit dem Holzsegen fertig werden. Sie fällten die Bäume, schafften sie ans Ufer und luden sie auf Schiffe, die das Holz in die großen Städte brachten. Um die Schiffe so nah wie möglich ans Ufer fahren lassen zu können, erkundeten sie mit einem Lot, das aus einem mit einem Hufeisen beschwerten Seil bestand, die Wassertiefe. In der Elliott Bay, wo das Wasser am tiefsten war, legten sie einen Hafen an. In seiner Nachbarschaft wuchs Seattle zur heutigen Größe und Bedeutung heran. Zehn Jahre nach seiner Gründung hatte es noch aus einer Sägemühle, vier Geschäften und 200 Einwohnern bestanden.

Rund um den Pioneer Square ist das alte Seattle noch erhalten geblieben. Kein Gebäude darf hier abgerissen und durch ein neues ersetzt werden. Was die Zeitläufte nicht überstanden hat, wird im alten Stil wiedererrichtet. Zu den bemerkenswerten Bauwerken der Gegenwart gehören die Universitäten der Stadt, ein Kulturzentrum mit Theater und Konzertsaal, Museen, Ausstellungshallen und einem 185 Meter hohen Aussichtsturm, der Weltraumnadel genannt wird. Dieses Wahrzeichen Seattles wurde 1962 aus Anlaß einer Weltausstellung errichtet.

Wie kaum eine andere Stadt ist Seattle von einem Industrieunternehmen geprägt, das fast der Hälfte der arbeitenden Bevölkerung zu Arbeit und Brot verhilft. Es handelt sich um den Luft- und Raumfahrtkonzern Boeing Company, der zwei von drei Düsenverkehrsflugzeugen herstellt, die bei den westlichen Luftverkehrsgesellschaften im Dienst stehen. Das Unternehmen nimmt auch beim Bau von Militärflugzeugen, Raketen und Waffen eine Spitzenstellung in den USA ein und geht auf die Gründung eines westfälischen Einwanderersohnes zurück. William Edward Boeing begann 1916 mit dem Marineoffizier Conrad Westerveld und 21 Mitarbeitern, ein Flugboot zu bauen, das sich vom Lake Union aus zu seinem ersten Flug erhob. Heute stehen rund 90 000 Mitarbeiter in den Lohnrollen der Boeing-Werke von Seattle, Renton, Auburn, Kent und Everett.

Für die für ein Privatunternehmen riesige Summe von zwei Milliarden Mark begann Boeing in Everett Anfang der sechziger Jahre einen Werkskomplex zu bauen, in dem das erste Großraumflugzeug der Welt, die vierstrahlige Boeing 747, entstand

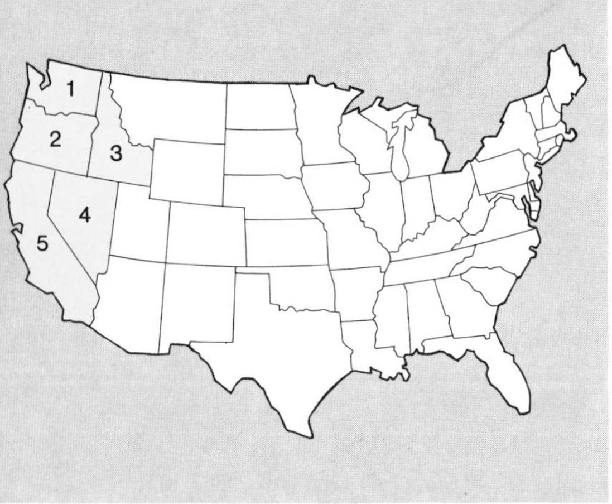

Ferner Westen

1 Washington
2 Oregon
3 Idaho
4 Nevada
5 California

Den Mount St. Helens im Bundesstaat Washington nahm kein Tourist zur Kenntnis – bis der vulkanische Berg mit Donnergetöse explodierte, Menschen tötete, die Landschaft unter Lavamassen begrub und Asche in die Atmosphäre jagte.

und in dem demnächst auch die kleinere Boeing 767 auf die Räder gestellt werden soll. Hier, 45 Kilometer nördlich von Seattle und 250 Meter oberhalb des malerischen Fischerdörfchens Mukilteo, wurde das nach seinem Rauminhalt größte Gebäude der Welt aus dem Boden gestampft, in dem auf vier Montagestraßen die Düsenriesen zusammengebaut werden und aus der Halle rollen.

Bevor es jedoch soweit war, mußte die hundert Meter hohe Spitze eines Berges abgetragen und mußten die Erdmassen zu einem Damm aufgeschüttet werden, hinter dem sich das für die Produktion benötigte Wasser staut. Über eine steile Rampe quält sich die Eisenbahn den Berg hinauf, um das Werk mit den notwendigen Bauteilen zu versorgen. Drei Jahre nach Baubeginn rollte dann am 30. September 1968 der erste 322 Tonnen schwere Jumbo-Jet aus der Halle.

Im Marinehafen von Bremerton auf der westlichen Seite des Puget-Sunds liegt das ausgemusterte Schlachtschiff »Missouri« vor Anker, auf dessen Deck die Japaner den Waffenstillstand und damit das Ende des Zweiten Weltkriegs besiegelten. 30 Kilometer südlich von Seattle liegt Tacoma. Mitten dazwischen haben beide Städte den Flughafen Seatac gebaut, der nach den ersten Silben der beiden Städtenamen benannt wurde.

Washingtons Hauptstadt Olympia in der Nähe von Tacoma wurde nach ihrer Gründung im Jahre 1854 durch Holzpalisaden geschützt, die später als Pflaster auf den Straßen Verwendung fanden. Die Stadt ist berühmt wegen ihrer Kirschbäume, die sie zur Blütezeit in ein weißes Meer tauchen.

Der Columbia River, der größte Fluß der amerikanischen Westküste, bildet kurz nach dem Zusammenfluß mit dem Snake River bis zu seiner Mündung die Grenze mit dem südlichen Nachbarstaat Oregon. Sein Oberlauf ist durch den Bau des Grand-Coulee-Damms verändert worden. Dieser mächtigste Betondamm der Welt ist an seiner Basis 152 Meter breit und 167 Meter hoch. Die Dammkrone ist 1271 Meter lang. Tief im Kaskadengebirge versteckt sich Lake Moses, dessen Grund aus erstarrter Lavamasse besteht. Das Wasser findet in dem durchlässigen Gestein viele Ausflußstellen, so daß der Wasserspiegel ständig schwankt. Die Yakima-Indianer gaben dem in den Columbia River fließenden Gewässer und der daran liegenden Stadt ihren Namen. 1872 wurden auf einer künstlich bewässerten Fläche erstmals Apfelbäume angepflanzt. Riesige Plantagen mit Kirsch-, Apfel- und Birnbäumen haben das Tal seither zur »Obstschüssel der Nation« gemacht.

Oregon: Ziel aller Pfadfinder

Auch nach dem Überqueren des Columbia River fühlt sich der fremde Besucher noch an Skandinavien erinnert. Der Grenzstrom ist an seinem Unterlauf so tief, daß Seeschiffe die größte Stadt Oregons, Portland, ansteuern können, das dadurch einen der wenigen natürlichen Seehäfen an der amerikanischen Pazifikküste besitzt. Wie Seattle vom Mount Rainier ist auch Portland von einem mächtigen Bergkegel überragt. Der 3424 Meter hohe Mount Hood trägt fast das ganze Jahr über eine schneebedeckte Haube und bildet das Wahrzeichen der Stadt.

Oregons größte Stadt liegt auf der geographischen Breite von Genua und ist im Sommer vom Duft der Rosen erfüllt. Die »Stadt der Rosen« hat ihren Namen von einem Gartenzentrum im Washington Park, in dem Rosenarten aus aller Welt auf ihre Blütenfreudigkeit, Farbenvielfalt und Kälteempfindlichkeit getestet werden. Die »Königin der Blumen« wird aber auch in allen privaten und öffentlichen Gärten der Stadt gepflegt.

Nicht nur die Flora, auch die Fauna verdient in Portland Beachtung. Der artenreiche Zoo wird durch eine Schmalspureisenbahn erschlossen. Während man gemächlich in seiner Gondel sitzt, fährt man dicht über Affen-, Giraffen- und Elefantenherden dahin. Die Tiere leben in einer Umgebung, die ihrem natürlichen Lebensraum entspricht.

50 Prozent der Fläche Oregons sind von Wald bedeckt. Der Staat ist demgemäß der wichtigste Holzlieferant der Vereinigten Staaten. Schon 1905

wies eine große Ausstellung in Portland auf die Bedeutung dieses wichtigen Baustoffes für Brücken, Häuser, Möbel und Werkzeuge hin. Einige Gebäude aus jener Zeit zeigen noch heute die Funktion, die ein bearbeiteter Baumstamm in einem Bauwerk zu erfüllen hat.

Ein Blick in den Hafen am Unterlauf des Willamette-Flusses macht deutlich, daß Holz eine bedeutende Wirtschaftsgrundlage des Bundesstaates ist. Den Columbia River hinunter sind die Bäume im Verband eines Floßes transportiert worden. Hier werden sie auseinandergenommen und auf Seeschiffe verladen. Holzfäller und Sägemüller sind auch die wichtigsten Berufe in Albany, Burns und Coos Bay, das sich »größter Holzverladeplatz der Welt« nennt.

Die steppenartige Landschaft des Columbia-Plateaus im Osten Oregons ist nur dünn besiedelt. Die Städte Pendleton, La Grande, Joseph, Baker und Ontario sind als Zentren der Rinderzucht bekannt. Eine heiße Quelle bei Klamath Falls an der Grenze nach Kalifornien heizt Häuser und Geschäfte und wird im Winter dazu benutzt, die verschneiten Straßen und Bürgersteige der Stadt aufzutauen. Nördlich davon liegt der Nationalpark Crater Lake. Der gleichnamige See ist mit 588 Metern Tiefe der tiefste in den Vereinigten Staaten. Die in ihm liegende Insel Wizard Island ist der einzige Rest eines früheren Vulkans. Der Mount Mazama brach vor 6500 Jahren mit einer gewaltigen Eruption aus und schleuderte Lava und Steine weit ins Land. Crater Lake ist berühmt für seine tiefblaue Farbe. Steine und Mineralien aus dem Kraterschlund sind in einem Museum in Medford ausgestellt.

Grants Pass erhielt seinen Namen nach dem General des amerikanischen Bürgerkriegs. Als Straßenbauer dessen Sieg bei Vicksburg erfuhren, nannten sie ihr Camp im ersten Überschwang nach ihm.

Eugene ist Sitz der Universität von Oregon. Hauptstadt des Staates ist Salem, von dessen Capitol man einen schönen Blick über die von Grüngürteln durchzogene Stadt und das weite Willamette-Tal genießen kann. An der Straße von Salem nach Portland liegt Oregon City, das sich die Uferterrassen der Willamette hinaufzieht. Bewohner und Besucher müssen ständig Treppen steigen, wenn sie nicht einen unentgeltlich zu benutzenden Straßenaufzug fahren wollen. Oregon City war auch die erste Hauptstadt des Staates. Zur Umgehung der Willamette-Wasserfälle wurden schon 1873 für die Schiffahrt Schleusen gebaut, die noch heute in Betrieb sind.

Idaho: Tiefe Schluchten und Wasserfälle

Die Bewohner des nach seiner Fläche elftgrößten Staates der USA, der nach seiner Einwohnerzahl aber erst an 41. Stelle steht, so daß drei von ihnen auf einen Quadratkilometer entfallen, haben sich vornehmlich entlang des Snake Rivers angesiedelt. Dieser 1670 Kilometer lange Nebenfluß des Columbia Rivers entspringt im Felsengebirge an der Grenze von Idaho und Wyoming und durchfließt das steppenartige Columbia-Plateau, das mit Hilfe von Staudämmen und riesigen Bewässerungsanlagen fruchtbar gemacht wurde. Angebaut werden vornehmlich Futterpflanzen wie Luzerne sowie Knollenfrüchte wie Kartoffeln und Zuckerrüben.

Der Snake River durchfließt in einem weiten, nach Süden gerichteten Bogen den Staat Idaho und gräbt sich in verschiedenen Landesteilen tief in den Boden ein. Dabei bildet er bei Idaho Falls, American Falls, Twin Falls und Shoshone Falls kurz hintereinander mehrere Wasserfälle. Oberhalb von Lewiston, wo der Clearwater River mündet, ist das tief eingeschnittene Flußtal zu einem Anziehungspunkt für Naturliebhaber geworden.

Im Hells Canyon bahnt sich der Snake River 2400 Meter unter der Uferkante seinen Weg. Darüber ragen die mehr als 3000 Meter hohen Seven Devils Mountains in den Himmel. Dieses einmalige Naturschauspiel wird durch eine steile, kurvenreiche Straße zwischen Council und Cuprum erschlossen. Die Straße ist an manchen Stellen so steil, daß sie auf einer Strecke von knapp zehn Kilometern 1800 Meter abfällt.

Wie an einer Schnur sind entlang des Snake Rivers die wichtigsten Städte Idahos aufgereiht. Südlich von Idaho Falls liegen Blackfoot und Fort Hall mit der gleichnamigen Indianer-Reservation. Auch Pocatello gehört dazu, ist aber inzwischen zu einem landwirtschaftlichen und industriellen Zentrum herangewachsen. In dem benachbarten Lava Hot Springs haben 70 Grad heiße Quellen den Ort zu einem beliebten Heilbad gemacht. Bei Twin Falls stürzt der Fluß die Shoshone-Fälle, die nach einem Indianerstamm benannt sind, hinunter. Die Fälle sind 64 Meter hoch und damit 16 Meter höher als die Niagara-Fälle. Die sieben Kilometer flußaufwärts gelegenen Twin Falls sind 41 Meter hoch.

Nördlich der südlichsten Stelle, die der Snake River erreicht, liegt der bekannte Wintersportort Sun Valley, den die nahen, bis zu 3600 Meter hohen Sawtooth Mountains vor rauhen Nordwinden schützen. Ski-, Bob- und Schlittenfahrten, Eislauf, Eishokkey und Curling gehören zu den beliebten Sportarten, die hier von November bis weit in den Frühling hinein betrieben werden.

Die Hauptstadt Boise liegt am nördlichen Rand der Flußebene. Ihren Namen erhielt sie von französisch sprechenden kanadischen Fallenstellern, die hier viel Wald vorfanden und sie deshalb Le Bois nannten. Auch Boise, Haltepunkt der Union-Pacific-Eisenbahn, ist von schneesicheren Wintersportplätzen umgeben. Das nahe gelegene Nampa ist nach einem indianischen Wort benannt, das »großer Fuß« bedeutet.

Einer der schönsten Seen in den ganzen Vereinigten Staaten ist der Lake Cœur d'Alene vor den Toren der gleichnamigen Stadt dicht an der

Als vor etwa 6600 Jahren die ausgehöhlte Kuppe eines 3650 Meter hohen Vulkans, des Mount Mazama, in sich zusammenstürzte, bildete sich der fast 590 Meter tiefe, klare und schwarzblaue Crater Lake im Südwesten des Staates Oregon.

Grenze nach Washington. 20 Kilometer östlich liegt ein Canyon, der nach dem amerikanischen Unabhängigkeitstag benannt ist. Im nahe gelegenen Kellog befindet sich die größte Silbermine des Staates.
Der Name der Stadt Moscow in Idaho läßt sich auf eine amüsante Begebenheit zurückführen, deren Wahrheitsgehalt nur schwer nachzuweisen ist: Die ersten Siedler in der waldreichen Gegend an der Grenze nach Washington sprachen sich bei der Namensgebung für Hog Heaven (Wildschweinhimmel) beziehungsweise Paradise aus. Der aus Rußland stammende Postmeister schlug daraufhin einen Kompromiß vor und versicherte, der Name Moscow bedeute nichts anderes als »brüderliche Liebe«. Niemand wußte es besser als der weitgereiste Mann, so daß es dabei blieb. Heute ist hier ein Teil der Staatsuniversität untergebracht.

Nevada: Das Glück in der Wüste

Noch immer kommen täglich Tausende von Glücksrittern nach Nevada, um in dem zumeist abflußlosen Wüstenstaat Stunden des Vergessens zu suchen. Früher lockte sie Gold und Silber, das sich einst in den heute erschöpften Lagerstätten der Sierra Nevada so reichlich fand, daß man in einem Monat bis zu 1,5 Millionen Dollar dafür einnehmen konnte und damit innerhalb kürzester Zeit für sein Leben ausgesorgt hatte. Heute locken mehr die liberalen Glücksspiel- und Scheidungsgesetze des Staates die Besucher an, die in den Spielhöllen von Las Vegas oder Reno mit heißen Köpfen den ruhelosen Lauf der Roulettekugel und das Rasseln der »einarmige Banditen« genannten Glücksautomaten verfolgen. Entlang dem »Strip«, dem Vergnügungsviertel zwischen Las Vegas Boulevard und Fremont Street, warten Unterhaltungsstätten für jeden Geschmack und jeden Geldbeutel auf Besucher: Golden Nugget Gambling Hall, The Mint, Caesar's Palace, Silver Slipper, Royal Las Vegas, Stardust Hotel, Circus Circus und das Sahara Hotel.
Den Goldrausch heizten vor mehr als 150 Jahren die Brüder Hosea und Allen Grosh an, die auf die Erzählung des Mormonen William Prouse hin von Kalifornien aufbrachen, um in der Hitze und Höhe des auslaufenden Felsengebirges nach Gold zu suchen. Statt dessen stießen sie in einem Canyon auf eine ertragreiche Silberader. Sie steckten ein Stück Land ab und wollten mit der Ausbeutung im großen Maßstab beginnen, als sich Hosea mit einer Spitzhacke am Bein verletzte und an einer Blutvergiftung starb. Sein Bruder erfror in einem Blizzard, als er zur nächsten Ansiedlung unterwegs war, um Hilfe herbeizuholen. Ein Jahr später kam der erfahrene Mineur Henry Comstock in das Tal, beanspruchte das Grosh Claim für sich und baute innerhalb weniger Jahre für mehrere hundert Millionen Dollar Gold und Silber ab. Die nach ihm benannte Comstock Lode war eine der ergiebigsten Goldminen in den USA.
Die heutige Geisterstadt Virginia City war einst ein von Leben erfülltes Gemeinwesen, in dem 30000 Abenteurer ihr schnell verdientes Geld in vier Banken anlegten, Abend für Abend die 110 Saloons füllten und für ihre Sünden sonntags in den sechs Kirchen der Stadt Abbitte leisteten. Viele der sechsstöckigen Häuser der Stadt besaßen damals schon elektrische Aufzüge, ein technisches Wunderwerk, das es zwischen Chicago und San Francisco nicht gab. Zu den Künstlern, die in Virginia City auftraten, gehörten Sarah Bernhardt, die Shakespeare rezitierte, und Lola Montez, die Cancan tanzte.
Viele der verfallenen Hütten und Häuser sind restauriert, nachdem sich herausstellte, daß Touristen bereit sind, für die Inaugenscheinnahme der Vergangenheit harte Dollar zu bezahlen. Silver City und Silver Springs in der Nachbarschaft deuten ebenfalls auf eine reiche Bergbau-Vergangenheit hin. Reno nennt sich die »größte Kleinstadt der Welt«, weil in diesem Scheidungsparadies der USA Tag für Tag neue Paare eintreffen, die sich ohne große Formalitäten scheiden lassen, um wenige Stunden später mit einem anderen Partner eine neue Ehe einzugehen.
In der von hohen Bergen umgebenen Stadt fühlen sich die Besucher wohl, nicht zuletzt eine Auswirkung des trockenen Klimas, das kaum Regen kennt. Im Winter führen Skilifte auf die Reno Ski Bowl und die Mount Rise Bowl, deren sanft abfallende Hügel den Anfängern des weißen Sports entgegenkommen.
Das gleichfalls in der Nähe gelegene Carson City ist die kleinste Hauptstadt aller amerikanischen Bundesstaaten. Sie ist zu Ehren eines berühmten Pfadfinders benannt, der den Weg für die großen Trecks nach Westen fand. 16 Kilometer nördlich der Stadt liegt Bowers Mansion, die

kurios gebaute und exklusiv ausgestattete Villa eines Bergwerksbesitzers, der für ihren Bau und ihre Einrichtung 400000 Dollar bezahlte, ein damals ungewöhnlich hoher Preis. Das südlich gelegene Genoa ist Nevadas älteste ständig bewohnte Stadt. Sie ist wie viele andere Siedlungen in Nevada eine auf Brigham Young zurückgehende Gründung der Mormonen.

Mormonen haben von Utah aus vor allem in den östlichen Teilen Nevadas nach Edelmetallen geforscht und geschürft. Rund um Ely liegen die Geisterstädte Hamilton, Osceola, Cherry Creek und Taylor. In der Liberty Copper Pit, einer der größten Kupfergruben der Welt, kann man den Schmelzvorgang des Metalls besichtigen. Westlich von Ely liegt Eureka, wo innerhalb von 20 Jahren für 100 Millionen Dollar Gold, Silber und Blei abgebaut wurden. Auch Goldfield erinnert mit seinem Namen an längst vergangene goldene Zeiten.

Der durch die Südostecke Nevadas fließende Colorado ist durch den 220 Meter hohen Hoover Dam zum Lake Mead aufgestaut. Dieser größte künstliche See in den Vereinigten Staaten versorgt große Teile Nevadas mit Trinkwasser und ist zugleich ein Wassersportparadies für Einheimische und Fremde.

San Francisco: Jedermanns Lieblingsstadt

Der Glanz des goldenen Westens spiegelt sich vornehmlich in den Fassaden einer Stadt, die von vielen Menschen, ob sie sie nun kennen oder nicht, als schönste der Welt bezeichnet wird. Ein amerikanisches Sprichwort sagt es weniger anspruchsvoll: Jeder Mensch hat zwei Lieblingsplätze auf der Welt, seine Geburtsstadt und San Francisco, die Stadt am Golden Gate, dem goldenen Tor, das die Verbindung vom Pazifischen Ozean zur Bucht von San Francisco bildet.

Allein ihre Lage rechtfertigt Bewunderung: Auf einer 120 Quadratkilometer großen Halbinsel gelegen, im Westen von Meer und im Osten durch die Bucht begrenzt, breiten sich hier Häuser über sieben Hügel aus. Auch Rom ist auf sieben Hügeln erbaut, und das Stadtbild San Franciscos trägt weitaus mehr europäische Züge als die großen Städte an der Ostküste.

Die vor widrigen Winden und Meeresströmen geschützte Bucht, erstmals in Reiseberichten des 16. Jahrhunderts genannt, wurde von dem in spanischen Diensten stehenden portugiesischen Seefahrer Juan Cabrillo entdeckt, geriet aber später wieder in Vergessenheit. 1597 segelte der britische Weltreisende Sir Francis Drake an der Einfahrt zur Bucht vorbei, ohne das dahinter liegende Paradies zu entdecken. Es sollte noch 90 Jahre dauern, bis dieses Lieblingskind der Natur auf das Interesse europäischer Eroberer stieß. Es war der spanische Missionar Don Gaspar de Portola, der die pazifische Küste entlang nach Norden segelte und den von der Gunst der Natur bevorzugten Landeplatz ausmachte. Er lud seine in Mexiko seßhaft gewordenen Glaubensbrüder ein, seinen Spuren zu folgen. Im Jahr 1776 gründete Pater Junipero Serra dann das erste Kloster, das er zu Ehren des Heiligen Franziskus von Assissi San Francisco de Asis nannte. Auf diesen Namen wurde die inzwischen herangewachsene Stadt im Jahre 1848 getauft. Die im Schutz des Klosters angelegte Siedlung wurde Yerba Buena (gutes Gras) genannt. Den Missionaren folgten zu Anfang des 19. Jahrhunderts mexikanische Siedler, die sich hier schnell heimisch fühlten. Sie wurden von amerikanischen Truppen im Mexikanischen Krieg vertrieben, so daß die Stadt erst 1846 zu den Vereinigten Staaten stieß.

Der Aufstieg der Stadt begann mit der Entdeckung großer Goldvorkommen in der Nähe von Sacramento, der Hauptstadt des Bundesstaats Kalifornien. San Francisco wurde zum Eingangstor der Abenteurer und Glücksritter. Einen wichtigen Meilenstein in seiner Entwicklung bedeutete der Anschluß an das amerikanische Eisenbahnnetz, das hier 1869 seinen Endpunkt am Pazifik fand. Damit bestand eine transkontinentale Verbindung mit der mehr als 4000 Kilometer entfernten Ostküste, die dazu beitrug, daß die Verbindung mit den damaligen Zentren der Welt hergestellt wurde. Endlich war es möglich geworden, die Westküste des Kontinents zu erreichen, ohne daß man die Strapazen einer wochenlangen Reise im Planwagen oder auf Pferderücken auf sich nehmen mußte.

Blitzschnell verbreitete es der Telegraf in alle Winde, als die Stadt vom 18. bis 22. April 1906 von einem schweren Erdbeben erschüttert wurde, von dem kaum ein Haus verschont blieb. Als dessen Folge breitete sich ein Großfeuer aus, von dem die noch stehengebliebenen Gebäude in Schutt und Asche gelegt wurden. Es dauerte Jahrzehnte, bis sich die Perle am Pazifischen Ozean von diesem Schicksalsschlag erholte. Der Glanz und die Schönheit der Stadt ist also nicht älter als höchstens siebzig Jahre. Alles, was sie in der Welt berühmt gemacht hat, ihr natürlicher schutzbietender Hafen, die vornehme Architektur ihrer Banken, Hotels und Kaufhäuser, der kühne Schwung ihrer Brücken, das alles ist ohne die Patina vieler Jahrhunderte, wie sie uns auf dem Alten Kontinent auf Schritt und Tritt begegnet.

Der von soviel Lobeshymnen erwartungsvoll gestimmte Gast, der sich der Stadt mit dem Flugzeug oder auf einer der zahlreichen vielspurigen Autobahnen nähert, wird jedoch nicht selten bei seiner Ankunft in dem irdischen Paradies enttäuscht: Häufig hängen nämlich Regenwolken über den Hügeln der Stadt. Noch öfters wird San Francisco von einer anderen meteorologischen Mißlichkeit betroffen, wenn nämlich Nebelbänke, die sich als Folge des Eindringens kalten Meerwassers in die aufgewärmte Bucht bilden, den tiefgelegenen Stadtteil mitsamt dem Hafen ver-

Chinatown in San Francisco ist mit über 65 000 Bewohnern die größte Chinesenstadt außerhalb Asiens. Sie wurde 1906 beim Erdbeben zerstört und ganz im chinesischen Stil wieder-aufgebaut – eine der Hauptsehens-würdigkeiten von San Francisco.

stecken und das Wahrzeichen der Stadt, die Golden Gate Bridge, erst wenige Meter vor dem angestrengt nach ihr Ausschau Haltenden auftaucht. Sieht er sie später ins helle Sonnenlicht getaucht, mag er sich über den nicht gerade freundlichen rostbraunen Schutzanstrich wundern, der auf den Farbbildern funkelt und leuchtet.

Unter strahlendem Himmel ist es — im Gegensatz zu vielen anderen amerikanischen Städten — geradezu eine Lust, durch die Straßen der Innenstadt zu schlendern. Die eng gebaute City ermöglicht es, fast alle Sehenswürdigkeiten zu Fuß zu erreichen. Ausgangspunkt ist zumeist der Union Square mit seinen gepflegten Parkanlagen und Geschäften, der europäisches Flair vermittelt. Blickt man in die Auslagen der Mode- und Schmuckgeschäfte, fühlt man sich nach Rom oder Paris versetzt. Rund um den Jackson Square finden sich einige historische Gebäude, die Erdbeben und Großfeuer überstanden. An der Union Street gibt es viele Häuser im viktorianischen Stil, die noch gut erhalten sind und in denen sich Boutiquen, Kunstgalerien und Restaurants eingerichtet haben.

Die weltberühmte Cable Car kriecht ratternd und gemächlich die steile Powel Street hoch. Sie kreuzt die Grant Street und damit Chinatown, die größte Ansiedlung von Chinesen außerhalb Asiens. In diesem zwischen Bush Street und Columbus Avenue gelegenen Klein-China finden sich Restaurants, Läden, ein Museum und ein Tempel mit pagodenförmigen Dächern. Die Straßenlaternen sind mit verschnörkelten Mustern von Drachensymbolen geschmückt.

Innerhalb von drei Straßenquadraten hat sich Japantown ausgebreitet, wo man sich ebenfalls in Tokio anstatt in San Francisco wähnt. Das Wahrzeichen, eine fünfstöckige Pagode, hat die Stadt Osaka gestiftet. The Embarcadero ist eine acht Kilometer lange Geschäftsstraße, die von China Bay nach Fisherman's Wharf, dem alten Hafen, führt. Das Ferry Building am Ende der Market Street war einst Ausgangspunkt des Fährbetriebs über die Bucht nach Oakland oder Sausalito, als es noch keine Brücken gab. Im Hafen ankern farbenfrohe Fischerboote, die frisch gefangenen Meeresfrüchte werden unmittelbar davor am Kai verkauft oder nach Rezepten aus aller Welt in den nebenliegenden Fischrestaurants angerichtet.

Unbeschreiblich der Ausblick, der sich vom Dachrestaurant eines der Nobelhotels auf dem Nob Hill bietet, den die Einheimischen der gut betuchten Bewohner dieses eleganten Stadtteils wegen Snob Hill nennen. Wer hier seinen Drink zu sich nimmt oder zu Abend speist, kann sich sicher fühlen, einen der begehrtesten Logenplätze der Welt innezuhaben. Die von der Stadt heraufführende Lombard Street ist eine der kurvenreichsten der Welt. Eine gute Aussicht bietet auch der Coit Tower auf dem Telegraph Hill. Er war ein Stützpunkt der Feuerwehr, die von hier aus jeden ausgebrochenen Brand in der Stadt frühzeitig erkennen konnte.

Ein Abstecher in die Umgebung der Stadt, in der einst die Blumenkinder als Begründer der Hippie-Bewegung und Welterneuerer zu Hause waren, ist nicht minder abwechslungsreich. Fährt man über die Golden Gate Bridge nach Norden, fällt der Blick auf ein südländisches Idyll, das an Amalfi oder Sorrent erinnert. An einem Felshang über der sich hier weit öffnenden Bucht klebt Sausalito, eine von Künstlern und Literaten bevorzugte Wohnkolonie. Von hier aus hat man einen atemberaubenden Blick auf die Skyline des 16 Kilometer entfernten San Francisco. Im Hafen der Stadt ankern viele Hausboote, auf denen Lebenskünstler wohnen, die sich am Abend in der No Name's Bar treffen, einer Bar, die keinen Namen hat und in der sich doch die meisten Besucher kennen.

Die Straße steigt von Sausalito aus in steilen Serpentinen von Meereshöhe auf 1000 Meter empor. Der mit Humor gesegnete Busfahrer, ein zufrieden ausschauender Neger, rät seinen Fahrgästen, vor den links und rechts der Straße steil abfallenden Berghängen die Augen zu schließen. Auch er beherzige diesen Rat, denn er sei nicht schwindelfrei.

Am Ausflugsziel, den Muir Woods, ragen Mammutbäume bis zu einer Höhe von mehr als hundert Metern empor. Aus ihnen wird das begehrte Redwood geschlagen. Diese zu den ältesten Pflanzen der Welt zählenden Baumriesen sind teilweise so umfangreich, daß es eines Dutzends Männer bedürfte, um ihren Stamm zu umfassen. Durch manche ist ein riesiges Tor geschlagen worden, durch das zwei Autos aneinander vorbeifahren können.

Die von einem ausgeglichenen Meeresklima verwöhnten pazifischen Küsten erlauben ihren Bewohnern ein angenehmes Leben. Kühle Sommer und milde Winter sorgen für eine jährliche Durchschnittstemperatur, die je nach Lage zwischen 11 und 17 Grad Celsius schwankt. Die Sonne lädt fast das ganze Jahr über zum Baden ein. Während es in den Sommermonaten Juni und Juli verhältnismäßig kühl und regnerisch sein kann, entfalten September und Oktober ihre frühherbstliche Pracht, so daß Kenner eine Reise zu dieser Jahreszeit am ehesten empfehlen.

Nordkalifornien: Ein Wunder der Natur

San Francisco ist der natürliche Ausgangspunkt für Reisen zu den Schönheiten des nördlichen Kaliforniens. Dabei sollte die Empfehlung beherzigt werden, anstelle der mehrspurigen Autobahn 101 den Highway 1 zu wählen, der in der Hauptsache der Küstenlinie folgt. Er ist kurvenreich und verpflichtet zum langsamen Fahren, aber er beschenkt mit den schönsten Ausblicken, die das Land zwischen Atlantik und Pazifik zu bieten hat. Befährt man ihn in Richtung Norden, kommt man nach 120 Kilometern in das Weinanbaugebiet von Napa, Mendocino und Sonoma, wo die meisten der in den USA getrunkenen Tischweine wachsen. In St. Helena werden sie gekeltert und gelagert.

Nach der kleinen verträumten Stadt Inverness folgt Drake's Bay, wo der britische Seefahrer vor 400 Jahren angelegt haben soll, um sein vom Sturm beschädigtes Schiff »Golden Hind« herzurichten. Ferien- und Fischerdörfer wechseln einander ab. Fort Ross wurde 1812 von russischen Pelztierjägern gegründet. Mendocino ist ein ehemaliger Holzumschlaghafen. Nach Fort Bragg folgt Scotia, in dem einst das größte Sägewerk der Welt stand. Eureka hat eine Universität und ist Ausgangspunkt für Ausflugsfahrten in die Humboldt Bay und in den Redwood Nationalpark, der an der Grenze nach Oregon liegt.

Von San Francisco aus hat man bis hierher fast 600 Kilometer zurückgelegt, was etwas über die Größe Kaliforniens aussagt, das flächenmäßig der drittgrößte und nach der Zahl seiner Einwohner der bevölkerungsreichste Bundesstaat der USA ist. Im landeinwärts gelegenen Lassen Volcanic Nationalpark liegt der 3181 Meter hohe Lassen Peak, der größte Vulkankegel der Welt. Der letzte Vulkanausbruch im Jahr 1917 hinterließ zahlreiche Asche- und Lavafelder. Heiße Quellen sprudeln aus der Erde, die Seen sind fisch- und die Wälder wildreich.

Verläßt man San Francisco in östlicher Richtung, gelangt man über die Oakland Bay Bridge nach Oakland auf der anderen Seite der Bucht. Beide Städte sind die ungleichen Kinder eines Elternpaares, das sie geprägt hat. Es ist das Meer und das Land, das sich in ihnen zu den schönsten Uferpartien der Welt vereinigt.

Nach fünfstündiger Autofahrt ist der Yosemite-Nationalpark erreicht, ein weiterer Höhepunkt an Naturwundern, wie sie in ihrer einzigartigen Fülle nur die USA zu bieten haben.

Eichen, Tannen, Pinien und Mammutbäume wechseln einander ab. Die Vielfalt der Pflanzen- und Tierwelt ist unvergleichlich. Einen Hauptanziehungspunkt bildet der 740 Meter hohe Yosemite-Wasserfall, der zweithöchste der Welt. Das Straßennetz in diesem Park ist mehr als 320 Kilometer, das Wanderwegenetz sogar 1115 Kilometer lang. Der Marsch oder der Ritt über den 300 Kilometer langen John-Muir-Pfad führt zu den eindrucksvollsten Landschaftsbildern aus der urweltlichen Vorzeit. Dabei kommt der Wanderer an vielen Indianer-Siedlungsgebieten vorbei, deren Bewohner sich in der Einsamkeit wohl fühlen.

Führt die Reise in nordöstliche Richtung, kommt man über die Universitätsstadt Berkeley und die kalifornische Hauptstadt Sacramento in das Erholungsgebiet des Lake Tahoe, der nur 330 Kilometer von San Francisco entfernt ist. Der tief in die bewaldeten Berge der Sierra Nevada eingebettete See ist fast 500 Meter tief und stahlblau. Zahlreiche Ferienorte wie Kings Beach, Tahoe Vista, Tahoe City, Tahoma und South Lake Tahoe bieten Pensions- und Hotelunterkünfte nach jedem Wunsch. Crystal Bay liegt an der Nordseite des Sees an der Grenze nach Nevada. In den umliegenden Bergen wird Wintersport getrieben. Die bekanntesten Orte sind Squaw Valley, wo 1960 die Olympischen Winterspiele stattfanden, Heavenly Valley und Alpine Meadows.

Folgt man dem Highway Nr. 1 nach Süden, kommt man nach 210 Kilometern zur Halbinsel Monterey mit der Künstlerkolonie Carmel. Entlang eines drei Kilometer langen Geschichtspfades sind historische Häuser aufgebaut, deren ursprüngliche Möbel und Kunstwerke viel über den Lebensweg historischer Persönlichkeiten aussagen.

Hier findet sich das Wohnhaus des Romanciers Robert Louis Stevenson ebenso wie das älteste Theater Kaliforniens. Auf dem nahe gelegenen Point Lobos sonnen sich Seelöwen und Fischotter.

In Pacific Grove verbringt eine seltene Schmetterlingsart aus unbekannten Gründen in einem Pinienhain den Winter. Das ungewöhnliche ist, daß die orangefarbenen Schönheiten millionenfach eigens aus Kanada herbeifliegen. Moss Landing, Big Sur und San Juan Bautista sind durch eine wildzerklüftete Küste gekennzeichnet.

In Salinas steht das Wohnhaus von John Steinbeck und in San Simeon die palastähnliche Villa des Zeitungskönigs William Randolph Hearst, die zu einem Museum ausgebaut ist und besichtigt werden kann.

Entlang der ganzen kalifornischen Küste von San Diego bis Sonoma nördlich von San Francisco bauten spanische Missionare von 1769 bis 1823 eine Kette von 19 Missionsstationen, von denen die meisten noch bestehen. Sie sicherten die »königliche Straße«, den »Camino Real«, dessen Lauf die Autobahn 101 im wesentlichen folgt.

Zu den ganz großen Sehenswürdigkeiten des Yosemite-Nationalparks in Kalifornien gehört der Yosemite-Wasserfall. In drei Absätzen stürzt er insgesamt 740 Meter tief herab. Im Winter bildet sich ein prächtiger, bis zu 90 Meter hoher Eiskegel.

Los Angeles: Wo Reiche und Arme glücklich sind

Die Erwartungen sind so hoch geschraubt, daß sie sich nur in den seltensten Fällen erfüllen. Der Reisende, der sich zum erstenmal der größten Stadt Kaliforniens nähert, vermag sich oft überhaupt kein Bild von ihr zu machen: Los Angeles ist in den schönsten Sommermonaten häufig von einer dichten Smogwolke überzogen, die sich aus feuchter Meeresluft und den Abgasen von Hunderttausenden von Autos gebildet hat.

Wolfgang Koeppen, einer der sprachgewaltigsten deutschen Reiseschriftsteller, hatte allerdings Glück. Als er sich an einem Maientag Ende der fünfziger Jahre dem endlos erscheinenden Städtemeer am Pazifik näherte, erblickte er einen Himmel, »der blauer war als der über dem Palermo Friedrichs II., höher als der Himmel Athens in der goldenen Zeit und reiner als der Himmel der Hirten und Heiligen Drei Könige aus dem Morgenland.« Koeppen sah den Himmel der Filmoperateure Hollywoods. Die Sonne war der Scheinwerfer, der die wundersame Stadt beleuchtete, die wahre Heimat der Engel.

Los Angeles, die drittgrößte Stadt der USA nach New York und Chicago, ist ein Siedlungsgebiet, das den Begriff Stadt ad absurdum führt. Der Städtebrei ist eine Ansammlung aus Holzhäusern, Gärten, Stadtautobahnen, Flugplätzen, Ölfeldern, Tälern, Bergen, Stränden und riesigen Industriekomplexen. Noch aber hat das Konglomerat von Fabriken und Hochhäusern die subtropische Landschaft nicht verdrängen können.

Los Angeles bietet die Fülle und Üppigkeit einer von der Natur gesegneten Landschaft: Palmen, Blüten und Früchte wachsen fast das ganze Jahr über. Die Träume von Hawaii, die Inseln der Karibischen See und die Inseln der Südsee werden hier zum Leben erweckt. Das macht verständlich, daß die Reichen und Sorglosen der Welt danach streben, hier ein Domizil zu unterhalten, in das sie sich flüchten können, wenn das Geldverdienen wieder einmal zu anstrengend war, und daß die weniger Erfolgreichen und Glücklichen sich danach sehnen, hier leben zu dürfen.

Los Angeles ist der Ort, sagt ein Kenner der Stadt, in dem die Reichen Götter sind, die Armen alle Chancen sehen, genau so reich zu werden, die Fleißigen ausruhen und die Alten einen geruhsamen Lebensabend verbringen, in dem sie alle Möglichkeiten haben, sich zu entspannen und den Frieden zu finden, den sie sich zeit ihres Lebens gewünscht haben.

Wer hier lebt, muß einfach glücklich sein, sagt zumindest die Statistik. Los Angeles' Bewohner verbrauchen die meisten Güter und Lebensmittel in der Welt. Jede Familie hat hier gleich zwei Automobile und zwei Fernseher, zwei Kühlschränke und zwei Klimaapparate. Und wenn der eine oder andere Neuankömmling, mexikanische Grenzgänger zumeist, die früher ohne Visum die grüne Grenze überquerten, noch am ersten Auto abzahlt, dann hat ein Bewohner Beverly Hills oder Malibus gleich drei oder vier von den Glücksbringern unserer Zivilisation. Der Überfluß ist in Los Angeles und in dem weiten Kranz seiner Nachbarstädte zu Hause, die im Bogen um die Metropole gewachsen sind und immer näher zusammenrükken.

Century City heißt ein moderner Vorort dieses Städtebabels. Was hier aus dem felsigen Boden schießt, sind Verwaltungspaläste aus Stahl und Beton. Glaskuben und -türme wechseln sich ab, ein architektonisch eindrucksvoll gestaltetes zwanzigstes Jahrhundert.

Die glücklichste bauliche Lösung in diesem leicht zu verwechselnden Stileinerlei ist die Stein gewordene, leicht gebogene Scheibe eines Hotels, die etwas von der gespannten Kraft einer Sehne ahnen läßt. Das Century Plaza, eine der neuen Nobelherbergen der südkalifornischen Drehscheibe, versorgt seine Gäste, Geschäftsleute oder Filmschauspieler zumeist, mit allem, was sie für die Dauer ihres Besuchs benötigen: Einem Bett mit Heizdecke, wenn die Klimaanlage die Raumtemperatur zu stark gedrückt haben sollte, einem eingebauten Rüttelgerät, das den Ruhelosen in den Schlaf wiegt, wenn harter Whisky oder ein sanfter Longdrink ihre Wirkung verfehlt haben sollten, einem Farbfernseher mit neun Programmen und einem zusätzlichen Kanal für Pornos und einem Kühlschrank. Wenn der Komfort des Hotelzimmers nicht ausreichen sollte, stehen Spezialitätenrestaurants und Tanzbars bereit, um den Gast gegen entsprechende Dollarbeträge mit allen gewünschten Köstlichkeiten zu verwöhnen.

Los Angeles ist jedoch nicht nur die Stadt der supermodernen Hotel- und Verwaltungspaläste, die Stadt mit den bis zu zehn Fahrspuren ausgebauten

Autobahnbändern, die sich wie Lindwürmer kreuz und quer durch das Land bis zu den kahlen Bergkuppen der San Gabriel und San Bernhardino Mountains ziehen, und die Stadt der Film- und Flugzeugindustrie. Los Angeles hat auch noch ein Stück seiner spanischen Vergangenheit zu bieten. Hat man durch das endlose Häusermeer der zumeist einstöckigen Holzhütten, die von einem, wenn auch nur handtuchgroßen, Rasen umgeben sind, endlich zum alten Marktplatz gefunden, steht man vor den restaurierten Zeugen der aus Mexiko stammenden ersten Einwanderer: der Kirche Nuestra Señora de la Reina de los Angeles del Rio de Porciúncula, die der zweihundertjährigen Stadt ihren Namen gab. Auch andere Kulturen haben ihre Spuren hinterlassen, wovon Chinatown mit seinen Gärten, Einkaufsstätten, Restaurants und Nachtbars kündet. Auf dem Farmers Market werden unter malerischen Torbögen die reichhaltigen Produkte des Landes angeboten.
Kinder wie Erwachsene sind gleichermaßen begeistert von einem Besuch des mit Einfallsreichtum und Phantasie geschaffenen Unterhaltungszentrums im Vorort Anaheim, das den Namen seines Schöpfers, des Filmemachers Walt Disney, trägt. Harmlos freundlich empfängt den Schaulustigen die heile, optimistische Welt aus dem Amerika der Pionierzeit. Aufregender geht es im Abenteuerland zu, bei der schaurig-schönen Fahrt durch ein englisches Geisterschloß oder dem nächtlichen, von hellem Fackelschein erleuchteten Piratentreiben in der Karibik. In den Vergnügungspalästen rund um das hochragende Märchenschloß aus Kunststoff, das seinem Vorbild Neuschwanstein recht ähnlich geraten ist, fühlen sich die Besucher in eine liebenswerte Wunderwelt versetzt. Dies war die erklärte Absicht des Parkerbauers, der in einer Bronzetafel am Eingang einschlagen ließ, sein Disneyland solle allen offenstehen, »die jung geblieben sind, um gemeinschaftlich zu lachen, zu spielen und zu lernen«.

Auf den Spielplätzen der Freizeitoasen von Los Angeles, von denen es gleich mehrere Dutzend gibt, begreift sich Amerikas Lebensphilosophie leichter als in der Arbeitswelt des *Big Business,* die der überseeische Besucher zumeist kennenlernt. In der künstlichen Erholungslandschaft unter subtropischem Klima, in der nicht nur die zur Schau gestellten Tiere, sondern auch die Blüten und Blätter der Natur täuschend nachgemacht sind, gilt der amerikanische Imperativ: Nimm's leicht! Mach's dir bequem! Entspanne dich!
L. A., wie der Bewohner von Los Angeles seine Stadt kurz und bündig nennt, was sich aus seinem Munde wie »Ällei« anhört, bietet eine solche Fülle von Freizeit-, Erholungs- und Kunstangeboten, daß es unmöglich ist, sie im Detail aufzuzählen. Wer sie aus den bis zu 500 Seiten dicken Sonntagszeitungen heraussuchen will, muß schon ein sehr geübter Leser sein, um sie überhaupt zu finden. Man kann sich durch die Studios der Filmgesellschaften in Universal City oder der Fernsehgesellschaften in Burbank führen lassen, man kann sich in Valencia den Magic Mountain, einen 81 Hektar großen Vergnügungspark mit dem 117 Meter hohen Skytower ansehen, in Marina del Rey, nur zehn Minuten vom Internationalen Flughafen entfernt, den größten künstlichen Jachthafen der Welt und in Palos Verdes eines der größten Meeresaquarien mit Walen, Seelöwen, Delphinen und See-Elefanten. Zwei ehemalige spanische Missionsgebäude stehen im Stadtgebiet, die von San Fernando und von San Gabriel mit seinen berühmten Glocken. In San Pedro liegt der Seehafen der Stadt, wo Kreuzfahrerschiffe und Thunfischfänger vor Anker liegen. Einen noch größeren Hafen hat Long Beach, wo der britische Ozeandampfer »Queen Mary« für immer festgemacht hat. In Long Beach baut auch der Luft- und Raumfahrtkonzern McDonnell Douglas seine Düsenverkehrsflugzeuge vom Typ DC 9 und DC 10.

Weit bekannt und von Besuchern bestürmt sind die Museen der Stadt, die ihre Sammlungen meist der Spendenfreudigkeit reicher Mäzene verdanken. Das Kunstmuseum am berühmten Wilshire Boulevard, der mehr als 20 Kilometer langen Verbindungsstraße von der Stadtmitte von Los Angeles nach Hollywood und Beverly Hills, ist eines der größten im ganzen Land. Paul Getty hat in einem Museum in Malibu römische und griechische Kunstwerke zusammengetragen. Das Museum für Wissenschaft und Industrie zeigt Ausstellungsstücke aus den Fachgebieten Elektronik, Energie, Luft- und Raumfahrt, Medizin und allgemeine Technik.
Eine Fahrt von dem alten Uraufführungskino in Hollywood, dem Grauman's Theatre mit den Fußabdrücken berühmter Stars im Betonboden der Eingangshalle, über den Sunset Boulevard und den Santa Monica Boulevard bis zur Pazifikküste führt an den schönsten Villen und Traumhäusern der oberen Zehntausend vorbei. Sie berührt auch den Campus und die Gebäudeblöcke der Universität von Kalifornien, die sich abgekürzt UCLA nennt und die eine berühmte Pflegestätte des Sports ist. Große Veranstaltungen der Sport- und Kunstszene können angesichts des angenehmen Klimas im Freien abgehalten werden. Zahlreiche Stadien und Parks — wie die Hollywood Bowl — stehen dafür zur Verfügung.

Südkalifornien: Wo Juan Cabrillo landete

Der Pazifik versorgt Südkalifornien mit einem dem Mittelmeerraum entsprechenden gemäßigten Klima mit Durchschnittstemperaturen von zehn Grad im Winter und 24 Grad im Sommer. Dennoch wäre es falsch, dem Schlagertext Glauben zu schenken, wonach es im südlichen Kalifornien niemals regnet. Ein paar Zeilen weiter heißt es denn auch sinngemäß, daß es niemals regnet, sondern nur so vom Himmel schüttet. In der Tat

Staat der Gegensätze: Kalifornien. Hier gibt es einen der heißesten Plätze der Erde, Death Valley – aber auch Riesenstädte wie Los Angeles und romantische Küstenlandschaften, die so aussehen, als sei Amerika gerade erst entdeckt worden.

kommt es zur Regenzeit nicht selten zu Wolkenbrüchen, die stundenlang, manchmal sogar tagelang anhalten. Folgt man der nördlich von Los Angeles nach Westen vorspringenden Küste, reiht sich ein Seebad an das andere. Schon innerhalb des Stadtgebiets bieten Redondo Beach, Hermosa Beach, Manhattan Beach und City Beach hervorragende Badegelegenheiten. Das nach seinem europäischen Vorbild Venedig benannte Venice hat hübsche Strandpartien mit Holzhäusern, in denen sich die jungen Leute wohl fühlen und wo sich in den letzten Jahren immer mehr ein mediterranes Leben entwickelt, seitdem auch Amerika das *Dolcefarniente* entdeckt hat.

Santa Monica, Topanga Beach und Malibu sind zu bevorzugten Wohnorten wohlhabender Angelinos geworden. Ihre Villen und Penthäuser kleben oft an der steilen Küste der Santa Monica Mountains und garantieren so einen Blick auf den Pazifik. Das 145 Kilometer nordwestlich von Los Angeles liegende Santa Barbara trägt spanischen Charakter. Leuchtend weiß gestrichene Häuser, rote Ziegeldächer und maurische Torbögen legen Zeugnis davon ab. Die Mission Santa Barbara hat die schönste Kirche von allen.

Fährt man die Küste in Richtung Mexiko weiter, erreicht man kurz nach Long Beach das Surfer-Paradies Huntington Beach. Man stand dort schon auf dem segelbespannten Brett, als man in Europa mit dem Begriff noch nichts anzufangen wußte. In Newport Beach mit seinen Erholungsorten Balboa, Balboa Island und Corona des Mar ankern die Luxusjachten betuchter Segelliebhaber. In Laguna Beach finden alljährlich Künstlerfeste statt. San Juan Capistrano und San Clemente folgen. In dem letztgenannten Ferienort ließ sich zeitweise Präsident Richard M. Nixon nieder. Auch ein Ausbildungslager für die amerikanische Marineinfanterie befindet sich dort. Rund 50 Kilometer vor der Küste liegt Catalina Island, ein beliebtes Ziel für Angler und Wassersportler. In den Gewässern vor der Insel werden Thun- und Schwertfische, Seebarsch, Barracuda und Makrelen gefangen. Auch der Tauchsport von Hochseejachten aus ist sehr beliebt.

Etwas mehr als 200 Kilometer von Los Angeles entfernt liegt San Diego, eine weitere Perle Südkaliforniens. Hier befindet sich die Geburtsstätte des Bundesstaats, denn bereits 1452 landete hier der portugiesische Eroberer Juan Cabrillo im Auftrag des spanischen Königs. Nahe von Ballast Point an der Einfahrt zum Hafen von San Diego kam er an Land und beanspruchte das Gebiet für seinen Herrscher. An ihn erinnern ein Denkmal und der Leuchtturm von Point Loma. Es dauerte jedoch mehr als 200 Jahre, bis der spanische Missionar Junipero Serra 1769 eine Mission gründete, in der noch heute Gottesdienste gefeiert werden. San Diego ist stolz auf seine spanische und mexikanische Vergangenheit, die auch eine Gegenwart ist, denn nur wenige Kilometer entfernt verläuft die Grenze nach Mexiko, über die Tag für Tag zahlreiche Bewohner in die USA strömen, um hier ein besseres Leben zu führen.

Heute ist San Diego in erster Linie eine Marinestadt mit dem größten amerikanischen Kriegshafen an der Pazifikküste. Kilometerweit liegt ein Kriegsschiff neben dem anderen und wartet auf das Auslaufen. Viele von ihnen sind eingemottet, um erst in einem Ernstfall kampfbereit gemacht zu werden. Unter einer Brücke, die sich 80 Meter hoch über das Hafenbecken spannt, steuern die Schiffe dem offenen Meer zu.

Mitten in San Diego liegt der Balboa Park mit Museen, Theatern und Restaurants. Auch der Freilandzoo, einer der größten der Welt und eine Pflegestätte afrikanischer Tiere, befindet sich dort. Im Reuben Fleet Space Theatre werden Raumflüge simuliert. Im Embarcadero, dem Handelshafen, liegen zahlreiche historische Schiffe angetäut, darunter auch die »Star of India«, das älteste aus Eisen gebaute Segelschiff. Sea World heißt ein Meeresaquarium, in dem wie in vielen amerikanischen Seestädten dressierte Meerestiere vorgeführt werden.

Im Umkreis von San Diego gibt es zahlreiche Vororte und Wohngemeinden, in denen ein Blick auf den Pazifik den Wohnwert erhöht. Coronado liegt auf einer Insel in der Bucht von San Diego, Del Mar ist ein Küstenort wie La Jolla nördlich der Stadt mit herrlichen Stränden und vielen wissenschaftlichen Einrichtungen der Meeresforschung. Auf dem 100 Kilometer nordöstlich von San Diego gelegenen Mount Palomar liegt die gleichnamige Sternwarte, deren 508-Zentimeter-Teleskop eine gründliche Beobachtung des Weltraums ermöglicht. Weitere weltbekannte wissenschaftliche Einrichtungen in Südkalifornien sind das Jet Propulsion Laboratory in Pasadena und der Versuchsflugplatz Edwards in der Mojave-Wüste.

Rothäute und weiße Missionare

Arizona · New Mexico · Texas · Oklahoma Kansas · Missouri

Leuchtendrote Sandsteinkegel und die Saguaro genannten Riesenkakteen mit ihren Kandelaberästen prägen das Landschaftsbild Arizonas. Der Wüstenstaat, dessen größte Städte Phoenix, Tucson und Flagstaff künstlich geschaffene Oasen sind, in denen durch Kanäle herbeigeführtes Wasser das Leben erst ermöglicht, zieht in jedem Jahr zehnmal mehr Touristen an, als er Einwohner zählt. Dazu trägt in erster Linie der Grand Canyon bei, ein 350 Kilometer breiter Einschnitt des Colorado in einer Hochebene, die von Page bis zum Hoover-Staudamm reicht. Wer dieses Gebirgstal je mit einem Flugzeug durchflogen oder mit einem Maulesel durchritten hat, wird das grandiose Erlebnis nicht vergessen können. Arizona ist zugleich der Staat, in dem die meisten Indianer der USA leben.

Die Szenerie – beschreibt ein intimer Kenner des Grand Canyon eine Floßfahrt auf dem Colorado – war dramatisch wie in einer Wagner-Oper: Zu beiden Seiten bäumen sich die Wände bis zu 1500 Meter hoch, dolomitenartige Felsmassen, die Farbskala spannt sich von Tiefschwarz bis Purpur. Zwei Millionen Jahre Erdgeschichte sind mit einem gewaltigen Griffel in die Landschaft geschrieben.

Ein Kapitel Schöpfungsgeschichte

Die Farbenspiele, die von der auf- und untergehenden Sonne in den Schieferwänden des Canyon veranstaltet werden, rechtfertigen das frühe Aufstehen und lange Verweilen in dem Naturpark (rechts). Täglich führt der Colorado 60 000 bis 80 000 Tonnen Sand und Lehm mit sich (unten). Die Scenic Airlines starten vom Flugplatz Las Vegas aus zu Flügen durch das Colorado-Tal. Wie lange noch, ist nicht sicher, denn die Umweltschützer protestieren seit langem gegen den ruhestörenden Lärm der Sportflugzeuge (rechte Seite).

SCENIC
N53SA

Strom-schnelle 93 passiert

»Festhalten«, schreit der Steuermann während einer Floßfahrt auf dem Colorado. Dann schlägt das Wasser über den Bootsfahrern zusammen. Das Floß wird von unsichtbaren Fäusten in eine Hölle von Gischt und Donner geschleudert. Es taucht wieder auf und umgehend folgt der nächste Guß. Schreie, Kreischen, Gelächter. Dann einige hundert Meter lang ein ruhiger Flußabschnitt. Fazit: Stromschnelle 93 ist ohne Verlust an Menschen und Material passiert worden.

Täglich »Zwölf Uhr mittags«

Keinen optimistischen Namen trägt der Erholungsort Tombstone in Arizona: Grabstein. Im Crystal Palace der dazugehörigen Geisterstadt (rechts) lebte und herrschte der legendäre Sheriff Wyatt Earp. Unten: »Frontierparade« in Tombstone.

Mehrere Dutzend Western- und Cowboy-Filme sind in der Geisterstadt von Old Tucson gedreht worden. Jeden Mittag wird eine Filmszene aus »High noon« (»Zwölf Uhr mittags«) nachgespielt. In der Druckerei nebenan kann man seinen Namen in der Schlagzeile einer Zeitung verewigen lassen, die einem bestätigt, ein langgesuchter Gangster zu sein (oben). Auch die Namen der Stadtgründer sind nicht vergessen (links) – 1881 muß für die Bewohner von Old Tucson ein besonders schießfreudiges Jahr gewesen sein.

Noch leben die Indianer

Pow Wow ist in der Indianersprache eine Krankheitsbeschwörung, ein lärmendes Palaver. Beim alljährlichen Pow Wow in Flagstaff zeigen sich die Navajo-Indianer mit ihrem prächtigen Kopfschmuck (links), während sich ihre Schwestern und Mütter bescheidener geben (oben). Den Besuchern werden bunte Perlen zum Kauf angeboten (unten) – ein beliebtes und gern gekauftes Souvenir.

Das Klischee entspricht der Wirklichkeit

Es gibt Viehfarmen in Texas, auf denen 75 000 Rinder und 500 Pferde weiden. Die Zäune um eine solche Ranch können mehrere hundert Meilen lang sein (unten). Treffen sich Rancher und Cowboys, wird eine Barbecue-Party gefeiert, bei der pfannengroße T-Bone-Steaks serviert werden oder eine feurige Bohnensuppe gekocht wird (darunter). Auch Planwagen gehören noch zur heilen Welt des Lone-Star-Staats (rechts) – wenn auch nur für die Gäste der Texas-Herrlichkeit, die sich gern nostaligsch verwöhnen lassen.

Mexikanische Vergangenheit...

Der San Antonio River durchfließt die gleichnamige Stadt, die ihre mexikanische Vergangenheit nicht verleugnen kann. Geruhsam und kurzweilig können der Aufenthalt in einem Hotel am Flußufer (links) oder eine Bootsfahrt sein (oben). Wegen seines milden Klimas wird San Antonio auch im Winter viel besucht. Die Stadt liegt im Mittelpunkt eines Landwirtschafts- und Industriegebietes.

...und amerikanische Geschichte

Die Kirche der Missionsstation San Antonio de Valero wurde 1794 zur Festung ausgebaut und seitdem »The Alamo« (»Die Pappel«) genannt. Hier starben 1836 zahlreiche Texaner für die Unabhängigkeit ihres Landes. Heute dienen die Räume der »Wiege der texanischen Freiheit« als Museum zur texanischen Geschichte. Ein Kenotaph erinnert an die Helden des Jahres 1836.

Tausend-jährige Kultur

Nördlich von Santa Fé leben die Pueblo-Indianer (links). Hier wird heute noch in alten Öfen Brot gebacken (unten). Die Häuser erinnern an vorzeitliche Bauten in Südamerika. Ihre Räume sind burgartig übereinandergestapelt und verschachtelt. Einst bildeten Leitern den einzigen Zugang – wenn Feinde nahten, wurden sie einfach eingezogen (rechts).

CURIO
SHOP

Leben in einer künstlichen Oase

Noch fährt er, der Santa-Fé-Expreß, den Spuren der ersten Siedler folgend, die das leuchtende Gold und der ferne Ozean lockten. Die Städte und Landschaften, die er verbindet, erinnern an die Lektüre der Jugendzeit: An Karl May, der mit seiner Phantasie die Welt der Indianer und ihrer weißen Verfolger beschrieb, und an Friedrich Gerstäcker, der ein abenteuerliches Leben führte und seine zahlreichen Weltreisen mit scharfer Beobachtungsgabe in Buchform brachte.

Arizona: Die größten Oasen der Welt

Die frühen Einwohner, neben den Rothäuten vor allem die weißen Missionare, die aus Spanien stammten und über Mexiko den Weg nach Amerika gefunden hatten, haben den Südwesten der Vereinigten Staaten geprägt. Sie gaben den Flüssen und Bergen, den kargen Wüsten und endlosen Prärien und ersten bescheidenen Ansiedlungen ihre Namen: Rio Grande und Colorado, Sacramento Mountains und San Francisco Plateau, die Ozarks, Llano Estacado und Sierra Blanca, Amarillo und El Paso, Albuquerque und Santa Fé, Tucson und Phoenix, Tulsa und Oklahoma City, Topeka und Wichita und schließlich Arizona, was aus dem indianischen Wort »Arizonac« für »kleine Quelle« abgeleitet wurde.

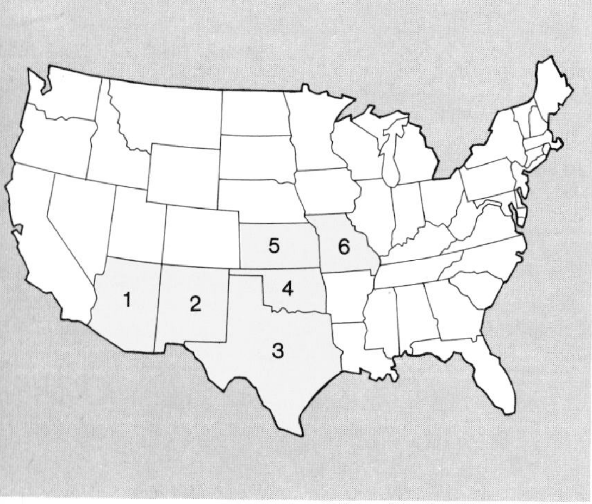

Südwest-Staaten

1 Arizona
2 New Mexico
3 Texas
4 Oklahoma
5 Kansas
6 Missouri

Die Vergangenheit reicht bis in das Jahr 1536 zurück, als der spanische Eroberer Francesco de Coronado auf der Suche nach Gold in das Land eindrang. Er folgte der Legende von den sagenhaften Schätzen der sieben Städte von Cibola im Gebiet der Zuñi-Indianer, ungefähr dort, wo heute die Stadt Sonora im Süden von Arizona liegt.

Erst 1692 — mehr als 150 Jahre später — wurde mit der Besiedlung des Landstrichs begonnen. Damals erbaute der spanische Pater Eusebio Francisco Kino die erste von 24 Missionen, San Xavier del Bac, die heute noch als ein leuchtend weißes Kleinod in der Wüste bei Tucson gut erhalten zu besichtigen ist. Nach dem Aufstand der Mexikaner gegen ihre spanischen Herren fiel das Land an das unabhängige Mexiko, ehe es 24 Jahre später im Jahre 1848 nach dem Aufstand texanischer Siedler und ihrem Sieg in der Schlacht von San Jacinto zu der heute noch gültigen Grenzziehung zwischen beiden Ländern kam, wobei der Rio Grande als Grenzfluß anerkannt wurde, die Mexikaner es jedoch verstanden, die Amerikaner nicht an den Golf von Kalifornien kommen zu lassen.

Eine gleißende Sonne, kein Windhauch und eine brütende, aber trokkene Hitze, die auch Temperaturen von mehr als 100 Grad Fahrenheit oder 40 Grad Celsius erträglich macht — so präsentiert sich Arizona fast das ganze Jahr über seinen Besuchern. Seine glasklare und trockene Luft hat es zum begehrten Alterssitz amerikanischer Rentner gemacht, die sich hier wohler fühlen als in dem häufig dunstigen und nebligen Kalifornien oder in der feuchtschwülen Hitze Floridas.

Über 40 Millionen Urlauber kommen jährlich nach Arizona, sechzehnmal mehr Menschen, als der Staat Einwohner hat. Mit der Zahl von 2,5 Millionen steht er auf der Rangliste der USA an 30. Stelle. Nach seiner Flächenausdehnung allerdings nimmt er den sechsten Rang ein.

Anders als die Pazifikstaaten Kalifornien, Oregon und Washington wurden Arizona und sein östlicher Nachbarstaat New Mexico nicht von Ost nach West, sondern in umgekehrter Richtung, von West nach Ost, von Goldsuchern heimgesucht. Sie fanden auch Silber und Kupfer und machten Jerome zur größten amerikanischen Bergwerkstadt, an die heute nur noch ein Museum erinnert. In den dortigen Mingus Mountains, wo immer noch rund 300 Indianer leben, arbeiteten einmal 25 000 Menschen.

Die beiden größten Städte des Landes, Phoenix und Tucson, verdanken ihre Existenz künstlichen Kanälen und Seen, die sie zu den größten Oasen der Welt gemacht haben, mit üppig wachsenden Palmenhainen und Kiefern inmitten der mit Säulenkakteen und Baumyukkas bestandenen Kies- und Salzwüste.

Der durch den Roosevelt-Damm aufgestaute Salt River versorgt sie mit dem lebensspendenden Wasser. Es wird durch Kanäle sogar vom weit entfernt gelegenen Colorado herbeigeführt, während die Flußbetten selbst das ganze Jahr über ausgetrocknet daliegen.

Ohne das Naß hätte auch das alte Westernstädtchen Scottsdale, einer der vielen Millionärsvororte von Phoenix, der von Fremden gern besucht wird, weil er das geschlossene Bild einer lebendigen Frontier-Stadt bietet, nicht zu dem immergrünen Paradies unter den roten Bergzügen der Camelback Mountains werden können, das seine Besucher so schätzen.

Arizona bietet seinen Gästen auch eines der größten Naturwunder der Welt, den vor sieben Millionen Jahren tief in den roten Sandstein eingeschnittenen Grand Canyon des Colorado Rivers. Die Großartigkeit der gewaltigen Naturszenerie erlebt man am eindrucksvollsten bei einer Kanufahrt über den mitunter reißenden Fluß oder in einem kleinen Propellerflugzeug hoch darüber, das streckenweise tief in den bis zu 1800 Meter tiefen Canyon eintaucht, so daß der Passagier den Horizont weit über sich erblickt. Der erfahrene Pilot kennt jede Wendung, die der Fluß nimmt, mitunter unvermittelt scharf um mehr als 90 Grad. Das Wasser im Flußbett wird tiefer, je näher man dem Hooverdamm kommmt, der das Tal nur ein paar Dutzend Kilometer von der Spielerstadt Las Vegas entfernt absperrt.

Zahlreiche Natur- und Landschaftsschutzgebiete weisen auf die Einmaligkeit und Unvergleichlichkeit Arizonas hin. In Oraibi nordöstlich von Flagstaff läßt sich eine ununterbrochene Besiedlung bis zurück ins 12. Jahrhundert nachweisen, so daß dieser Verwaltungssitz der Hopi-Indianer als der älteste bewohnte Ort der Vereinigten Staaten gilt. Die Hopis sind im Vergleich zu den meisten Indianerstämmen der USA reich, da sie über große Rinder- und Schafherden verfügen.

In Arizona befinden sich im Tal des Todes der heißeste Ort der Erde, die trockenste Wüste und im Nationalpark Petrified Forest ein ganzer Wald aus versteinerten Bäumen, der farbenprächtige prähistorische Pflanzen der Nachwelt erhält. Ein weiteres Wunder sind die verlassenen Städte der Anasazis, die um das Jahr 1300, ohne durch Krieg oder Naturkatastrophen dazu gezwungen worden zu sein, ihre ordentlichen Städte verließen und spurlos in der Geschichte untertauchten.

In den Museen sind ihre Waffen, Werkzeuge und Kunstgegenstände zu sehen, die sie als intelligente Menschen mit Sinn für Formen und Farben ausweisen. »Die Anasazis sind fortgegangen«, sagen die heute hier lebenden Navajo-Indianer, »aber sie werden eines Tages wiederkommen. Sie werden dann auch ihren wertvollen Schmuck wiederhaben wollen, den die Weißen aus ihren Gräbern geplündert haben.«

Die Palmlilie oder Yuccapflanze ist auch mit dem dürren Sand New Mexicos zufrieden (oben). Rechts: Versteinerte Baumstämme im Nationalpark Petrified Forest in Arizona. Sie sind vor etwa 200 Millionen Jahren entstanden.

New Mexico: Hier lebte Billy the Kid

Hinter den Organ Mountains versinkt der riesige Sonnenball, den weiten wolkenlosen Himmel in leuchtendes Zinnoberrot tauchend. Die letzten Strahlen fallen flach über eine weiße Sandwüste und tauchen sie in ein fahles, unwirkliches Licht. Das Auge erblickt nur Sanddünen, Wellentäler und Wellenberge folgen aufeinander. Während die ferne Bergwand bereits in nächtliche Dunkelheit getaucht ist, liegt diese größte Gipswüste der Welt wie ein zu Eis erstarrtes Meer da.

Doch in White Sands, hart an der Grenze New Mexicos zu Texas gelegen, sind Wasser und Kälte Mangelware. Die fast täglich scheinende Sonne und ein ständig wehender warmer und trockener Wind haben das Tularosa-Becken zu einer der heißesten Wüstengegenden der Vereinigten Staaten gemacht. Die Wüste aber lebt dennoch — zum Erstaunen vor allem der fremden Besucher. Der Wind treibt Pflanzensamen an, deren haarige, harte Haut die Feuchtigkeit bewahrt, so daß sie, wenn sie nur ein windstilles Eckchen gefunden haben, aus dem sie nicht mehr verweht werden können, Wurzeln schlagen. So finden sich in den gerippten Sandmustern mitunter mannshohe Yukkabüsche, deren stachelförmige Blattspitzen von leuchtendweißen Blüten gekrönt sind. Und aus kegelförmigen Sandhaufen, die von verflochtenen Wurzelzweigen in ihrer Form gehalten werden, wachsen sogar Baumwollpflanzen, umwuchert von scharfkantigem, dickblättrigem Dünengras.

Im Schutze der hitzebeständigen Pflanzen hält die Natur noch weitere Wunder bereit: Tiere, die sich den

Der Rio Pecos durchfließt New Mexico und Texas und mündet bei Del Rio in den Rio Grande. In dieser Landschaft siedelte Karl May die Mescalero-Apachen seiner vielen Indianerromane an, an deren Spitze der edle Winnetou stand.

harten Lebensbedingungen angepaßt und hier ein Zuhause gefunden haben. In Sandhöhlen leben Eidechsen, Salamander, Klapperschlangen und andere Kriechtiere. Die Wüstenmäuse haben sich, um vor ihren zahlreichen Feinden wie Füchsen, Coyotenhunden und Habichten besser geschützt zu sein, gar eine tarnende Hautfarbe zugelegt. Ihr Fell ist so weiß wie der Sand ihrer Umgebung, während ihre nur wenige Kilometer entfernt wohnenden Verwandten sich der Gesteinsfarbe angepaßt haben, die dort vorherrschend ist.

Eine kurze Autofahrt in die nahe gelegenen Organ- oder Sacramentoberge lehrt den fremden Gast neue Naturwunder: Je mehr er dort in langgezogenen Kehren an Höhe gewinnt, um so üppiger entfaltet sich die Vegetation. Für den aus nördlichen Breiten kommenden Besucher ist es eine verkehrte Welt. Während in den Alpen das Vegetationsgefälle von unten nach oben verläuft, die Laubbäume von Nadelbäumen abgelöst werden, die, je höher man steigt, immer kleiner und krüppliger werden, ist es in diesem Trockengürtel der USA genau umgekehrt. Auf Buschsteppe und Unterholz folgen vereinzelt Latschenkiefern, die immer höher werden und schließlich von hochgewachsenen Tannen, Lärchen und Eiben verdrängt werden. Die Berghöhen schließlich sind von dichten Laubwäldern gekrönt.

Auf der Höhe der Organ Mountains trifft der Reisende auf eine Schenke, die aus den Tagen der Gold- und Glückssucher erhalten geblieben ist. In einem mächtigen Tragbalken der verräucherten Holzdecke ist die Jahreszahl 1867 eingeschnitzt. An den Wänden hängen Erinnerungsstücke, die den Namen William Bonneys tragen. Er wurde als »Billy the Kid« berühmt, als er hier in Mesilla verurteilt und hingerichtet wurde. Das alte Gerichtsgebäude steht noch, in dem ihm »eine unbekannte Zahl von Morden nachgewiesen wurde, für die er stets Notwehr geltend machte«.

Beim Verlassen der Westernschenke läuft einem wie auf ein Stichwort hin ein Indianer über den Weg. Die Rothaut trägt wie alle Brüder und Schwestern seines Stammes das uniforme Gewand der westlichen Zivilisation. Auf seinem Kopf thront ein mächtiger Sombrero und an der Seite hängt ein furchteinflößender Colt. Er erzählt stockend und in einem schwerverständlichen Englisch, er sei ein Nachkomme der Pueblos. Stolz bekennt er, ein freier Mann zu sein, dem niemand etwas aufzwingen könne, weder die weißen Herren in der Staatshauptstadt Santa Fé noch in der fernen Bundeshauptstadt Washington. Doch mit der grenzenlosen Freiheit ist es nicht weit her. Waffen und Alkohol sind in der nahe gelegenen Reservation, aus der er kommt, um ein paar Andenken zu verkaufen, nicht erlaubt. Der Colt ist nur eine armselige Attrappe, und die Selbstverwaltung mit eigener Polizei und eigener Gerichtsbarkeit kann nicht darüber hinwegtäuschen, daß die bronzefarbenen Mitbürger die ärmsten im reichsten Industrieland der Erde sind.

Im nördlichen Teil New Mexicos erreichen die Ausläufer der Rocky Mountains im Wheeler Peak noch eine Höhe von mehr als 4000 Meter. Selbst am Rand der größten Stadt Albuquerque reckt sich mit dem San Pedro ein 3255 Meter hoher Gebirgskegel in den Himmel. Der Osten des Staates ist hingegen von flachem Weideland bedeckt, das die Comanchen und Kiowas als ihre Jagdgründe betrachteten, um die sie noch im Anschluß an den Bürgerkrieg blutige Fehden führten.

Anthropologische Funde und Forschungen haben ergeben, daß im Gebiet des heutigen New Mexico schon 1700 vor Christus Menschen lebten. Der früheste Bewohner Nordamerikas wird nach seinem Fundort, dem Sandia Peak bei Albuquerque, auch Sandia-Mensch genannt. Auch der um 5000 Jahre jüngere Folsom-Mensch stammt aus dieser Gegend. Die unter Coronado und Don Pedro de Peralta hereinströmenden Spanier sind sozusagen die Späteinwanderer des Staates, die ihn allerdings bis in die Neuzeit durch ihre spanisch-mexikanische Abstammung und die spanische Sprache prägten.

Peralta gründete im Jahr 1609 die heutige Hauptstadt Santa Fé. In dem von ihm erbauten Gouverneurspalast sind noch immer Behörden des Staates untergebracht. Der Bau gilt daher als das älteste Verwaltungsgebäude der Vereinigten Staaten, weil er bereits vor der Landung der Pilgerväter am Plymouth Rock entstand. In der Kathedrale St. Francis befindet sich der älteste Marienaltar und mit der Mission San Miguel verfügt Santa Fé auch über das älteste Gotteshaus der USA, in dem noch Messen gelesen werden. Albuquerque wurde erst 100 Jahre später durch Don Francisco Cuervo y Valdes gegründet.

Texas: Der Lone-Star-Staat

Obschon Alaska mehr als doppelt so groß ist wie Texas, betrachten die Texaner ihren Staat als den größten, reichsten, schönsten und berühmtesten der ganzen Vereinigten Staaten. Stolz weisen sie seine plumpe Form, die einem Keil mit Handgriff ähnelt, als Qualitätsmerkmal vor und bezeichnen sich als Lone Star State, weil ihr Wappen aus einem weißen fünfzackigen Stern, umrahmt von einem Eichen- und einem Ölzweig, besteht.

Wo soll die Reise in diesem großen Land, das zweieinhalbmal so groß ist wie die Bundesrepublik, beginnen und wo soll sie enden? Für viele beginnt sie in der größten Stadt Houston unweit des Golfes von Mexiko. Im Sommer scheint das Wasser an der Lagunenküste zu kochen, so unerträglich brütet die Sonne über dem subtropischen Wasserkessel, der den Golfstrom so aufheizt, daß er noch die Küsten des nördlichen Europa mit Warmwasser versorgt. Ein Bad am Sandstrand von Galveston bringt zu dieser Jahreszeit keine Erfrischung. Einen Hauch von Kühle scheint erst die sanfte Brise zu verschaffen, die aber nur die Haut trock-

net und dem Körper auf diese Weise Wärme entzieht. Die tiefgekühlte Luft der Strandrestaurants, in dem die Klimaanlagen wie überall in den USA auf vollen Touren laufen, jagt dem der Backofenhitze entronnenen Badegast dann kalte Schauer über den Rücken. Wohler fühlt er sich erst wieder, wenn die servierten fangfrischen Schalentiere eine gute Küche versprechen, die den Vergleich mit europäischer Kochkunst nicht zu scheuen braucht.

Ein Seekanal von Galveston nach Houston hat die 100 Kilometer landeinwärts liegende Stadt zum viertgrößten Hafen der USA gemacht. Raffinerien, die das teilweise unter dem Meeresboden geförderte Erdöl verarbeiten, säumen den künstlichen Wasserweg. Die Texasmetropole ist zur sechstgrößten Stadt der Vereinigten Staaten herangewachsen. Im Südosten der Stadt wurde in einem von breiten Waldgürteln und brackigen Küstengewässern begrenztem Wiesengelände das Zentrum für bemannte Raumfahrt der Raumfahrtbehörde NASA aus dem Boden gestampft. Sein eifriger Förderer war der frühere Präsident Lyndon B. Johnson, der aus Stonewall nahe der Texashauptstadt Austin stammt und nach dem das Zentrum nach dem Tod Johnsons auch benannt wurde.

In den nahe gelegenen freundlichen Villenvororten von Clear Lake City, El Lago und Nassau Bay wohnen die Astronauten, die hier für ihre Mondflüge mit den Apollo-Raumschiffen vorbereitet wurden und derzeit für die Flüge mit dem Raumtransporter Space Shuttle trainiert werden. Auch für Touristen ist das Raumfahrt-Babel an der NASA Road 1 geöffnet und zu einer ähnlichen Attraktion geworden wie das nahe gelegene San-Jacinto-Ehrenmal, das an die Schlacht vom 21. April 1836 erinnert, in der General Sam Houston, der Namensgeber der Stadt, die Mexikaner unter ihrem Präsidenten Lopez de Santa Ana entscheidend schlug. An einer Kaimauer des Hafens ist das Schlachtschiff »Texas« eingemottet, das in beiden Weltkriegen eingesetzt wurde. Das Astrodome mit seiner atemberaubenden Spannweite ist eine der größten Vielzweckhallen der Welt, in der vor allem Sportveranstaltungen stattfinden. In den Kliniken der Rice-Universität gehören Herzoperationen zur täglichen Routine. Noble Warenhäuser und gehaltvolle Museen haben Houston zu einer der großen Metropolen des Landes gemacht.

Das in vielen Teilen des Landes geförderte Öl hat sich als das wahre Gold von Texas erwiesen, wenn es sich auch um schwarzes Gold handelt — im Gegensatz zu dem von den Vorvätern begierig gesuchten Edelmetall.

San Antonio ist trotz seines spanisch klingenden Namens und seiner vielen, von Missionaren errichteten Kirchen eine moderne Stadt. Ihre Lage am gleichnamigen Fluß und zu Füßen des Alamo-Hügels hat sie im Gegensatz zur nur 150 Kilometer entfernten Hauptstadt Austin erheblich anwachsen lassen. In der Altstadt haben sich zahlreiche Bauwerke im mexikanischen Stil erhalten. Viele der in ihnen eingerichteten Restaurants und Cafés sind einen Besuch wert. Rings um die Stadt hat die Luftwaffe einen Kranz von Flugplätzen angelegt, auf denen junge Piloten ausgebildet werden. Ein Jahr vor der siegreichen Schlacht am San Jacinto hatten die Mexikaner 1836 die Befestigungen auf dem Alamo gestürmt und sich weite Teile von Texas angeeignet. Auch daran erinnert ein Denkmal, wie es in Amerika überall zu erwarten ist, wo auch nur ein bescheidenes geschichtliches Ereignis für die Nachwelt festgehalten wird.

Wo der Zug auf der zweitägigen Fahrt zur fernen Pazifikküste den Grenzfluß Rio Grande erreicht, liegt El Paso am westlichsten Ende des Staates. Die Sonne läßt sich hier das ganze Jahr über höchstens an zwei oder drei Tagen nicht sehen, was in den Zeitungen der Stadt im Titel vermerkt wird. Sie scheint auf die unterschiedlichsten Welten, die sich denken lassen. Auf der östlichen Seite des Grenzflusses wird der amerikanische *Way of Life* mit seinem Wohlstand und der daraus resultierenden Wegwerfgesellschaft gepflegt.

Auf der anderen Seite des fast das ganze Jahr ausgetrockneten Flußbet-

tes liegt Ciudad Juarez im mexikanischen Bundesstaat Chihuahua. Für seine Bewohner scheint jeder Tag ein Feiertag zu sein. Das strahlende Licht ist ein Lebenselixier für sie. Selbst wenn sie in kargen Felshöhlen hoch über der Stadt ein erbärmliches Leben führen, möchten sie mit den Amerikanern nicht tauschen, deren Welt sie durch häufige Besuche gut kennen. Der kleine Grenzverkehr, der ohne große Formalitäten und strenge Paßkontrolle vor sich geht, wird von einer altersschwachen Straßenbahn bewältigt, der einzigen übrigens, die in ganz Nordamerika außer der Cable Car von San Francisco noch verkehrt.
Reist man von El Paso nach Osten über die von der Llano Estacado und dem Edwards Plateau gebildeten Great Plains, erlebt man eine zweite Quelle des texanischen Reichtums: die schier endlosen Viehherden. Östlich von Lubbock, einer erst zu Beginn dieses Jahrhunderts gegründeten und heute 150000 Einwohner zählenden Stadt, liegt die sogenannte Vier-Sechsen-Ranch, die über 6666 Quadratmeilen Acker- und Weideland verfügt. Damit ist sie aber nur die zweitgrößte in Texas, denn die am Golf von Mexiko gelegene King Ranch ist zweitausendmal größer als das Fürstentum Monaco.
Houston und San Antonio bilden mit der Doppelstadt Dallas — Fort Worth ein nach Norden spitz zulaufendes Dreieck. Diese zweite Metropole des Staates vermittelt mehr als jede andere Stadt etwas von der texanischen Atmosphäre. Hier leben in einem Umkreis von 50 Kilometern drei Millionen Menschen in der neuntgrößten Bevölkerungsansammlung der Vereinigten Staaten. Dallas rühmt sich seiner stark expandierenden Wirtschaft, weil 79 der größten Unternehmen der USA, deren Aktien an der Börse gehandelt werden, hier ihren Firmensitz haben, und eines blühenden kulturellen Lebens mit Oper, Schauspiel und sehenswerten Kunstsammlungen. Dem europäischen Besucher aber fallen am meisten die liebenswert gepflegten wenigen Zeugen der Vergangenheit sowie die vielen modernen Bauten auf, die Dallas zu einem Mekka für die Jünger und Liebhaber der modernen Architektur gemacht haben.
Geradezu rührend erscheint das Bemühen, die winzige Hütte des Stadtgründers John Neely Bryan auf einer weitläufigen Platzanlage für die Besucher unübersehbar zu machen. Das eindrucksvolle Monument zur Erinnerung an die Ermordung von Präsident John F. Kennedy findet dagegen von selbst die Aufmerksamkeit der Besucher. Nur ein Steinwurf von der City entfernt liegt der alte Stadtpark mit den hölzernen Bauzeugen der Vergangenheit, die, aus der ganzen Umgebung zusammengetragen, eine neue Heimstatt erhalten haben. Hier findet man Zeugnisse der herzlichen Gastfreundschaft des amerikanischen Westens ebenso wie längst vergessene altmodische Erinnerungsstücke, die in der Einheitswelt unseres Plastikzeitalters kaum noch bekannt sind.
Ein Glücksfall ist auch die Restaurierung des einzigen Bahnhofs der Stadt, von dem aus täglich zwei Züge in Richtung Houston und Chicago fahren. Im Kolonialstil erbaut, liegt er im Schatten der himmelstrebenden Leichtigkeit des Reunion-Aussichtsturms und des strahlenden Glaswalles eines modernen Hotels, dessen futuristisches Erscheinungsbild die ganze Stadtsilhouette prägt.
Mit der Bahn als einziger Verbindung zur Welt hatten die Bewohner von Dallas zunächst nicht viel im Sinn. Sie bauten sie weit vor den Toren der Stadt im Tal des Trinity Rivers, wo der Westen für sie begann. Die sich nur 50 Kilometer weiter westlich ansiedelnden Bewohner von Fort Worth sahen darin eine große Chance und bauten die Gleise weiter. Entlang des neuen Schienenwegs entstanden riesige Schlachthöfe und Fleischverarbeitungsbetriebe, die noch heute einen Eindruck vom Leben im alten Westen vermitteln, wenn die meisten auch nicht mehr in Betrieb sind. Auch ein Besuch in der alten, von Holzbalken getragenen Viehhalle, um dort ein Rodeo zu sehen und den Umgang von Cowboys mit ihren Pferden und Rindern zu bewundern, gehört dazu. Trotz seiner riesigen Ausdehnung hat der Staat seine Einheit in Vielfalt gewahrt. Seine Gründungsväter hatten in der Verfassung festgelegt, daß es späteren Generationen vorbehalten bleiben solle, Texas in mehrere Staaten aufzuteilen, falls seine Größe die Regierbarkeit verhindere. Daran aber hat noch niemand im Traum gedacht. Das starke Gefühl der Zusammengehörigkeit, das seine Bewohner auszeichnet, kann man ohne Übertreibung als Nationalstolz bezeichnen, als Stolz, zunächst Texaner und dann erst Amerikaner zu sein.

Oklahoma: Ein Held mit Indianerblut

Will Rogers ist einer der frühen amerikanischen Helden, dessen bewegten Lebens nicht nur seine Landsleute in Oklahoma gedenken. Das 1879 auf halbem Weg zwischen Claremore und Oologah geborene Original war immer auf das indianische Blut stolz, das in seinen Adern floß. Aus seinem Leben sind ungezählte Anekdoten überliefert, deren sich Weiße und Rothäute gern erinnern, wenn sie sich am 4. November eines jeden Jahres am Geburtstag von Will Rogers an dessen Geburtsort zusammenfinden. Das geschieht mitten in der Prärie, denn der bekannteste Bürger Oklahomas wurde in einem Planwagen geboren, mit dem seine Eltern durchs Land zogen.
Das Bild der westlichen Präriestaaten, das seit Jahren von Cowboys und ihren Herden, mutigen Reitern und frisch-fröhlichen Rodeo-Wettbewerben geprägt wurde, hat sich in der Gegenwart entschieden gewandelt. Der Geländewagen hat das Pferd verdrängt, und die Viehherden werden nicht mehr von einem Weideplatz zum anderen getrieben, sondern mit Lastwagen befördert. Auch die in der Vergangenheit das Bild bestimmende Rasse der Langhornrinder ist kaum

In der Nähe von El Paso in Texas leben die Isleta-Indianer in einem mit mehr als 1000 Menschen bevölkerten Pueblo. Einer ihrer Bewohner zeigt sich hier im Festtagsschmuck – für neugierige Touristen, die ihn für ein Trinkgeld fotografieren dürfen.

noch auf den Weiden anzutreffen. Ihr Fleisch war den Hausfrauen und Beefsteakliebhabern zu zäh, so daß sich die Farmer gezwungen sahen, Fleischrassen zu züchten, die ein erstklassiges Prime Rib, ein kräftiges, kerniges Nackenstück, lieferten, das unter der Gabel zerfällt und dennoch von einem herzhaften Geschmack ist, der einzigartig ist auf der Welt.

Ein Utensil ist den Farmern freilich noch geblieben, das den Zauber goldener Westernzeiten ausstrahlt: Nach wie vor benutzen sie ein glühendes Eisen, mit dem sie dem ihnen gehörenden Vieh das Siegel einbrennen, um es als ihren Besitz zu kennzeichnen. Auch das eine oder andere Lied, das in herber Melancholie oder frisch-fröhlicher Munterkeit die Freuden des Landlebens preist, ist noch zu hören. Es hat in der Western- und Country-Song-Welle über das ganze Land so viel Popularität gewonnen, daß es unsterblich scheint.

Amerikas Rothäute konnten ihre Unabhängigkeit gegenüber dem weißen Mann am längsten in Oklahoma wahren. Bis 1889 hatten sie noch den größten Teil des Bodens mit Ausnahme der Hauptstadt Oklahoma City in ihrem Besitz. Zwölf Jahre später teilten ihn die neuen Herren mit Hilfe entsprechender Gesetze unter sich auf. Der Leidensweg der Indianer hatte schon 1819 begonnen, als Bundestruppen die Stämme der Cherokees, Choktaws, Creeks, Chickasaws und Seminolen aus ihren Wohngebieten im Südosten des Landes über den berüchtigten »Pfad der Tränen« in das verheißungsvolle Oklahoma trieben, das ihnen zunächst als neue Wohnstatt zugewiesen war.

Doch der Versuch, aus Oklahoma einen Indianerstaat zu machen, mißlang. Die fünf als zivilisiert geltenden Stämme sollten nach den Vorstellungen der Bundesregierung in Washington mit der Zeit zu einer eigenen Nation werden, die ihre Gesetze selbst beschloß und ihre Verwaltung in eigener Regie durchführte. Unter ihrem Häuptling Sequoyah errichteten die Cherokees nach ihrer Zwangsumsiedlung blühende Dörfer. Als man jedoch versuchte, zu den Ackerbauern auch Nomadenstämme wie die Comanchen, Pawnees und Kiowas mit Gewalt anzusiedeln, war es mit dem Frieden vorbei. Die Weißen verzweifelten an dem Starrsinn und dem Widerstand der Indianer, die nicht einsehen wollten, daß Oklahoma ein Reservat des roten Mannes sein sollte, während sich seine Feinde die restlichen Länder aus dem früheren Indianerbesitz einverleibten.

Am 22. April 1889 verkündete ein Kanonenschuß die Freigabe des Landes für die Besiedlung durch alle Rassen. Unter dem Schutz von Soldaten drangen 50000 weiße Siedler in das fruchtbare Ackerland ein, das die Creeks und Seminolen bewirtschafteten. Zwei weitere Wellen von Landeroberern folgten 1895 und 1901.

Den Indianern blieb nichts anderes übrig, als der verfehlten Indianerpolitik der Regierung Tribut zu zollen. Damit war ein Plan vereitelt worden, der sich als segensreich für alle Seiten hätte auswirken können, wenn die Betroffenen selber einverstanden gewesen wären. Denn in vielen Fällen haben sich die Reservationen als ein Refugium erwiesen, in dem die Rothäute bessere Lebensbedingungen vorfinden als im Zusammenleben mit den Weißen.

Die erst hundert Jahre zurückliegende blutige Vergangenheit ist in dem Indianermuseum von Anadarko lebendig erhalten geblieben. In einer Ruhmeshalle für die amerikanischen Indianer sind die Büsten großer Häuptlinge dargestellt. Im Süden der Stadt ist ein Indianerdorf wiedererrichtet worden, das in allen Einzelheiten dem Bild entspricht, das die weißen Eindringlinge vorfanden, als sie das Land eroberten.

Ebenso wie Texas hat der zu Anfang dieses Jahrhunderts ausgebrochene Ölrausch auch Oklahoma verwandelt. Wie die Bohrungen nach dem schwarzen Gold Vorrang vor allen anderen Überlegungen haben können, zeigt sich in Oklahoma City, wo die Bohrtürme bis in die Stadt, ja bis vor das Capitol, den Sitz des Parlaments und des Gouverneurs, vorgedrungen sind. In jenen Tagen wurden kleine Bauern und Tagelöhner über Nacht Millionäre, weil eine nur wenige hundert Meter tiefe Bohrung Öl zutage förderte. Inzwischen ist der Ölrausch verflogen, denn die Felder erwiesen sich nicht als so ergiebig, daß sie den riesigen Treibstoffverbrauch der heutigen USA befriedigen könnten.

Kansas: Eisenhower-Country

Kansas und Missouri, die sich nördlich von Oklahoma erstreckenden Bundesstaaten, sind die Herzstaaten des fruchtbaren mittleren Westens. Die Mentalität ihrer zufriedenen Bewohner macht eine Anekdote von der Lügnerbank in Hoosier deutlich. Da will ein Einheimischer einem Fremden weismachen, die Sonne scheine in seinem Land so heiß, daß der Mais aus seiner Fruchthülle zu Popcorn aufquelle. Der Geschichtenerzähler wird jedoch sofort von einem Nachbarn übertroffen, der hinzufügt: »Die Felder sehen dann so weiß aus, daß ein vorübertrabendes Maultier vor Kälte erschauert, weil es an Schnee denkt, und seinen Reiter aus dem Sattel wirft.«

Vieles, was ein Fremder als typisch amerikanisch ansieht, findet sich hier: Weizen- und Maisfelder, die bis zum Horizont reichen, ohne von einem Bach, einem Weg oder einem Wäld-

chen unterbrochen zu sein, auf ebenso endlosen Weiden Herden von Hereford- und Brahmanrindern, Getreidesilos, die es an Größe mit allen anderen in der Welt aufnehmen, und ein Klima, das, wie in der Schmunzelgeschichte beschrieben, gegensätzlicher nicht gedacht werden kann, nämlich heute der Backofen der Nation und morgen ihr Tiefgefrierfach.
Kansas ist Eisenhower-Country, ein Land also, das die Konservativen beherrschen und in dem daher traditionsgemäß die Republikaner gewählt werden. Der in Denison (Texas) geborene Militär und spätere Präsident Dwight D. Eisenhower wuchs in dem Kansasstädtchen Abilene auf. Auch sein Amtsvorgänger Harry S. Truman, der in Lamar (Missouri) geboren wurde, wohnte bis auf seine Jahre im Weißen Haus in Independence, einem Vorort von Kansas City.
Wer im mittleren Westen der Vereinigten Staaten geboren ist, fühlt sich allen Unbilden des Lebens gewachsen. Weil man sich seiner guten körperlichen Kondition sicher ist, werden alle Lieblingssportarten der Amerikaner hier besonders liebevoll gepflegt: Baseball, ein dem früher auch bei uns ausgeübtem Schlagball verwandtes Mannschaftsspiel, Football, das uns besser unter dem Namen Rugby bekannt ist, und Basketball, der auch in Europa längst heimisch gewordene Korbball. Hier wird der kunstvoll in eine hoch über dem Kopf angebrachte Öffnung zu plazierende Ball vornehmlich in Schulen und Universitäten gespielt.
Die großen Städte des Landes wuchsen an seinen großen Flüssen. Als Besucher von Kansas City nimmt man erstaunt zur Kenntnis, daß die Stadt vom Missouri in zwei ungleiche Hälften geteilt ist. Der größere Teil gehört zum Staat Missouri, darunter auch der bis in die City reichende alte Flughafen, und nur der kleinere zum Staat Kansas. Trotz der Tatsache, daß die Schlachthöfe und Fleischfabriken der Stadt eine Fläche von 96 Hektar bedecken, sollte man Kansas City nicht Kuhdorf nennen, denn gegen die Bezeichnung *Cow Town* kämpfen die Bewohner schon seit den Zeiten, als es noch wirklich ein Kuhdorf war, nämlich ein Verladebahnhof für Rinder.
Eine Ruhmeshalle, die es in den USA für alle denkbaren verdienstvollen Tätigkeiten und Errungenschaften gibt, findet sich auch in Kansas City. Sie weist hier auf die Bedeutung der Landwirtschaft hin. In ihr finden sich Geräte und Maschinen für die Landbearbeitung, angefangen von Sicheln, Sensen und Dreschflegeln bis zu den modernsten Maschinen für den Anbau, die Pflege und Ernte von Früchten aller Art.
Die Teilung von Kansas City führt dazu, daß nicht die größte Bevölkerungsansammlung im mittleren Westen die größte Stadt in Kansas ist, sondern die Industriestadt Wichita, die heute als die Hauptstadt des Flugzeugbaus in den Vereinigten Staaten gilt. In ihr haben sich vor allem die Hersteller von ein- und zweimotorigen Flugzeugen der allgemeinen Luftfahrt niedergelassen, die im Gegensatz zu den bekannteren Flugzeugbauern von Verkehrsmaschinen jährlich mehrere tausend Exemplare herstellen. Inmitten des von Seen gesprenkelten grünen Hügellands, das sich westlich von Kansas City ausbreitet, liegt die Staatshauptstadt Topeka. Das Capitol ist mit Gemälden des einheimischen Künstlers John Stewart Curry geschmückt, die das Leben der Bewohner darstellen.
Das nördlich von Wichita gelegene Newton, eine von Mennoniten gegründete Siedlung, liegt im Zentrum des Weizenanbaus. Eine Kalksteinsäule erinnert hier an die ersten, aus Rußland eingewanderten Siedler, die ihr Saatkorn mitbrachten und entscheidend dazu beitrugen, daß Kansas neben Iowa zu einem der größten Weizenproduzenten der USA wurde.
In dem mehr als 250 Kilometer westlich von Wichita gelegenem Dodge City wird die Erinnerung an die alten Western-Helden Wyatt Earp, Bat Masterson und Doc Holliday wachgehalten. Auf der Front Street des Ortes werden fast täglich Filmszenen gedreht, in denen Gewehre und Pistolen eine große Rolle spielen.

Missouri: Einfallstor zum Westen

Der »Vater der Ströme« ist auch der Vater von St. Louis, der größten Stadt im Staat Missouri. Wenn Omaha in Nebraska die geographische Mitte der Vereinigten Staaten ist, dann ist St. Louis die demographische Mitte, denn hier haben seit jeher die vornehmlich von Ost nach West gerichteten Bevölkerungsströme den Mississippi überquert und viele sind hier geblieben, weil ihnen St. Louis als ein Ort erschien, der wohnlich, heimelig und, um ein Wort zu benutzen, das angeblich nur in deutscher Sprache ausgedrückt werden kann: gemütlich ist. Das läßt sich noch heute bei einem Rundgang durch die Innenstadt leicht nachempfinden.
Große Konzerne mit geschäftlichen Verbindungen sowohl zur Ost- wie zur Westküste haben sich die zentrale Lage von St. Louis zunutze gemacht und hier ihre Hauptniederlassung errichtet. Die Stadt liegt am westlichen Ufer einer weiten Flußschlinge, die durch das Zusammenfließen des wasserreichen Missouri mit dem Mississippi wenige Kilometer oberhalb des Weichbildes der Stadt gebildet wird. Diese Vereinigung von Flüssen, die man sich wie das Treffen von Mosel und Rhein bei Koblenz vorstellen muß, bildet ein Denkmal vor dem Bahnhof der Stadt allegorisch nach. Die 14 Bronzefiguren eines Brunnens stellen das Flußsystem des Mississippi und seiner Nebenflüsse dar.
Weitaus bekannter ist der 1964 zum 200jährigen Bestehen der Stadt errichtete 180 Meter hohe Stahlbogen am Flußufer, der die Rolle der Stadt in der amerikanischen Geschichte als Einfallstor zum Westen unvergeßlich machen soll. In dem mächtigen Monument, das besonders vom Fluß aus oder in mondbeschienenen Nächten einen großen Eindruck hinterläßt, führt eine Treppe bis in den Bogen

Das im Stil des 19. Jahrhunderts rekonstruierte Westernstädtchen Old Tucson bildete die Kulisse unzähliger Westernfilme, u. a. der Fernsehserie »High Chaparall«. Das Foto zeigt die originalgetreu nachgebaute Eisenbahn nebst Bahnstation.

hinauf, von dem man aus einen weiten Blick über die Stadt und in die am Mississippi zusammenstoßenden Staaten Missouri und Illinois genießen kann.

Der Name der Stadt deutet darauf hin, daß es nicht, wie zumeist im Südwesten, spanische, sondern französische Siedler waren, die sich an einem der markantesten geographischen Punkte der Vereinigten Staaten niederließen. Die Kerzen, die das Innere der Kathedrale von St. Louis nur mäßig erhellen, beleuchten einen neugotischen Hallenraum, der ebensogut in Frankreich errichtet sein könnte. Nicht ohne Stolz verweisen die Bewohner von St. Louis darauf, daß die Straßen in ihrer Innenstadt enger sind als in anderen amerikanischen Städten, weil sie früher als anderswo gebaut worden sind. In einigen von ihnen ist die Stimmung der Jahrhundertwende noch erhalten geblieben, als Gaslaternen einen milden Schein verbreiteten und aus Musikhäusern und Restaurants die munteren oder auch melancholischen Klänge des Jazz ertönten. Hier in St. Louis bildete sich ein neuer Vortragsstil, der als St. Louis Blues seinen Siegeszug um die Welt antrat.

Fährt man von St. Louis etwa 185 Kilometer auf der Mississippi-Uferstraße nach Norden, kommt man nach Hannibal. Hier wurde der amerikanische Geschichtenerzähler Mark Twain, der eigentlich Samuel Langhorne Clemens hieß, am 30. November 1835 geboren. Seinen Künstlernamen, der »zwei Faden Tiefe« bedeutet, legte er sich während seiner Tätigkeit als Mississippi-Lotse zu. Zuvor war er Setzerlehrling gewesen, später Goldgräber in Kalifornien und Zeitungsreporter in San Francisco. Noch ist in dem westlich von Hannibal gelegenen Flecken Florida die Kate zu sehen, in der Mark Twain geboren wurde. In ihr sind zahlreiche Erinnerungsstücke ausgestellt, die an den humoristischen, aber auch sozialkritisch eingestellten Erzähler erinnern.

Nur 35 Kilometer südlich von St. Louis liegt die alte französische Gründung Ste. Geneviève, die erste von französischen Einwanderern schon 1735 erbaute Ansiedlung in Missouri. Wohnhäuser aus dem 18. Jahrhundert übermitteln französisches Kulturgut. Ihre Bewohner sind teilweise noch Nachkommen der alten Familien Amoureaux, Bolduc oder Guibourd-Vallé. Auch das traditionelle Volksfest Jour de Fête im August erinnert noch an die Vergangenheit.

Der »Schlammfluß« Missouri teilt den gleichnamigen Staat in zwei fast gleich große Hälften. Südlich davon liegt das Ozark-Plateau, das im Taum Sauk Mountain mit 540 Metern seine größte Höhe erreicht. In den zerklüfteten Granitfelsen von Elephant Rocks sprudeln viele Quellen. Der durch den Bagnell-Staudamm künstlich gebildete See Lake Ozark mit einer Fläche von mehr als 240 Quadratkilometer bietet Gelegenheit zum Angeln und Bootsfahren. Zentrum der Wassersportaktivitäten ist Osage Beach.

Die Berge und Seen der Ozarks erstrecken sich bis in die südlich angrenzenden Staaten Oklahoma und Arkansas. In Branson wird in den Sommermonaten das Freilichtstück »Der Schäfer aus den Bergen« aufgeführt. In Silver Dollar City sind noch wie im vergangenen Jahrhundert Schmiede, Weber, Seifensieder und andere Kunsthandwerker tätig. Größte Stadt der Ozarks ist Springfield, wo jedes Jahr Anfang August die Bewohner sich zur Ozark Empire Fair treffen.

Am nördlichen Ufer des Missouri liegt Herman, das 1837 von deutschen Siedlern aus Philadelphia gegründet wurde. Das Städtchen verbreitet heute noch eine Atmosphäre, die an ein Winzerdorf am Rhein erinnert. Erste Versuche, den Weinbau einzuführen, wurden wieder eingestellt, nachdem sich herausgestellt hatte, daß der Boden nicht die richtigen Voraussetzungen bot. In den alten, noch bestehenden Weinkellern des Ortes werden heute Pilze gezüchtet.

Flußauf folgt die Missouri-Hauptstadt Jefferson City, die nach voraufgegangenen Bränden zweimal wieder aufgebaut werden mußte. In Plattsburg nördlich von Kansas City lebte Senator David R. Atchison, dem man nachsagt, einen Tag Präsident der Vereinigten Staaten gewesen zu sein. Das war am 4. März 1849, als die Amtseinführung Zachary Taylors sich um einen Tag verzögerte und der Senator den Bestimmungen der Verfassung gemäß dessen Amt ausfüllen mußte. Ein Museum in Plattsburg erinnert daran. Das weiter nördlich gelegene St. Joseph ist stolz darauf, von 1860 bis 1961 Ausgangspunkt des legendären Ponyexpreßzugs gewesen zu sein, der bis in das 3200 Kilometer entfernte Kalifornien führte.

Der Sonnen-Gürtel lockt

Florida · Georgia · South Carolina · North Carolina · Kentucky Tennessee · Alabama · Arkansas · Mississippi · Louisiana

Alligatoren und Klapperschlangen, Gürteltiere und eine farbenprächtige Vogelwelt beleben den Süden der Vereinigten Staaten. Den Reiz des Südens machen aber auch die Zeugnisse des Kolonialzeitalters aus, die sich an klassischen europäischen Vorbildern orientieren. Ein Beispiel dafür ist das prächtige vornehme Wohnhaus in Selma (Alabama). Nicht weit von hier lebte eine Frau, die der ganzen Welt die Hoffnung einflößte, trotz körperlicher Gebrechen ein menschenwürdiges Dasein führen zu können. Helen Keller, blind, taub und stumm geboren, verstand es dank übermenschlicher Anstrengungen, ihr schweres Schicksal zu meistern und darüber in Büchern zu berichten. Zu den charakteristischen Pflanzen des Südens gehört die Baumwolle (oben), die wegen ihrer hautfreundlichen Eigenschaften gern getragen und deshalb noch im großen Umfang angebaut wird, obwohl synthetische Fasern ihren Siegeszug um die Welt längst angetreten haben.

Fun und Sun in Florida

Wer das Staunen noch nicht verlernt hat, kommt im Seaquarium von Miami auf seine Kosten. Hier kann er entdecken, welche Intelligenz Meerestiere wie Delphine, Wale und Seelöwen entwickeln können (oben). Die meisten Besucher der Meeresshow und anderer exotischer Attraktionen wie des Parrot's Jungle kommen aus den Hotelsilos von Miami Beach, das sich auf der Lagune vor der Amüsier- und Erholungsstadt Floridas erstreckt (rechts).

FL 3931 SG
FL 3933 SG
FL 3933 SG

Jeder Tag ein Sonntag

An Touristenzielen fehlt es in Florida nicht. Exotisch und tropisch erleben die Besucher Cypress Gardens bei Orlando, in dessen Nähe viele weitere Vergnügungsparks angesiedelt sind. Die Stadt, früher nur als Zentrum eines Anbaugebietes für Zitrusfrüchte bekannt, ist seither zur unbestrittenen Freizeit-Hauptstadt der Vereinigten Staaten geworden.

Wo die Alligatoren daheim sind

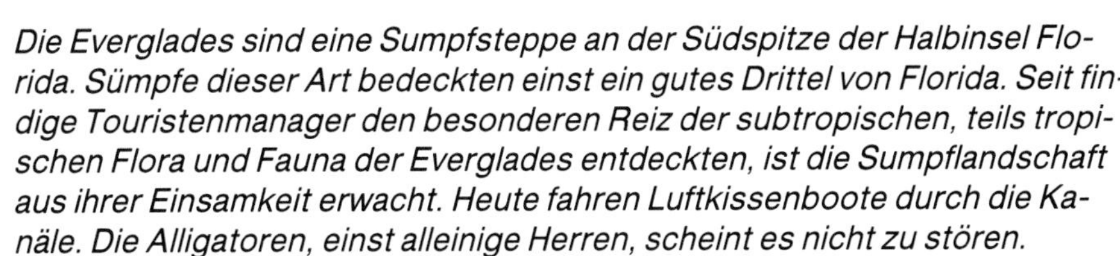

Die Everglades sind eine Sumpfsteppe an der Südspitze der Halbinsel Florida. Sümpfe dieser Art bedeckten einst ein gutes Drittel von Florida. Seit findige Touristenmanager den besonderen Reiz der subtropischen, teils tropischen Flora und Fauna der Everglades entdeckten, ist die Sumpflandschaft aus ihrer Einsamkeit erwacht. Heute fahren Luftkissenboote durch die Kanäle. Die Alligatoren, einst alleinige Herren, scheint es nicht zu stören.

Raketen und Raumschiffe

Am Kap Canaveral in Florida unternahmen die USA nach dem Zweiten Weltkrieg ihre ersten Raketenversuche, die mit den sechs Mondlandungen innerhalb des Apollo-Programms ihr vorläufiges Ende fanden. Im Raketenmuseum des Kennedy-Raumflugzentrums sind die Stufen der Saturn-Rakete mit dem Apollo-Raumschiff an der Spitze ausgestellt (oben). Die Gesamthöhe vor dem Start betrug 111 Meter. Auch was zuvor geschah, ist noch zu besichtigen (rechts). Die Zukunft gehört dem Raumtransporter, der von 1981 an wie eine Rakete starten und wie ein Flugzeug landen soll (ganz rechts).

Ein Paradies für Kinder und Erwachsene

Amerikas Lebensphilosophie heißt: Nimm's leicht! Mach's dir bequem! Erhole dich! Das Motto beherrscht Disneyworld bei Orlando mit seiner Einwegbahn (rechts), der Luftballonverkäuferin (unten) und dem Neuschwanstein nachempfundenen Märchenschloß (rechte Seite).

FARE 10¢
MARKE

Von den blauen Bergen kommen wir

An der Grenze zwischen Tennessee und Nordkarolina liegen die Great Smoky Mountains (Großen Rauchberge), die einen Teil der Appalachen bilden. Ihren Namen haben sie von den häufig auftretenden, wie Rauchzeichen wirkenden Nebel- und Wolkenschwaden. Ihr höchster Berg ist der Clingsmans Dome mit 2024 Metern (links). Im Gebiet des Nationalparks gedeihen mehr als 1400 Blütenpflanzen, darunter Orchideen und Rhododendren. Die alte Mühle in den Blue Ridge Mountains (oben), der dicht bewaldeten »Blauen Kette«, findet nicht jeder Besucher.

DELTA QUEEN
DELTA QUEEN
Port Of Cincinnati, Ohio

Der Vater der Ströme

Die »Delta Queen« ist ein alter Raddampfer, der seine Gäste von Louisiana aus auf dem Mississippi spazierenfährt. Andere traditionsreiche Dampfer wie die »Mark Twain« oder die »Voyageur« unternehmen von New Orleans aus Fahrten bis Natchez, Vicksburg oder Memphis. Die gußeisernen Balkongitter an diesem schönen alten Haus (oben) signalisieren, daß es sich hier nur um ein Bauwerk aus New Orleans handeln kann – ein Stück Frankreich, wie es sich auf dem nordamerikanischen Kontinent nicht noch einmal findet.

ARL FACTORY
IN THE OYSTER
TWO SISTERS

Einmal im Jahr ist Mardi Gras

Touristen, die den Mardi Gras, den »fetten Dienstag«, in New Orleans erleben wollen, sollten wissen, daß diese farbenprächtige Karnevalsveranstaltung nur an einem Tag, dem Fastnachtsdienstag, gefeiert wird – anders als in Europa. Ganz New Orleans stürzt sich dann in den Trubel mit Fackelzügen, öffentlichem Tanz auf den Straßen, Jazzumzügen (links) und der Wahl eines Prinzen, der mit seiner »Mystic Krewe« von der Stadt Besitz ergreift. Das ganze Jahr über finden in New Orleans Jazzveranstaltungen statt, so in der Preservation Hall (oben), wo sich Jazzbands bemühen, die legendäre Epoche der zwanziger Jahre wieder zu beleben. In New Orleans hält ein Jazzmuseum die Erinnerung an die große Zeit der Jazzmusik wach. Es liegt in der Bourbon Street, mitten im Vieux Carré, dem Altstadtviertel.

Zeugen der kolonialen Vergangenheit

In den Augen der Bewohner von Florida war der spanische Eroberer Juan Ponce de Leon der erste Tourist, der ihre schöne Halbinsel bereiste und sie für liebenswert befand. Er war mit Kolumbus auf dessen zweiter Reise nach Westindien gekommen und stieß auf der Suche nach einem legendären Jungbrunnen 1513 auf die Ostküste von Florida. In der Meinung, daß es eine Insel sei, versuchte er sie zu umschiffen und entdeckte auf diese Weise auch die schönere Westküste des südöstlichsten amerikanischen Bundesstaates.

Florida: 30 Millionen Touristen jährlich

Seither hat es immer mehr Menschen auf die von Sonne und Meer verwöhnte Halbinsel gezogen, um hier Erholung und Entspannung zu finden. Von den 30 Millionen Touristen, die inzwischen jedes Jahr gezählt werden, sind immer mehr Europäer und auch Deutsche, die das ruhige Strandleben, mehr noch das Tennis- und Golfspiel und das bewegte Nachtleben in den eleganten Hotels anzieht, von denen jedes Jahr mehr in den immerblauen Himmel wachsen. Die Strände und Swimming-pools an den 400 Hotels, die allein die größte Stadt Miami und das auf einer Lagune vorgelagerte Miami Beach zu bieten haben, können das ganze Jahr über genutzt werden.

Der Aufschwung der Stadt an der Mündung des Miami Rivers setzte ein, nachdem Henry Flagler 1896 die Ostküsteneisenbahn durch die Mangrovendschungel der Ostküste baute und hier ein Hotel errichtete. Miami Beach konnte sich erst entwickeln, nachdem die Sümpfe durch Kanäle trocken gelegt waren und Bauland gewonnen werden konnte. Die ständig wachsende Stadt, die mit Vororten heute 1,7 Millionen Einwohner zählt, mußte 1959 nach der Übernahme der Macht auf Kuba durch Fidel Castro einen Flüchtlingssturm über sich ergehen lassen, der die Stadtmitte latinisiert und zu einer spanischsprechenden Kommune gemacht hat.

Die Strände von North Miami Beach, Hollywood, Fort Lauderdale, Pompano Beach, Boca Raton, Delray Beach und Boynton Beach bis West Palm Beach sind inzwischen fast mit Miami zusammengewachsen. Der starke Zuzug nicht nur von Urlaubern und Überwinterern, sondern auch von Dauergästen in den südlichen Sonnengürtel der USA hat das 415 Kilometer nördlich von Miami gelegene Orlando zur Stadt mit dem größten Wachstum aller amerikanischen Städte gemacht. Das aus dem 1837 erbauten Fort Gatlin entstandene Gemeinwesen wuchs zunächst durch den Anbau von riesigen Zitrusplantagen in seiner Umgebung, dann in den fünfziger Jahren durch den Bau von Amerikas Raketenstartplatz im 80 Kilometer entfernten Kap Canaveral und den daraus resultierenden Zuzug der Luft- und Raumfahrtindustrie, und schließlich durch die Errichtung großer Vergnügungsparks wie Disney World in dem 25 Kilometer entfernten Kissimmee.

Die heitere und spielerische Atmosphäre dieses 1972 eröffneten Freizeitbabels lockt Tag für Tag mehr als 50000 Besucher an und ist seither zur größten Touristenattraktion der Welt geworden. Teilweise gleichen die Vergnügungseinrichtungen — wie das englische Geisterschloß, das nächtliche Piratentreiben in der Karibik oder das hochaufragende Märchenschloß, das seinem Vorbild Neuschwanstein sehr ähnlich geraten ist — den Originalen von Disneyland am Stadtrand von Los Angeles wie ein Ei dem anderen. Sechs thematisch geordnete Spielplätze bietet Disney World: die Hauptstraße eines Städtchens der Pionierzeit, das Abenteuerland, das Grenzland, das Freiheitsland, das Phantasieland und das Zukunftsland.

Das sich hinter den Eingangsgattern öffnende Gelände des Freizeitmekkas ist groß genug, um den Besuchern auch andere Erholungsmöglichkeiten zu erschließen: Campen, Zelten, Bootfahren, Fischen, Jagen und Golf oder Tennis. Wer dem Leben im Freien der Hitze oder der Mücken wegen keine Annehmlichkeiten abgewinnen kann, findet in mehreren Superhotels Unterkunft. Zumindest eines von ihnen, eine 14geschossige Riesenherberge mit 1057 Zimmern und einer Halle, die bis zum Dach reicht und der Einschienenbahn von Disney World als Bahnhof dient, verdient architektonisches Interesse. Ein weiteres ist im Stil eines polynesischen Dorfes gebaut.

Disneys Vermächtnis an die Nachwelt ist nicht der erste und wird nicht der letzte Vergnügungspark im Land der Rentner und Raketen sein. In einem Umkreis von 100 Kilometern finden sich weitere Stätten der (natürlich sittlich einwandfreien) Lustbarkeit wie Animal Kingdom, Cypress Gardens und Bush Gardens. Der Erfolg der Freizeitindustrie ließ auch verwandte Branchen nicht ruhen. Das 110 Jahre alte Zirkusunternehmen der Ringling Brothers und Barnum & Bailey hat in Orlando inzwischen eine weitere Touristenattraktion errichtet. Wahrzeichen der mit zirsensischen Höhepunkten gespickten Schau ist ein 16stöckiges Ge-

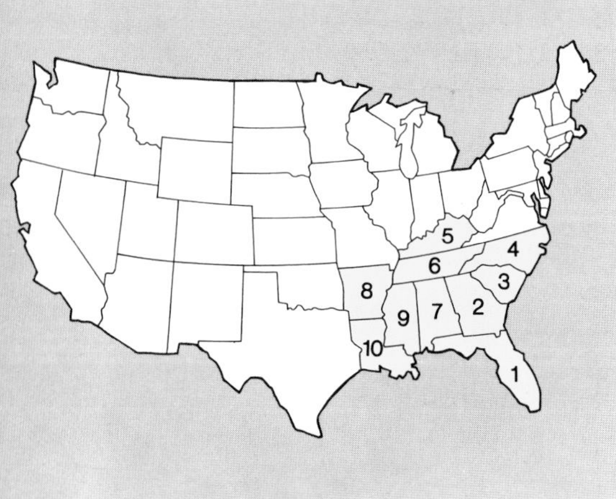

Südstaaten

1 Florida
2 Georgia
3 South Carolina
4 North Carolina
5 Kentucky
6 Tennessee
7 Alabama
8 Arkansas
9 Mississippi
10 Louisiana

In der Biscayne Bay bei Miami Beach wurden nach 1945 zahlreiche künstliche Inseln aufgeschüttet, um Platz für neue Villensiedlungen zu schaffen. Miami ist das meistbesuchte Erholungsgebiet der USA. Jedes Jahr kommen acht Millionen Besucher.

bäude, das wie ein juwelengeschmückter Elefant aussieht.
Am Kap Canaveral, dem einzigen markanten Landvorsprung entlang der schnurgeraden und eintönigen Floridaküste, hatte bis zu Beginn der fünfziger Jahre allein ein schmuckloser Leuchtturm von menschlicher Geschäftigkeit gekündet. Das stählerne Gestänge von 13 hoch in den Himmel strebenden Raketenabschußplätzen hat ihn seither zu einem liebenswerten Erinnerungsstück an frühe menschliche Technik werden lassen. Aus der von Menschen gemiedenen Öde nördlich des kleinen Hafens Port Canaveral und des Fleckens Cocoa Beach wuchs innerhalb weniger Jahre Amerikas Mondbahnhof, von dem aus eine erste Astronautengeneration ihre Entdeckungsreisen in den Weltraum begann.
Höhepunkt dieses ersten Kapitels der bemannten Raumfahrt war die Landung von Menschen auf dem Mond am 20. Juli 1969. Die Goldgräberjahre rings um das Kap, als Zehntausende von Wissenschaftlern und Technikern und Millionen von Besuchern in das Eldorado der Neuzeit strömten, sind vergangen. Wenn von 1981 an eine neue Raumfahrtepoche mit dem ersten Start des wiederverwendbaren Raumtransporters beginnt, wird es weniger betriebsam und hektisch zugehen. Der Flug von Menschen in den Weltraum wird dann zu einer Routineangelegenheit werden.
Ein 320 Kilometer langer Sandstreifen von Marco Island im Süden bis Tarpon Springs im Norden lädt zum fröhlichen und erfrischenden Badeleben an der Westküste Floridas ein. Eine beständige Brise, die vom Golf von Mexiko landeinwärts weht, umfächelt hier hochgewachsene Palmen, die den Aufenthalt an der Ferienküste angenehm machen. Beliebte Ferienorte sind Naples, das seinen Namen dem fernen italienischen Neapel entlehnt hat, Fort Myers, in dem schon der Erfinder Thomas Alva Edison seinen regelmäßigen Winteraufenthalt nahm (woran ein reichausgestattetes Museum erinnert), Sarasota mit vielen Kunst- und Kunstgewerbeschulen sowie Theatern, Bradenton und schließlich St. Petersburg, das in den dreißiger Jahren als der beliebteste Badeort Amerikas galt. Aus jener Zeit bestehen noch viele hundert Hotels, Restaurants, Bars, Spielhallen und andere Vergnügungseinrichtungen, draunter auch ein Marinemuseum, in dem die nachgebaute Schiffsattrappe für den Film »Bounty« zu besichtigen ist.
Wer allerdings wissen möchte, wie Florida noch vor 50 Jahren aussah, muß sich zu dem 50 Kilometer südlich von St. Petersburg gelegenen Langboat Key begeben, wo sich Sanddünen erstrecken, auf denen kaum ein Mensch zu erblicken ist. Zu den großen Anziehungspunkten für Touristen gehören dagegen die westlich von Miami beginnenden Everglades mit dem größten subtropischen Urwald Nordamerikas und die Florida Keys, eine 175 Kilometer lange Kette von Koralleninseln.

Georgia: Der neue Süden

Nicht nur *Sun and Fun* — Sonne und Vergnügen — locken Millionen von Amerikanern in den Sonnengürtel, sondern auch *Top Jobs,* also gutbezahlte Spitzenstellungen. Die bisher unausgeschöpften Reichtümer der Südstaaten in Form von Bodenschätzen, in erster Linie aber von großen, preiswert zu erwerbenden Ländereien und einem das ganze Land über angenehmen Klima haben die Industrie veranlaßt, ihre angestammten Regionen im Nordosten und rings um die Großen Seen zu verlassen oder sich zumindest mit Zweigwerken im Süden zu etablieren. Der historische Zug von Osten nach Westen hat sich zum Süden verlagert.
Die Gründe dafür liegen auf der Hand: Die Unbilden des Wetters, der immer dichter und unerträglicher werdende Verkehr, die daraus erwachsende Umweltbelastung, aber auch das Zusammenleben unter Rassenspannungen haben das Leben in den großen Städten immer unerfreulicher gemacht. Umgekehrt galt der Bewohner von Georgia, South und North Carolina oder Alabama als verarmt und vernachlässigt. Er war als rückständig verschrien, weil er es nicht verstand, mit seinen schwarzen Nachbarn zusammenzuleben. Ihr Anführer war lange Jahre George Wallace, der im Kampf gegen die Rassenintegration an vorderster Stelle kämpfende Gouverneur von Alabama.
Aber die Zeiten haben sich gewandelt. Wallace ist keineswegs mehr der Repräsentant der Menschen zwischen Mississippi und Atlantik. Der »neue Süden« hat selbst dafür gesorgt, daß alte Vorurteile gegen ihn abgebaut wurden und bald vergessen sein werden. Die stets konservativ und antirepublikanisch denkenden Demokraten gelten jetzt als liberal.

Ein gutes Beispiel dafür bot Präsident Jimmy Carter, der als früherer Gouverneur von Georgia die besten Traditionen vertrat und sich trotz erheblicher Hindernisse — weiterhin bestehende Vorurteile der Intelligenz und persönliche Unzulänglichkeiten — innerhalb der ganzen USA durchsetzen konnte. Carter repräsentierte zugleich auch die Stadt Atlanta, die in den letzten Jahren zweifellos den größten Aufschwung von allen großen Metropolen der Vereinigten Staaten gemacht hat.

Dabei läßt sich die Geschichte von Atlanta nicht einmal 150 Jahre zurückführen: 1837 begannen irische Bauarbeiter damit, eine Eisenbahnlinie in den Westen zu bauen. Sie nannten den Ort, an dem sie ihre Blockhütte errichteten, Station Terminus, den Endpunkt also und nicht den Anfangspunkt einer neuen Entwicklung, die damals noch nicht absehbar war.

Das ungewöhnliche Wachstum der auf rotem Sandstein errichteten Stadt ist nicht leicht zu erklären. Im Bürgerkrieg wurde sie dem Erdboden gleichgemacht. Ihre damals 10000 Bewohner mußten evakuiert werden. Sechs Jahre später schon hatte sich ihre Zahl verdoppelt. Vor dreißig Jahren lag Atlanta der Zahl seiner Einwohner nach weit hinter Birmingham, und Memphis war die größte Stadt zwischen Mississippi und Atlantik. Auch heute ist Atlanta mit 1,9 Millionen Einwohnern noch weit davon entfernt, den Spitzenreitern New York, Chicago oder Los Angeles, die drei- bis viermal so groß sind, Paroli bieten zu können.

Um so erstaunlicher ist der Fortschritt, den der Luftverkehr auf dem nach dem früheren Oberbürgermeister William B. Hartsfield benannten Flughafen zu verzeichnen hat, auf dem das unter Luftfahrtexperten als »Wagenrad« bekannte Konzept konsequent verwirklicht wurde: Der Flughafen als Nabe und die vielen Verbindungen in die Nachbarstädte als Speichen. Wer aus Columbus, Macon, Savannah, Augusta und anderen Städten des Staates, aber auch aus den umgebenden Staaten Florida, Alabama oder Tennessee in die weite Welt will, muß zwangsläufig über Atlanta fliegen. Auf diese Weise wurde Atlanta zum großen Umsteigeplatz, den 70 Prozent aller seiner Passagiere benutzen, um das Flugzeug zu wechseln. Mit rund 1500 Flugzeugen, die hier täglich starten oder landen und das ganze Jahr über an die 45 Millionen Passagiere durch die Gänge und Warteräume schwemmen, hat sich Atlanta hinter Chicago auf den zweiten Platz der Weltrangliste vorgearbeitet.

Heute ist fast vergessen, daß die Peachtree Street, die im Frühjahr in einem Meer von Pfirsichblüten versinkt, ihre Berühmtheit der Schriftstellerin Margaret Mitchell verdankt, die ihr in dem Roman »Vom Winde verweht« ein eindrucksvolles Denkmal gesetzt hat. Wer unter den Bäumen heute nach ihren Romanfiguren Scarlet O'Hara und Rhett Butler Ausschau halten würde, täte sich schwer angesichts der Menschenmenge, die sich auf der breiten Promenade zwischen Bürotürmen, Kaufhäusern, exklusiven Geschäften, Theatern und Kirchen scheinbar ziellos hin und her bewegt. Der beherrschende Straßenzug Atlantas verläuft entlang eines Höhenrückens, der zugleich die Wasserscheide zwischen dem Atlantik und dem Golf von Mexiko darstellt, so daß jede Straßenseite in eine andere Richtung entwässert.

Atlanta bildet das Zentrum des Piedmont-Plateaus, das sich nordöstlich nach South Carolina erstreckt. Im südlich der Stadt gelegenen Stone Mountain, dessen Kuppe man mit einer Kabinenbahn erreichen kann, befindet sich der größte Granitfelsen der Welt. Er dient Bildhauern, die aus dem harten Gestein des Monolithen Figuren herausmeißeln, als Freilichtatelier.

Das nördlich von Atlanta gelegene Dahlonega rühmt sich, die erste Goldgräberstadt der ganzen USA gewesen zu sein. Nachdem hier 1828 schwere Regenfälle glitzernde Edelmetallstücke in die Straßen des Ortes schwemmten, brach ein Goldrausch aus. Daraufhin wurden 25 Jahre lang in einer schnell errichteten Münze Golddollars geprägt. In einem Museum sind viele Erinnerungsstücke an die Zeit vor hundert Jahren aufbewahrt.

In Savannah, der größten Hafenstadt Georgias, werden die Besucher durch die mit Kieselsteinen gepflasterten Straßen und die im Schatten uralter Bäume liegenden Landhäuser darauf hingewiesen, daß sie sich in der ältesten Ansiedlung des Staates befinden. Hier wurde auch das erste eiserne Schiff der Welt gebaut.

South und North Carolina: Die Kanonade von Fort Sumter

In der Morgendämmerung des 12. April 1861 eröffneten die Kanonen der Südstaaten das Feuer auf Fort Sumter, das auf einer Insel vor Charleston in South Carolina liegt, was den verlustreichen Bürgerkrieg der Vereinigten Staaten auslöste. Neben Georgia waren es vor allem die Nachbarstaaten South und North Carolina, die unter den Folgen schmerzlich zu leiden hatten. Die Narben sind noch heute wahrzunehmen.

Neben Atlanta in Georgia und Richmond in Virginia wurde auch Columbia, die Hauptstadt South Carolinas, niedergebrannt. Der die aus dem Norden kommenden Unionstruppen kommandierende William Tecumseh Sherman verwüstete auf seinem berüchtigten »Marsch zur See« 1864 einen hundert Kilometer breiten Landstreifen, in dem jede Ansiedlung eingeäschert, Eisenbahnschienen aus dem Boden gerissen und Manufakturen zerstört wurden. Der Wert der vernichteten Güter und Besitztümer betrug Hunderte von Millionen Dollar.

In Columbia ließ Sherman, um den die Stadt teilenden Congaree River ungefährdet überschreiten zu können, das Regierungsgebäude durch seine Artillerie unter Feuer nehmen. Die Einschüsse im State Capitol, ei-

In Kentucky besuchen staunende Touristen das Blockhaus der Knob Creek Farm, in dem der spätere Präsident Abraham Lincoln als Kind gelebt haben soll, gemeinsam mit seiner Schwester Sarah und dem jüngeren Bruder Thomas.

nem der schönsten der ganzen Vereinigten Staaten, sind durch Metallplatten in Form von Sternen verdeckt worden. An der Vielzahl dieser Sterne läßt sich ermessen, wie gewaltig die Kanonade gewesen sein muß. Weit mehr als Columbia ist die Hafenstadt Charleston eine historische Fundgrube. Sie wurde von wohlhabenden Aristokraten bereits 1670 gegründet und 1783 zur Stadt erhoben. Ihren Namen erhielt sie nach dem englischen König Charles II., der mit einem Landgeschenk an Lord Anthony Ashley Cooper und andere Edelleute eine politische Schuld beglich. Aus Dank für erwiesene Gastfreundschaft hinterließ der hier 1685 vor Anker gegangene Kapitän John Thurber dem Arzt Henry Woodward eine Handvoll Reis, die er aus Madagaskar mitgebracht hatte. Der Doktor pflanzte sie inmitten der Stadt an, wo sie prächtig gedieh. Die Ernte wurde zur Wiederanpflanzung verwendet und reichte bereits zehn Jahre später aus, um den ganzen englischen Markt zu versorgen.

Charleston hat seinen aristokratischen Charme bis in die Gegenwart bewahrt. Es wurde zum sprichwörtlich bekannten fröhlichsten Ort im englischen Kolonialreich. Das erhaltene Dock Street Theater, das älteste Nordamerikas, legt noch heute Zeugnis davon ab. Hier wurden das ganze Jahr über ausgelassene Bälle abgehalten, zu denen die Großgrundbesitzer aus den atlantischen Küstenstaaten heranreisten, wenn sie es nicht vorzogen, den ganzen Winter hier zu verbringen. Auch der zunächst von Negern geübte amerikanische Gesellschaftstanz hat von Charleston seinen Namen. Er wurde in den zwanziger Jahren auch in Europa bekannt, wo er einen beispiellosen Siegeszug antrat.

Eigentlich wäre die nördlich gelegene Stadt Georgetown die älteste im Lande, wenn Indianer und Fieberkrankheiten die hier bereits 1526 gelandeten Spanier nicht wieder vertrieben hätten. Reis und das zum Färben benutzte Indigo machten die Ansiedlung reich. Als Ballast für die damals leer in die Kolonien segelnden Frachtschiffe verwendeten die Engländer Ziegelsteine. Aus ihnen ist die Prince George Winyah Kirche erbaut. Das Market Building beherbergte einst die älteste Bank in den englischen Kolonien.

Nur wenige Kilometer nördlich der Stelle, an der der britische Seefahrer Sir Walter Raleigh um 1585 erstmals den Boden North Carolinas betrat, liegen die Kill Devils Hills bei Kitty Hawk, in deren Sanddünen die Brüder Orville und Wilbur Wright am 17. Dezember 1903 zum ersten Motorflug der Welt abhoben. Zumindest handelte es sich um den ersten motorgetriebenen Flug, der durch Bilddokumente festgehalten wurde, was andere Flugpioniere in Amerika und Europa versäumten.

Das feuchtmilde Klima North Carolinas begünstigt den Anbau von Tabak, Baumwolle, Erdnüssen und Sojabohnen. Auf den Tabakfeldern rund um die Hauptstadt Raleigh, um Durham, Burlington, Greensboro und Winston-Salem wächst Jahr für Jahr die größte Tabakernte der Welt heran. Hier sind auch die größten Trockenanlagen und Fabrikationsstätten für Zigaretten und Pfeifentabake entstanden.

Kentucky: Die Blaugras-Prärie

Nach der Unabhängigkeitserklärung vom 4. Juli 1776 begannen die Bewohner der Ostküstenstaaten, sich nach Westen zu orientieren. Aus Virginia und Carolina setzte ein starker Zug in die beiden westlich gelegenen Nachbarstaaten Kentucky und Tennessee ein. Nachdem die Kunde von den neu erschlossenen, leicht und bil-

Kentucky ist das Land der Pferde – das Foto zeigt eine typische Pferdefarm. In Lexington gibt es ein eigenes Pferdemuseum. In Louisville, der Stadt der Whiskeybrennereien, findet alljährlich ab Ende April das berühmte Kentucky-Derby statt.

lig zu erwerbenden Ländereien bis nach Europa gedrungen war, begann auch von dort eine starke Einwanderung.
Die amerikanische Regierung unterstützte die Neuankömmlinge und bemühte sich vornehmlich um erfahrene Landwirte, die Musterfarmen nach europäischem Vorbild errichten sollten. In den jungen Vereinigten Staaten gab es damals nur fünf Ansiedlungen, die den Namen Stadt verdienten: Philadelphia mit 42000, New York mit 33000, Boston mit 18000, Charleston mit 16000 und Baltimore mit 13000 Einwohnern. Die große Masse der Bevölkerung lebte in Dörfern und Einzelgehöften, und die Verbindungen von Ort zu Ort waren schlecht oder überhaupt nicht vorhanden.
Das von einer hügeligen, durch tiefe Täler stark gegliederten Prärie bedeckte Kentucky zog vor allem Viehzüchter an. Die dauerhaften, Hitze wie Kälte aushaltenden Gräser erwiesen sich als Leckerbissen für Rinder und Pferde. Seither ist die Blaugras-Prärie zu einer Zuchtstätte edler, rassiger Pferde geworden, die in Rennen auf ihre Ausdauer und Zähigkeit hin getestet und auf großen, weltbekannten Auktionen versteigert werden.
Im Herzen dieses Landes zwischen Kentucky und Licking River hat sich Lexington zu einem Zentrum der Pferdezucht entwickelt. Hier sind die meisten Farmen zu Hause, auf denen berühmte Pferderassen gezüchtet werden. Auf der Turfbahn von Keeneland finden regelmäßig Rennen statt, bei denen es nicht um sportliche Erfolge, sondern um die Auswahl der tüchtigsten Galopper und Traber geht.
Die Bewohner Kentuckys gelten als offenherzig und gastfreundlich. Überall im Land finden sich alte Bauernhäuser, die aus den Zeiten der ersten Siedler stammen. Ihre Bewohner mußten ständig darauf gefaßt sein, von Indianern angegriffen zu werden, die in den weißen Fremdlingen Eindringlinge sahen, die es zu vertreiben galt. Die Türen und Fensterläden dieser Häuser sind daher mit Eisenstangen bewehrt und mit Blechplatten beschlagen, damit sie Schüssen oder Rammstößen standhielten. Im Innern waren vielfach dunkle Verliese eingelassen, in denen Vorräte für den Fall einer länger andauernden Belagerung aufbewahrt wurden.
Zu den freigiebig gereichten Gaben gehört auch der in Kentucky seit frühesten Zeiten gebrannte Whiskey. Das vornehmlich aus Mais, aber auch aus Roggen oder Weizen gewonnene amerikanische Nationalgetränk erhält seinen unverwechselbaren Geschmack durch die jahrelange Lagerung in Fässern, die aus dem Hickory genannten Nußbaum gemacht sind. Echter Kentucky-Whiskey, der sieben Jahre lang gelagert sein muß, ehe er in Flaschen abgefüllt wird, kommt aus großen Destillerien, die vor allem in der größten Stadt Louisville am Ohio angesiedelt sind.
Auf der Rennbahn von Churchill Downs findet alljährlich das große Kentucky-Derby statt, zu dem Pferdeliebhaber aus der ganzen Welt anreisen. Westlich von Louisville, wo der Kentucky eine weite Schleife nach Süden zieht, liegt Fort Knox, in dessen scharf bewachten Tresoren die amerikanische Regierung ihren Goldschatz im Wert von zwölf Milliarden Dollar aufbewahrt.
Inmitten von Kentucky liegt Harrodsburg, das stolz von sich behauptet, die erste ständig bewohnte Ansiedlung der Alleghenies gewesen zu sein. Frühe Hütten, Blockhäuser und Schutzzäune sind originalgetreu wieder errichtet worden. Das Innere wurde mit zweihundert Jahre altem Hausrat, Werkzeugen und Kunstgegenständen ausgestattet. In Harrodsburg steht, noch im Urzustand, jene Holzhütte, in der die Eltern des späteren Präsidenten Abraham Lincoln geheiratet haben. Lincoln selbst wurde auf einer Farm fünf Kilometer südlich von Hodgenville geboren, wo sein Vater einen Bauernhof betrieb. Die ärmliche Holzkate gilt als historische Sehenswürdigkeit, die jährlich von Tausenden von Besuchern aufgesucht wird.
Eine der schönsten Hauptstädte aller amerikanischen Staaten ist Francfort, das malerisch in einer Biegung des Kentucky River liegt. Das Capitol mit seinen prachtvollen Treppen und Balustraden aus Marmor ist in Teilen der Pariser Oper und dem Invalidendom nachgebildet. Ein architektonisches Juwel ist auch das alte Regierungsgebäude mit seinen dorischen Säulen. Die Liberty Hall wurde 1798 nach Plänen von Thomas Jefferson errichtet, der sie seinem Freund, dem Senator John Brown zum Geschenk machte. Nordöstlich von Bowling Green befinden sich die gewaltigen Gipshöhlen von Mammoth Cave. In einem der weitläufigen Höhlenräume wird 81 Meter unter der Erdoberfläche zum Essen gebeten.

Tennessee: Der Atom-Staat

Kentucky und Tennessee, mit Alabama und Arkansas die Staaten des mittleren Südens, haben in den letzten 50 Jahren eine bemerkenswerte industrielle Entwicklung erlebt. Vor allem Tennessee galt als ein Notstandsgebiet, in dessen feuchtheißen versumpften Tälern die Malaria wütete. Beide Staaten werden hauptsächlich durch den Tennessee River, den größten Nebenfluß des Ohio, entwässert, in den sich kurz vor der Mündung bei Paducah der Cumberland River ergießt.
Den Wendepunkt bildete die Gründung der Tennessee Valley Authority (TVA) im Jahre 1933, die im Laufe der Jahre insgesamt 48 Stauwerke mit den dazugehörigen Wasserkraftwerken errichtete, später auch Atomkraftwerke sowie Industriewerke baute, in denen Kunstdünger und Sprengstoffe hergestellt wurden. Die Flüsse wurden reguliert, die Sümpfe getrocknet und aufgeforstet und die Landwirtschaft modernisiert. Das Schlüsselwort für diese großräumige Entwicklung ist Oak Ridge geworden, wo während des Zweiten Weltkriegs die ersten atomtechnischen

Anlagen der Vereinigten Staaten errichtet wurden und wo auch die erste Atombombe entstand, die seither das machtpolitische Gleichgewicht in der Welt bestimmt hat.

Der Tennessee River, der in den Appalachen aus Holston und French Broad River gebildet wird, ist bis Knoxville schiffbar. In einem weiten, nach Süden gerichteten Bogen fließt der größtenteils gestaute Fluß durch Tennessee und Alabama. Knoxville ist Sitz der Staatsuniversität und Eingangspforte zu den Great Smoky Mountains an der Grenze nach North Carolina. Die stark bewaldeten Höhenzüge bilden das kühle und häufig auch von Nebelwolken eingehüllte Dach des amerikanischen Südens. Hier wachsen Eichen, Buchen und Weiden, aber auch subtropische Pflanzen wie Rhododendron und Bougainvillea. In den weiten Wäldern gibt es noch Bären, die mitunter in die Obstgärten der Bergbewohner einbrechen, um sich an Äpfeln und Birnen gütlich zu tun.

Die vielen Besucher dieses in seiner Ursprünglichkeit erhaltenen Naturschutzgebiets treffen hier auch noch Indianer an. Sie gehören zum Stamm der Cherokees, die während ihrer Vertreibung über den »Pfad der Tränen« flüchteten und in den Bergen Zuflucht suchten. Heute ist ihre Zahl wieder auf 3000 angewachsen.

Chattanooga an der Grenze nach Alabama, dessen Name allein schon den schläfrigen Charme des Südens verheißt, ist ein bekannter Schlachtenort des Bürgerkriegs. Hier erzwangen die Truppen General Shermans den entscheidenden Durchbruch nach Georgia. Eine Schlacht wurde auf dem Lookout Mountain geschlagen. Sie ging als »Schlacht über den Wolken« in die Geschichte ein, obschon der Himmel dort das ganze Jahr über Sonnenschein zu versprechen scheint. Die andere fand auf dem Missionary Ridge statt. Eine Straße verbindet beide Gedenkorte miteinander, die von keinem Touristen ausgelassen werden.

Die Staatshauptstadt Nashville am Cumberland River ist zugleich Hauptstadt der Country und Western Songs geworden. Ihren Namen hat die Stadt vom alten Fort Nashborough übernommen, das 1780 von Creek- und Cherokee-Indianern angegriffen und zerstört wurde. Es ist in alter Gestalt wiederaufgebaut worden. Stolz sind die Bewohner der Stadt auch auf den in voller Größe nachgebauten Parthenon-Tempel im Centennial-Park. Das Capitol steht auf dem Cedar Knob. In seinen Gewölben befindet sich das Grab von James Knox Polk, der von 1845 bis 1849 der elfte Präsident der Vereinigten Staaten war.

Größte Stadt Tennessees ist Memphis am Mississippi. Sie ist an einem Steilufer errichtet worden, wo De Soto vor mehr als 400 Jahre erstmals den »Vater der Ströme« vor sich liegen sah. Mit seiner Baumwollbörse gilt Memphis als Baumwollhauptstadt der Welt, wo die leichte Faser für luftige, schweißdurchlässige Gewebe gehandelt wird. Memphis ist auch die Geburtsstadt des Rock-Idols Elvis Presley, der hier in den fünfziger Jahren Weltruhm erlangte.

Alabama: Baumwolle, Eisen, Raketen

Weit mehr als die anderen Südstaaten war Alabama früher ein reiner Baumwollstaat. Diese Monokultur mit ihren Risiken von Mißernten und Preisverfall ist einem gemischten Anbau von Mais, Erdnüssen und Futterpflanzen gewichen. Noch wichtiger ist jedoch der Abbau von Kohle und Eisenerzen in den südlichen Ausläufern der Appalachen, der zur Grundlage für die Eisen- und Stahlindustrie in der größten Stadt Birmingham geworden ist. Die Stadt trägt ihren Namen nach der englischen Hüttenstadt zu Recht.

Auch der Vorort Bessemer ist nach einem großen Namen in der Stahlindustrie benannt. Der englische Ingenieur Sir Henry Bessemer erfand 1855 ein Verfahren, das den Schmelzprozeß von Stahl in einem birnenförmigen Gefäß, der sogenannten Bessemerbirne, ermöglichte. Die von dem Konzern US Steel Corporation als größtem Arbeitgeber beherrschte Stadt bietet zur Nachtzeit, wenn die Hochöfen ihre rotglühende, feuersprühende Eisenfracht entladen, einen farbenprächtigen Anblick. Auf

dem Red Mountain, der die Stadt überragt, steht eine Statue von Vulcan, dem römischen Gott des Feuers. Anfang der fünfziger Jahre schlug die große Stunde für die im Norden Alabamas am Tennessee River gelegene Baumwollstadt Huntsville, die sich damals selbst augenzwinkernd Weltmetropole der Brunnenkresse, Heimatstadt des Senators John Sparkman und der außerhalb der USA weithin unbekannten Filmschauspielerin Tallulah Bankhead nannte.
Die Wende zeichnete sich zu Beginn des Zweiten Weltkriegs ab, als das amerikanische Heer in einer Biegung des Tennessee River ein 1600 Hektar großes Gelände erwarb, um Gasgranaten herzustellen. Das Redstone Arsenal sollte zur Geburtsstätte der amerikanischen Raumfahrt werden, nachdem sich hier das nach dem amerikanischen Außenminister George C. Marshall benannte Raumflugzentrum der Raumfahrtbehörde NASA niederließ. Vorausgegangen war, daß die Raketenentwicklungsanstalt des US-Heeres zunächst 118 deutsche Raketenfachleute aus Peenemünde, an ihrer Spitze Wernher von Braun, nach Huntsville holte, um sich hier auf den von den Russen eröffneten Weltraumwettlauf vorzubereiten.
Höhepunkt der zähen, alle Hindernisse überwindenden Arbeit in Huntsville wurde die Entwicklung der Saturn-Rakete, mit der die USA in den Stand versetzt wurden, den Mond zu erobern. In jenen Jahren feierten die Bewohner von Huntsville begeistert ihre deutschen »Krauts«, denen sie einen herausragenden Anteil an diesem Erfolg zumaßen. Sie ehrten den am 16. Juni 1977 in Alexandria bei Washington an Krebs gestorbenen deutschen Raketentechniker durch das Von Braun Civic Center im Big-Spring-Park, eine Kongreßhalle für Veranstaltungen aller Art.
Alabamas erste Hauptstadt Cahaba wurde durch die Fluten des Alabama und Cahaba River zerstört. Weiter flußaufwärts liegt die jetzige Hauptstadt Montgomery. Das Capitol auf dem Goat Hill bot der Regierung der Konföderierten im Bürgerkrieg Unterkunft. Der Senatssaal sieht noch genau so aus wie vor hundert Jahren, als hier entscheidende Abstimmungen über die Zukunft des Südens stattfanden. In dem Gebäude wohnte Präsident Jefferson Davis, bis die Hauptstadt der Südstaaten nach Richmond in Virginia verlegt wurde.
Auch Tuscaloosa westlich von Birmingham war einmal Hauptstadt des Staates. Heute ist es von jungem Leben erfüllt, weil hier die Staatsuniversität ihren Sitz hat. Das Naturhistorische Museum besitzt wertvolle geologische Ausstellungsstücke. Darunter befindet sich ein Meteorit, der als einziger einen Menschen erschlagen hat. Im Universitätsviertel lebte der Arzt William Crawford Gorgas, der das Gelbfieber besiegte.
Der oberhalb von Montgomery aus den an zahlreichen Stellen gestauten Coosa und Tallapoosa River gebildete Alabama River gabelt sich 65 Kilometer vor der Mündung in die Mobile-Bucht des Golfs von Mexiko in den Mobile und Tensaw River. Mobile in der gleichnamigen Bucht ist ein lebhafter, farbiger Hafen und Handelsplatz, in dem Ozeanschiffe neben Fischerbooten anlegen.

Arkansas: Wenn die Wildenten kommen

Der Mississippi bildet die gesamte 400 Kilometer lange östliche Grenze von Arkansas zu den benachbarten Bundesstaaten Tennessee und Mississippi. Entlang dieses langen Flußufers ist keine einzige größere Stadt gewachsen. Es gibt auch nur vier Brükken, die über diese Entfernung beide Ufer miteinander verbinden: zwei bei Memphis, eine bei Helena und eine bei Greenville, Städte, die allesamt auf der linken Flußseite gebaut wurden.
Der »Ol' Man River«, wie die zahlreichen schwarzen Bewohner Nordamerikas größten Fluß hier nennen, teilt das ganze Land in zwei ungleiche Hälften, von denen die westliche die größere ist. Einstmals und manchmal noch heute hat man die Orte danach eingeteilt, ob sie »diesseits oder jenseits des Mississippi« lagen. Wer damals mit den großen Schaufelraddampfern den »Vater der Ströme« befuhr, schaute fasziniert auf das über lange Strecken undurchdringliche westliche Ufer hinüber, wo kaum ein Mensch wohnte und wo die Tiere noch ein Paradies für sich hatten. Dort hinter den Schlingpflanzen und undurchdringlichen Buschwäldern begann der wilde Westen.
Mit dem französischen Wort Bayou für Fluß- oder Seesümpfe bezeichnen die Mississippianlieger noch heute die Uferstellen, wo der Boden aus Land und Wasser besteht und bei jedem Schritt nachgibt. Alligatoren kriechen aus dem Schlamm auf einen trockenen Platz, um sich zu sonnen. Langfüßige Wasservögel stelzen auf der Suche nach der reichlich vorhandenen Nahrung im seichten Wasser und lassen sich auch manchmal auf den Rücken eines Reptils nieder, um aus der Schuppenhaut die Insekten herauszupicken. Blaue, purpur- und kupferfarbene Moosblumen bedekken kilometerweit die Uferlandschaft, und von den steinalten Eichen hängen Schlingpflanzen herunter, die auf ihren Wirtsbaum ideale Lebensbedingungen vorfinden.
Die früher alljährlich im Frühjahr und Herbst auftretenden Überschwemmungen sind durch Staudämme und Deiche wesentlich gemildert worden. Die breiten Stromauen in Arkansas eignen sich hervorragend zum Reisanbau. Anfang November kommen die ersten Zugvögel aus dem Norden der USA und Kanadas, um dem kalten Winter zu entgehen. In Arkansas lassen sich hauptsächlich Wildenten und Wildgänse nieder.
Der mit 13 Einwohnern pro Quadratkilometer dünn besiedelte Staat lebt hauptsächlich von der Landwirtschaft. Neben Reis werden vornehmlich Sojabohnen, aber auch Obst angebaut. Futtermittel gestatten die Zucht von Rindern und Schweinen. Um der starken Abwanderung von

Das größte Moorgebiet der USA sind die Okefenokee Swamps bei Waycross im Staat Georgia. Auf 1800 Quadratkilometern sind hier auf Bootsfahrten seltene Tiere und Pflanzen in einer Sumpflandschaft zu bewundern, die nicht ihresgleichen hat.

Arbeitslosen entgegenzuwirken, bemüht sich Arkansas um die Ansiedlung von Industrien. Dazu sollen die zahlreich vorhandenen Bodenschätze wie Erdöl, Erdgas, Kohle und Mangan stärker abgebaut werden. Bisher war vor allem die Bauxit-Förderung für die Herstellung von Aluminium bedeutend, die 95 Prozent des ganzen amerikanischen Vorkommens ausmacht.
Alabama hat entlang seiner nördlichen Grenze nach Missouri Anteil an den Ozarks. Der Ozark-Nationalforst liegt östlich der Universitätsstadt Fayetteville. Der Staat ist reich an Heilquellen. Eureka Springs nordöstlich von Fayetteville ist ein solcher Kurort, in dem sich Rheumakranke wohl fühlen. Blanchard Springs ist außer auf seine Quellen stolz auf eine riesige Höhle, die an die von Carlsbad Cavern in New Mexico und Mammoth Cave in Kentucky heranreicht. Im Nationalpark von Hot Springs südwestlich der Staatshauptstadt Little Rock kommt kochendes radioaktives Wasser aus 47 Quellen zutage. Es wird in Röhren gefaßt und in Badehäuser geleitet. Die meisten Quellen dürfen jedoch nur auf ärztliche Anweisung genommen werden, da sie der Gesundheit nicht immer zuträglich sind.
Das Capitol von Little Rock gleicht den Parlamenten aller anderen Bundesstaaten. Sehenswert ist jedoch das bis 1912 als Regierungsgebäude dienende State House, dessen Säulen im griechischen Stil restauriert wurden. Little Rock wurde in den fünfziger Jahren durch Rassenunruhen unrühmlich bekannt.

Mississippi: Der Lebensstrom des Südens

Der sich in breiten Mäandern zum Golf von Mexiko wälzende Hauptstrom der USA hat dem Staat Mississippi seinen Namen gegeben. Er bildet von Memphis bis unterhalb von Natchez zugleich seine östliche Grenze. Die beiden Mississippi-Städte Natchez und Vicksburg kennt jedes amerikanische Schulkind aus den Geschichtsbüchern. Sie waren im Bürgerkrieg das Ziel der Unionstruppen, die unter ihrem General Ulysses S. Grant aus Illinois, einem Heerführer mit klarem Blick für die strategischen Notwendigkeiten, siegreich im Mississippital nach Süden vordrangen.
Die den Angriff erwartenden Truppen der Konföderierten besaßen zwar die besseren Generale, hatten aber zuvor in der Schlacht von Pittsburg Landing am Tennessee mit Albert Sidney Johnston einen ihrer besten verloren. Als ausschlaggebend für den Sieg des Nordens erwies sich schließlich, daß er mit Präsident Abraham Lincoln einen intelligenteren, weitsichtigeren Staatsmann besaß als der Süden mit Jefferson Davis, dessen Ungeduld und Temperament ihn mitunter die falschen Entscheidungen treffen ließ.
Das auf hohem felsigen Flußufer gelegene Vicksburg galt als das Gibraltar der Konföderierten. Es wurde von Grants kampferprobten Truppen im Frühjahr 1863 über 47 Tage lang belagert. Besonders glücklich war Grant, daß er es am Unabhängigkeitstag einnehmen und einen Großteil der Armee gefangennehmen konnte. Lincoln kommentierte den Sieg mit dem Satz, daß »der Vater der Ströme« nun wieder ungehindert in den Ozean fließen könne.
Der Mississippi hat in der Vergangenheit häufig seinen Lauf gewechselt. Am 4. Juli 1876 beging er den Unabhängigkeitstag auf seine Weise und bahnte sich nach größeren Überschwemmungen ein neues Bett. Die Stadt Vicksburg lag über Nacht nicht mehr an dem Strom, sondern kilometerweit von seinen neuen Ufern entfernt. Pioniere teilten daraufhin den oberhalb der Stadt in den Mississippi einmündenden Yazoo River und ließen ihn an Vicksburg vorbeifließen, das auf diese Weise wieder zu einer Hafenstadt wurde.
Auch der alte Hafen von Natchez und seine berüchtigten Spelunken unterhalb des Steilufers wurden eines Tages vom Mississippi hinweggeschwemmt, so daß die Stadt heute etliche Kilometer vom Flußufer entfernt liegt. Ein Anziehungspunkt für seine Besucher sind die aus den Tagen vor dem Bürgerkrieg stammenden Häuser, die jedes Jahr im März

der Öffentlichkeit zugänglich gemacht werden. Ein Musikfest mit Folk Songs und Negro Spirituals zieht zusätzliche Besucher an. Auch Holly Springs im Norden ist durch seine zahlreichen historischen Häuser bekannt.

Südlich davon liegt Oxford, Sitz der Staatsuniversität und Geburtsort des Romanschriftstellers William Faulkner. Im Mary-Buie-Museum werden Erinnerungsstücke an den großen Autor gezeigt. Die Staatshauptstadt Jackson wurde ebenfalls ein Opfer des Bürgerkrieges. General Sherman ließ sie niederbrennen. Sie besitzt ein altes und ein neues Capitol.

An der Golfküste sind Gulfport und Biloxi zusammengewachsen. Biloxi gilt als die älteste Stadt der Küste, die von Franzosen gegründet, bald jedoch von Spaniern erobert wurde. Unter uralten Bäumen liegt das Herrenhaus von Beauvoir, wo Jefferson Davis die letzten zwölf Jahre seines Lebens verbrachte und die Geschichte vom Aufstieg und Fall des von ihm maßgeblich bestimmten Konföderiertenstaates niederschrieb.

Louisiana: Frankreich in den USA

Der französische Seefahrer René Robert de La Salle fuhr 1666 nach Kanada, entdeckte die Großen Seen und gelangte über den Ohio und den Mississippi bis zu dessen Mündungsdelta, das mehr als hundert Jahre zuvor schon von dem Spanier De Soto entdeckt worden war. Er nahm es am 9. April 1682 für seinen König Ludwig XIV. in Besitz und gab dem Land dessen Namen.

Genau 80 Jahre später trat Frankreich das Land westlich des Mississippi an Spanien und östlich des Mississippi an England ab, das es zwanzig Jahre später den Vereinigten Staaten übereignen mußte. Napoleon erwarb 1800 den spanischen Anteil zurück, um ihn drei Jahre später mit Gewinn an die Vereinigten Staaten zu verkaufen, was als Louisiana Purchase in die Geschichte einging.

Das französische Ambiente ist bis auf den heutigen Tag erhalten geblieben. Noch immer gibt es 300000 französisch sprechende Amerikaner, die zumeist in der größten Louisianastadt New Orleans leben, die 1718 gegründet wurde. Als einziger Staat der USA hat Louisiana das auf dem Code Napoleon fußende römische Recht erhalten. An die europäische Vergangenheit erinnern vor allem der Mutterwitz, die Lebensfreude und die Voreingenommenheit der Bewohner gegen alle englisch sprechenden Amerikaner, die sie ohne Scheu »Yankees« nennen. Europäisches, aus Franzosen und Spaniern gemischtes Erbgut ist in den Kreolen erhalten geblieben, deren Sprache viele Ausdrücke ihrer Vorfahren enthält, die in Amerika sonst nicht mehr verstanden werden.

New Orleans, die vielgeliebte, lebenslustige, elegante, aber auch eigenwillige Stadt lebt von ihrer Vergangenheit. Hier heißen die Bürgersteige nicht Sidewalks, sondern Banquettes, die Geländer nicht Porches, sondern Galleries, die Sümpfe Bayous und deren Bewohner Cajuns. Die alten Straßen ändern ohne ersichtlichen Grund ihre Richtung oder ihren Namen, die Balkone sind mit geschwungenen, schmiedeeisernen Gittern geziert und im Vieux Carré, dem französischen Viertel der Stadt, wo Autos verpönt sind, verkehren noch alte Droschken. — ein romantisches Bild.

Dennoch sollte sich der Besucher von New Orleans keinen Illusionen hingeben: Die Jahre um die Jahrhundertwende, als Jazz und Blues in den engen Gassen des Vieux Carré geboren wurden und von hier aus ihren Siegeszug um die Welt antraten, sind verweht und vergangen. Über den weiträumigen Platz vor der St.-Louis-Kathedrale und durch die Bourbon Street drängen sich die Touristen scharenweise, Tavernen und Bars weichen immer mehr Sex Shops und Pinten mit Striptease Shows.

Wenn aus einem der weit offenen Musikhäuser ein flotter Ragtime oder ein schwermütiger Blues ertönt, dann sind die Musikanten müde Epigonen, die ihre Instrumente recht und schlecht beherrschen. Daran ändert sich auch nichts, wenn unter ihnen ein grauhaariger Neger das Kornett oder die Trompete spielt, von dem man annehmen möchte, daß er den legendären Big Eye Louis Nelson noch persönlich gekannt hat.

Minderungen in der Qualität haben auch die Antiquitätenläden erfahren, von denen zwar immer mehr wie Pilze aus dem Boden schießen, die aber zumeist nur Tand und Talmi anzubieten haben. Wer glaubt, in einem der alten, spinnwebentapezierten Läden künstlerisch wertvolle Schätze entdecken zu können, die zudem noch wohlfeil zu erstehen sind, wird lange und vergeblich suchen. Die Andenkenindustrie präsentiert hier wie überall ihren weltweiten Einheitsgeschmack von scheußlicher Häßlichkeit und groteskem Kitsch.

Das traurig stimmende Bild der Gegenwart weist jedoch auch freundliche Züge auf. Andere Zeiten bringen andere Eigentümlichkeiten hervor: Da sitzen an den Straßenecken wie in Paris oder Rio junge Künstler, die als Schnellmaler ein Porträt für gut zahlende Gäste anfertigen oder still und in sich versunken ihre Gitarre zupfen, wobei sie nichts dagegen einzuwenden haben, wenn ein Vorübergehender in den bereitgestellten Hut ein par Dimes oder gar einen Dollar fallen läßt.

Noch ist die Vergangenheit lebendig geblieben, noch wird sie gepflegt und mit nobler Raffinesse zelebriert. Die Rede ist von den Dutzenden guter Restaurants, in denen man die Köstlichkeiten kreolischer, mexikanischer, französischer oder auch italienischer Köche genießen kann. Man muß schon gut beraten sein, wenn man zu den Tempeln der Gourmets aufbricht, die sich in der Kühle eines Patios oder in dem alten Gemäuer eines Stadtpalasts etabliert haben. Im Galatoire's findet sich die Forelle Marguery auf der Speisekarte, im Dunbar's ein zartes Schildkrötenragout und im Commander's Palace ein in Rotwein eingelegtes Tenderloin

Im französischen Viertel von New Orleans, Louisiana, sind Automobile verpönt. Wer sich fortbewegen will, ist auf eine der alten Pferdedroschken angewiesen oder muß zu Fuß gehen. So bekommt er auch mehr vom Vieux Carré zu sehen.

Steak, das auf der Zunge zergeht. Anderswo gibt es Hühnchen nach kreolischer Art, mit nie gekosteten Kräutern und Gewürzen des Südens verfeinert, und natürlich die Schätze des Meeres, frisch aus dem Golf und den vielen Süßwasserseen rund um New Orleans gefangen, Krabben, Krebse und Austern, die zu verspeisen Mark Twain schon als eine Sünde bezeichnete, von der man nicht wisse, ob sie läßlich oder schon zu sühnen sei. Zu sühnen nämlich mit einer unerwünschten Gewichtszunahme.

Das Fest aller Feste in New Orleans aber heißt Mardi Gras, der Faschingsdienstag, an dem die Stadt von verkleideten und maskierten Narren und Gaffern überbordet. Dann zieht ein Festzug durch Canal Street, durch die vor wenigen Jahren noch eine Straßenbahn fuhr, die »Straßenbahn namens Sehnsucht«, wie sie der Dichter des Südens, Tennessee Williams, nannte. Der Ausbruch überschäumender Lebensfreude währt aber — anders als im guten alten Europa — nur einen Tag.

Das Klima ist, wie überall an der Golfküste, subtropisch feucht. Es wird allerdings im Sommer durch einen beständigen, vom Meer kommenden Passat gemildert, auf den sich die Einwohner seit jeher eingestellt haben. Sie bauen ihre Häuser längs zur Küste mit zahlreichen Türen und Fenstern zum Meer hin, um der kühlenden Brise ungehindert Zutritt zu lassen. Davor sind breite Veranden errichtet, deren Dächer Schatten werfen und auf denen sich das Leben Tag und Nacht abspielt. Im Winter sind Kaltlufteinbrüche nicht selten. Dann dringen arktische Luftmassen, aus Kanada kommend, ungehindert durch das Mississippital bis zum Golf vor, wobei die Temperaturen häufig unter den Gefrierpunkt fallen.

Der Fluß hat unterhalb von New Orleans ein mehr als 200 Kilometer langes Delta in den Golf von Mexiko hinausgetragen, das Jahr für Jahr um mehrere Meter wächst. Hier setzt sich die Last von 400 Millionen Tonnen Sedimenten ab, die die Wassermassen alljährlich mit sich führen. Das meiste Wasser fließt durch fünf künstlich geschaffene Wasserstraßen ab. Die Seeschiffahrt meidet das Delta, in dem sich häufig Untiefen bilden. Die Seeschiffe werden durch einen Kanal unmittelbar vom Golf in den Hafen von New Orleans geführt, sie können bis zur Louisianahauptstadt Baton Rouge fahren.

Die Flußschiffahrt, die früher durch die häufigen Flußveränderungen gehandicapt war und flußkundige Lotsen benötigte, ist seit dem Zweiten Weltkrieg stark gewachsen. Ausflugs- und Urlaubsfahrten auf Mississippidampfern sind beliebt. Eine Fahrt an den Ufern von Louisiana, Mississippi, Arkansas und Tennessee vorbei bis Memphis dauert fünf Tage und bietet den Reisenden einen tiefen Einblick in die Natur und das Leben des amerikanischen Südens, wie es Fluggäste nicht geboten bekommen.

Im Gebiet des Flußdeltas, das zu den größten der Erde zählt, liegt die alte Fischerstadt Houma, in der man ein Fischessen nicht versäumen sollte. Die Stadt ist jedoch inzwischen zum Mittelpunkt eines Ölfördergebiets geworden, wo das schwarze Gold auch in Sümpfen und vor der Küste aus der Erde geholt wird. Dieses sogenannte *Off Shore Drilling* hat im seichten Golf von Mexiko seinen Ausgang genommen und wird im Zeichen der zunehmenden Erdölknappheit weltweit angewandt.

Weiter westlich liegt New Iberia, eine spanische Gründung, am Bayou Teche, nur wenige Kilometer von St. Martinville entfernt, das von Flüchtlingen aus Neuschottland errichtet wurde. Zu ihnen gesellten sich französische Adlige, die von der Revolution vertrieben wurden und hier ihr glanzvolles Leben fortsetzten, bis der letzte Schmuck verkauft war.

Baton Rouge gilt als eine typische Stadt des Südens, in der das Leben träge seinen Lauf nimmt, wenngleich Erdölraffinerien den Fluß hinauf vorgedrungen sind. Auch chemische Industrie und Aluminiumhütten, die sich auf die Bauxitvorkommen in Arkansas stützen, säumen das Flußufer, um den bequemen und preiswerten Transportweg zu nutzen. Das Capitol der Hauptstadt steht an der Stelle, wo einst malerische und eigenwillig gebaute Häuser das Stadtbild beherrschten. Mark Twain nannte sie die »Monströsität vom Mississippi«. Sie sind heute nur noch auf Gemälden im Capitol zu bewundern.

10 Inseln aus Träumen geboren

Hawaii · Guam · Puerto Rico · Virgin Islands

Haoles nennen die Bewohner Hawaiis ihre fremden Gäste. Schon ein Ururgroßvater, der auf einer der pazifischen Inseln geboren wurde, genügt gemeinhin, um als Hawaiianer anerkannt zu werden. Daraus läßt sich schließen, daß die Millionenschar der Touristen gern gesehen und willkommen geheißen wird. Der von den amerikanischen Missionaren einst verbotene Hula-Tanz ist in seiner ursprünglichen Form wiederentdeckt worden und feiert Popularitätsrekorde. Auch der polynesischen Sprache erinnert man sich wieder mit Freuden. Nicht selten sind junge Hawaiianer anzutreffen, die sich in der Sprache ihrer Vorfahren unterhalten, von ihren Eltern aber nicht verstanden werden. Die Besucher, die auf der »Perle des Pazifiks« einfallen, wollen sich in einem Paradies erholen, das diesen Namen freilich kaum noch verdient.

Willkommen im Paradies

Auf der Insel Maui, der zweitgrößten der Inselgruppe, ist die polynesische Vergangenheit lebendig geblieben. Lavafelsen (unten) ragen in die Höhe – hier war einst der Sitz der Götter. Einheimische Frauen zeigen ihren Schmuck. Lahaina an der Nordwestküste von Maui war früher die Hauptstadt von Hawaii. Heute ist es Honolulu.

Schwimmen, Segeln, Surfen und Tauchen werden auf Waikiki gepflegt. Der berühmte Strand mit seinen Hotelpalästen liegt auf der bevölkerungsreichsten Insel, Oahu, nicht weit von der Hauptstadt Honolulu und dem amerikanischen Marinestützpunkt Pearl Harbor. Waikiki – das ist nicht nur blaues Meer, sondern auch eine Fülle von Zerstreuungen: vom Wachsmuseum (mit Szenen zur Geschichte Hawaiis) über die Seetiere des Aquariums bis zum Kapiolani-Sportpark, der von Hulatänzen bis zum Polo jedem etwas bietet.

Im spanischen Amerika

Puerto Rico unterhält bei der Hauptstadt San Juan einen der am häufigsten angeflogenen Flughäfen in der ganzen Karibik. 20 Millionen Gäste starten und landen hier jährlich, um die einheimischen Mädchen (rechts), die moderne Stadt (unten) oder das von den Spaniern erbaute Fort El Morro (rechte Seite) aus dem Jahre 1539 zu besichtigen.

Historische Tänze und Städte

Die einheimischen Tänze gehören zu den größten Attraktionen für die vielen Besucher Puerto Ricos (oben). Auch die historischen Sehenswürdigkeiten – wie hier eine der alten Kapellen aus der spanischen Zeit – werden gerne besucht (rechts). Haupterwerbszweige Puerto Ricos sind heute die fertigende Industrie (Textilien, Elektronik, Chemie) und die Landwirtschaft (Zucker, Tabak, Kaffee).

Das dänische Erbe der USA

Die Maggans Bay ist eines der freundlichsten Refugien auf der zum amerikanischen Jungfern-Archipel (Virgin Islands) gehörenden Insel Saint Thomas (unten). Flugzeuge und Kreuzfahrtschiffe sorgen für Besuchernachschub. Auf Saint Thomas liegt auch die Hauptstadt des Territoriums, Charlotte Amalie. Die benachbarte Insel Saint John wurde in einen Nationalpark umgewandelt, um die Tier- und Pflanzenwelt und die Zeugen der alten Indianerkultur zu schützen. Die USA kauften die einst dänischen Inseln erst im Jahre 1917.

Haoles sind willkommen auf Hawaii

So also sieht das Paradies aus: Ein endloser weißer Strand, gesprenkelt von farbenprächtigen Muscheln. Wellen, die sich in ewig gleichem Rhythmus wiegen. Kristallklares Wasser, das metertief den Blick bis auf den Grund des Meeres freigibt, wo sich exotische Fische tummeln, wo leuchtend grüne und rote Korallen wachsen.
Die träge ans Land rollenden Fluten sind belebt von flinken Segeljachten. Selbst knatternde Motorboote mit bronzefarbenen Wasserskiläufern im Schlepptau vermögen das Bild vollendeter Harmonie nicht zu stören. Chemisch reine Südseeromantik — hier ist sie Wirklichkeit geworden.

Hawaii: Paradies mit Fehlern

Kein Paradies auf Erden, das nicht seine Fehler hätte. Das gilt auch für diese Traumküste am Strand von Kaanapali. Die Front der Kokospalmen wird von einem halben Dutzend Hotelpalästen überragt. Ein endloser Autostrom überschwemmt das Innere der Insel, er reißt auch nachts nicht ab. Und junge Burschen preschen mit heulenden Kleinkrafträdern über die Sanddünen. Wer die Stadt durchfahren hat, um an den an ihrem östlichen Ende gelegenen vielbesungenen Strand von Waikiki zu gelangen, findet in der genormten Hotelburg einen klimatisierten Raum mit einem schmalbrüstigen Balkon, mit dem ihn allenfalls die Aussicht auf den Pazifik versöhnen kann. Der weite Halbkreis von Hochhäusern jedoch schafft eher den Eindruck, in einer Großstadt Quartier genommen zu haben.
Aber Waikiki und Honolulu sind nicht Hawaii. Das Zentrum des aus acht Inseln bestehenden Ferienparadieses hat sich seit 1959, als Hawaii zum 50. und letzten Bundesstaat der USA wurde, am stürmischsten entwickelt. Die seit der Einführung der Düsenflugzeuge auf fünf Stunden verkürzte Flugzeit von der Westküste des Festlands aus förderte einen Kurzzeittourismus, der die Hauptinsel zu allen Jahreszeiten überschwemmt. Neun von zehn Urlaubern bleiben hier, um die Stätten der modernen Karawanserei zu füllen. Offenbar finden sie genug Hotel-Bequemlichkeit, Sonne, Sand und Hula-Hula-Seligkeit vor, um die Unannehmlichkeiten der Großstadtumgebung zu vergessen.
Die Ureinwohner der früher Sandwich Islands genannten Inseln sind Polynesier, die 1788, als sie der britische Weltumsegler James Cook entdeckte, noch 200 000 Köpfe zählten. Sie sind bis auf 21 000 ausgestorben.
Die Inseln sind vulkanischen Ursprungs und daher sehr fruchtbar. Insgesamt sind sie von 40 erloschenen Vulkanen bedeckt. Auf großen Plantagen werden vornehmlich Zuckerrohr und Ananas angebaut. Erhebliche Einnahmen erzielt auch die exportorientierte Blumenproduktion.
Die Sehenswürdigkeiten der Inselwelt sind so zahlreich, daß man nicht weiß, wo man beginnen, wo man enden soll. Im Iolanipalast der Hauptstadt Honolulu steht der einzige Königsthron auf amerikanischem Boden. In diesem Bauwerk tagt heute das Repräsentantenhaus des Staates Hawaii. Im Sommerpalast der Königin Emma sind Schaustücke aus den Jahren der Monarchenherrschaft zu bewundern, im Bishop Museum befindet sich die größte naturwissenschaftliche Sammlung des pazifischen Raumes.
Der benachbarte Marinestützpunkt Pearl Harbor erinnert an die dunkelsten Tage amerikanischer Geschichte. Hier eröffneten japanische Luftstreitkräfte am 7. Dezember 1941 den Krieg gegen das friedliche Land. Die Schlachtschiffe »Arizona« und »Utah« wurden versenkt, viele Marinesoldaten fanden den Tod. Der Hafen ist heute militärisches Sperrgebiet.
Hawaii ist die größte Insel der Gruppe. Sie steigt aus fast 5000 Meter Tiefe aus dem Meer auf und erreicht in dem erloschenen 4208 Meter hohen Vulkan Mauna Kea ihren höchsten Punkt. Noch tätig ist der 4170 Meter hohe Mauna Loa mit seinem Nebenkrater Kilauea, in dem der Kratersee Halemaumau brodelt. Zwischen den beiden Berggipfeln breitet sich eine bis zu 1800 Meter hohe Hochfläche aus, die von Geröllfeldern und Lavagestein bedeckt ist.
Von Touristen werden auch die Inseln Kauai, Maui und Molokai besucht. Auf Maui ist der 3055 Meter hohe Haleakala der höchste erloschene Vulkan. Hier befand sich nach Überlieferung der Polynesier der Sitz der Sonne. An der Küste von Hana ist der Strand schwarz von feingemahlener Asche. Kalalau wird wegen seiner häufigen und ergiebigen Regenfälle der feuchteste Platz auf dem Globus genannt.

Guam: See- und Luftstützpunkt

8000 Kilometer von der amerikanischen Westküste entfernt liegt Guam, die südlichste und größte Insel der Marianengruppe, die ebenfalls zum Territorium der Vereinigten Staaten gehört. Die 1521 von dem portugiesischen Seefahrer Fernão de Magalhães auf der Suche nach einem Seeweg zu den Molukken entdeckte Insel wurde 1898 von Spanien an die USA abgetreten, die sie seither als Flotten- und Luftstützpunkt nutzen. Allein die Militärbasis nimmt ein Drittel der Insel ein.
Von 1941 bis 1944 wurde Guam von den Japanern besetzt, die in einem blutigen und verlustreichen Kampf wieder hinausgeworfen wurden.
Von den 85 000 Einwohnern wohnen die meisten in den größeren Städten, Yigo und Dedeo (je 11 000 Einwohner), außerdem in der Hauptstadt Agana. Rund die Hälfte davon sind Eingeborene. Die Insel lebt von dem Anbau tropischer Früchte, darunter Ananas und Bananen. Der Fremdenverkehr ist noch nicht stark entwikkelt, zumal der Flugplatz nicht mehr so häufig wie früher zu einem Zwischenaufenthalt benutzt wird, nachdem Langstreckenflugzeuge die Strecke von New York bis nach Tokio oder Hongkong im Nonstopflug zurücklegen können.

Die Hälfte des Ananas-Weltverbrauchs liefern die Züchter von Hawaii.

Puerto Rico: Amerikas Karibik

Seit 1952 ist Puerto Rico, der »reiche Hafen«, wie Guam ein Territorium der USA. Das Sternenbanner weht aber bereits seit 1898 dort, als es die Amerikaner im Krieg gegen Spanien besetzten und es fortan nicht mehr freigaben. Bereits im Jahr 1917 erhielt die Bevölkerung die Staatsbürgerschaft der USA verliehen. Sie kann seither ungehindert auf das Festland einreisen.
Nach dem Zweiten Weltkrieg machten davon Hunderttausende Gebrauch. Sie ließen sich vor allem in New York nieder. Der große Anteil puertoricanischer Einwanderer ist seither zu einem Problem geworden, weil sich ganze Stadtviertel mit spanisch sprechender Bevölkerung entwickelt haben, die nur schwer in die Struktur der Stadt einzugliedern sind.
Umgekehrt besuchen viele Amerikaner die bereits 1493 von Christoph Kolumbus entdeckte und von ihm San Juan Bautista genannte Insel. Unter den Spaniern starben die indianischen Ureinwohner als Folge eingeschleppter Krankheiten und der Zwangsarbeit rasch aus. Man sah sich daher gezwungen, für die Arbeit auf den Zuckerrohrfeldern afrikanische Sklaven zu holen, die jedoch immer eine kleine Minderheit bildeten. Die Bevölkerung besteht zu 75 Prozent aus Weißen zumeist spanischer Abstammung, 5 Prozent Negern und 20 Prozent Mulatten.
Der Name, den Kolumbus der kleinsten Insel der Großen Antillen verlieh, ist noch in seiner Hauptstadt San Juan erhalten geblieben. In ihr finden die vorwiegend amerikanischen Touristen die Atmosphäre und das Fluidum der Alten Welt vor, ohne daß sie ihre Neue Welt verlassen müßten. Das erklärt einen Teil der Beliebtheit, derer sich Puerto Rico in den USA erfreut. In der Hauptstadt ist mit modernen Hotels, luxuriösen Nachtklubs und Spielkasinos eine funktionierende Infrastruktur für amerikanische Urlauber entstanden, die von europäischen Gästen allerdings nicht immer goutiert wird.
Ausflüge mit dem Bus, dem Schiff oder dem Flugzeug führen nach Ponce, wo ein Museum über die Vergangenheit der Insel Aufschluß gibt. Die zur Nachtzeit phosphoreszierende Bucht von Parguera und der Regenwald bei El Yunque sind ebenfalls beliebte Ausflugsziele.
Die 50 Kilometer breite und in Ost-West-Richtung 180 Kilometer lange Insel steigt im Cerro de Punta bis auf 1338 Meter an. Der tropische Regenwald, der früher die Insel bedeckte, ist weitestgehend abgeholzt worden und hat Tabak- und Zuckerrohranpflanzungen Platz gemacht. Auch Ananas und Kaffee im Hochland gehören zu den Produkten der Landwirtschaft.

Jungfern-Inseln: Dänische Vergangenheit

Auch das amerikanische Territorium der Jungfern-Inseln, in englischer Sprache Virgin Islands genannt, wurde wie die meisten Eilande der Karibik von Kolumbus entdeckt. Das Bindeglied zwischen den Kleinen und Großen Antillen hat eine abwechslungsreiche Vergangenheit hinter sich. Die nach der in Köln begrabenen heiligen Ursula und ihren elftausend Jungfrauen benannte Inselgruppe wird in einen östlichen und einen westlichen Teil unterschieden. Der östliche Teil mit 40 zum Teil unbewohnten Inseln wurde 1648 holländisch und schon 18 Jahre später britisch. Die auf der Hauptinsel Tortola mit der Hauptstadt Road Town lebenden Bewohner sind fast ausschließlich Neger.
Die Inseln Saint Thomas, Saint John und Saint Croix der westlichen Inselgruppe wurden 1754 dänische Kolonie, woran noch viele Häuser und ihre Inschriften erinnern. Diese Inseln wurden 1917 von den Vereinigten Staaten gekauft.
Unter dem Sternenbanner hat sich vor allem der Tourismus entwickelt. Die meisten Besucher gehen zur Hauptinsel Saint Thomas mit der Hauptstadt Charlotte Amalie, wo fast die Hälfte der 65 000 Einwohner zählenden Bevölkerung lebt. Auf den Inseln herrscht Zollfreiheit, so daß sie als Einkaufsparadies bekannt sind. Vom 465 Meter hohen Flag Hill aus, den man mit einer Seilbahn erreichen kann, hat man einen bezaubernden Ausblick über Insel, Stadt und Hafen. Die All Saints Church ist durch ihre wohlklingende Orgel bekannt.
Auf Saint Croix wird den Besuchern der Landeplatz des Kolumbus gezeigt. Von Booten mit gläsernen Boden aus kann der Unterwasserpark besichtigt werden, der von exotischen Fischen, bunten Korallen und tropischen Meerespflanzen belebt wird.

Kleines Lexikon der USA-Staaten

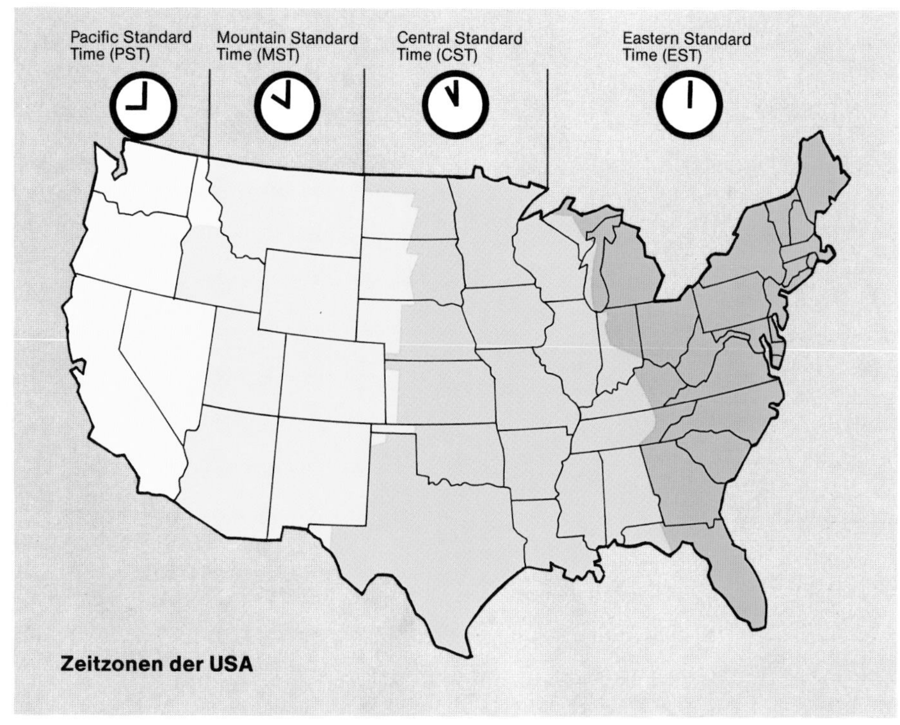

Zeitzonen der USA

United States of America (USA)
Fläche: 9 363 123 km² (viertgrößtes Land der Erde nach der Sowjetunion, Kanada und China)
Bevölkerung: 221,01 Millionen Einw. (viertgrößte Bevölkerung nach China, Indien und der Sowjetunion)
Bevölkerungsdichte: 23,4 Einw./km²
Höchster Punkt: Mount McKinley (Alaska), 6193 m
Tiefster Punkt: Death Valley (California/Nevada), 86 m
Längster Fluß: Mississippi/Missouri, 6420 km
Hauptstadt: Washington, 677 500 Einw.
Größte Stadt: New York, 7,4 Millionen Einw.
Verfassung: 17. September 1787
Wappentier: Weißkopfseeadler
Staatsmotto: Wir vertrauen auf Gott

Alabama (AL)
Namenherkunft: »Stammeszentrum« der Creek-Indianer
Beiname: Cotton State (Baumwollstaat)
Fläche: 133 667 km² (29.)
Bevölkerung: 3,72 Millionen Einw. (21.)
Höchster Punkt: Cheaha Mountain, 733 m
Längster Fluß: Alabama River
Hauptstadt: Montgomery, 133 000 Einw.
Größte Stadt: Birmingham, 301 000 Einw.
Beitritt zur Union: 14. Dezember 1819 als 22. Staat
Staatsmotto: Mutig verteidigen wir unsere Rechte
Berühmte Einwohner: Helen Keller, Jesse Owens, Nat King Cole, Harper Lee, Joe Louis, Gouverneur George Wallace

Alaska (AK)
Namenherkunft: »Großes Land«, russische Umbildung einer Eskimobezeichnung
Fläche: 1 518 748 km² (1.)
Bevölkerung: 0,4 Millionen Einw. (48.)
Höchster Punkt: Mount McKinley, 6193 m
Längster Fluß: Yukon
Hauptstadt: Juneau, 6100 Einw.
Größte Stadt: Anchorage, 48 100 Einw.
Beitritt zur Union: 3. Januar 1959 (49.)
Staatsmotto: Die Zukunft liegt im Norden
Berühmte Einwohner: Joe Juneau, Gouverneur Ernest Gruening
Nationalparks: Mount McKinley, Alaska

Arizona (AZ)
Namenherkunft: »Kleine Quelle«, spanische Umbildung eines Pima-Indianerwortes
Beiname: Grand Canyon State
Fläche: 295 012 km² (6.)
Bevölkerung: 2,41 Millionen Einw. (30.)
Höchster Punkt: Humphreys Peak, 3850 m
Längster Fluß: Colorado
Hauptstadt und größte Stadt: Phoenix, 581 500 Einw.
Beitritt zur Union: 14. Februar 1912 (48.)
Staatsmotto: Gott macht uns reich
Berühmte Einwohner: Frank Lloyd Wright, William H. Pickering, Morris Udall, Barry Goldwater
Nationalparks: Grand Canyon, Petrified Forest

Arkansas (AR)
Namenherkunft: »Südwindvolk«, französische Umbildung des Sioux-Wortes Kansas
Beiname: Land of Opportunity (Land der [günstigen] Möglichkeiten)
Fläche: 137 534 km² (27.)
Bevölkerung: 2,17 Millionen Einw. (33.)
Höchster Punkt: Magazine Mountain, 839 m
Längster Fluß: Arkansas
Hauptstadt und größte Stadt: Little Rock, 132 500 Einw.
Beitritt zur Union: 15. Juni 1836 (25.)
Staatsmotto: Das Volk soll regieren
Berühmte Einwohner: Orvall Faubus, James W. Fulbright, Douglas MacArthur
Nationalpark: Hot Springs

California (CA)
Namenherkunft: »Heißer Ofen«, nach einer sagenhaften spanischen Paradiesinsel
Beiname: Golden State
Fläche: 410 999 km² (3.)
Bevölkerung: 22,3 Millionen Einw. (1.)
Höchster Punkt: Mount Whitney, 4418 m
Längster Fluß: Sacramento
Hauptstadt: Sacramento, 264 000 Einw.
Größte Stadt: Los Angeles, 2,8 Millionen Einw.
Beitritt zur Union: 9. September 1950 (31.)
Staatsmotto: Heureka, ich habe es gefunden!
Berühmte Einwohner: William Saroyan, John Steinbeck, Earl Warren, Jack London, Joe DiMaggio,

Richard Nixon
Nationalparks: Kings Canyon, Lassen Volcanic, Redwood, Sequoia, Yosemite

Colorado (CO)
Namenherkunft: »Rotfarbig«, spanische Bezeichnung, ursprünglich nur für den Colorado River
Beinamen: Centennial State (Hundertjahrfeier-Staat), Silver State
Fläche: 269 989 km² (8.)
Bevölkerung: 2,7 Millionen Einw. (28.)
Höchster Punkt: Mount Elbert, 4396 m
Längster Fluß: Colorado
Hauptstadt und größte Stadt: Denver, 479 500 Einw.
Beitritt zur Union: 1. August 1876 (38.)
Staatsmotto: Nichts ohne Gott
Berühmte Einwohner: Paul Whiteman, Jack Dempsey, Douglas Fairbanks, Scott Carpenter
Nationalparks: Mesa Verde, Rocky Mountains

Connecticut (CT)
Namenherkunft: »Langer Fluß«, aus der Mohikanersprache
Beinamen: Constitution State (Verfassungsstaat, 1. US-Staat mit geschriebener Verfassung), Nutmeg State (Muskatnuß-Staat)
Fläche: 12 973 km² (48.)
Bevölkerung: 3,1 Millionen Einw. (24.)
Höchster Punkt: Mount Frissell, 725 m
Längster Fluß: Connecticut
Hauptstadt: Hartford, 135 000 Einw.
Größte Stadt: Bridgeport, 156 500 Einw.
Beitritt zur Union: Als 5. der 13 alten Staaten am 9. Januar 1788
Staatsmotto: Er, der uns hierhergebracht hat, steht uns bei
Berühmte Einwohner: Harriet Beecher-Stowe, Mark Twain, Katharine Hepburn, Pierpont Morgan, Abraham Ribicoff

Delaware (DE)
Namenherkunft: Lord de la Warre war der erste Gouverneur der Virginia-Handelskompanie (1610)
Beinamen: First State (erster Staat der USA), Diamond State (Diamanten-Staat)
Fläche: 5324 km² (49.)
Bevölkerung: 0,58 Millionen Einw. (48.)
Höchster Punkt: Ebright Road, 135 m
Längster Fluß: Delaware
Hauptstadt: Dover, 22 700 Einw.
Größte Stadt: Wilmington, 80 300 Einw.
Beitritt zur Union: Als 1. der 13 alten Staaten am 7. Dezember 1787
Staatsmotto: Freiheit und Unabhängigkeit
Berühmte Einwohner: E.I du Pont, Howard Pyle

Florida (FL)
Namenherkunft: »Blumenland«, nach der spanischen Bezeichnung für Ostersonntag: Pascua Florida = Blumenostern
Beiname: Sunshine State (Sonnenschein-Staat)
Fläche: 151 664 km² (26.)
Bevölkerung: 8,7 Millionen Einw. (8.)
Höchster Punkt: namenlos (an der Westgrenze), 105 m
Längster Fluß: Suwannee
Hauptstadt: Tallahassee, 86 200 Einw.
Größte Stadt: Jacksonville, 580 000 Einw.
Beitritt zur Union: 3. März 1854 (27.)
Staatsmotto: Wir vertrauen auf Gott
Berühmte Einwohner: Henry M. Flagler, Joseph W. Stinwell
Nationalpark: Everglades

Georgia (GA)
Namenherkunft: benannt nach König Georg II. von England
Beinamen: Empire State of the South (Hauptstadt des Südens), Peach State (Pfirsich-Staat)
Fläche: 152 483 km² (21.)
Bevölkerung: 5,1 Millionen (14.)
Höchster Punkt: Brasstown Bald, 1458 m
Längster Fluß: Ogeechee
Hauptstadt und größte Stadt: Atlanta, 425 600 Einw.
Beitritt zur Union: Als 4. der 13 alten Staaten am 2. Januar 1788
Staatsmotto: Weisheit, Gerechtigkeit, Mäßigung
Berühmte Einwohner: Margaret Mitchell, Martin Luther King, Erskine Caldwell, Lucius D. Clay, Jimmy Carter
Nationalpark: National Military Park

Hawaii (HI)
Namenherkunft: »Heimatland« oder »Götterwohnung« in der Sprache der Eingeborenen
Beiname: Aloha State (Willkommen-Staat)
Fläche: 16 705 km² (47.)
Bevölkerung: 0,9 Millionen Einw. (40.)
Höchster Punkt: Mauna Kea, 4208 m
Hauptstadt und größte Stadt: Honolulu, 705 380 Einw.
Beitritt zur Union: 21. August 1959 (50.)
Staatsmotto: Das Land währt ewig in Rechtschaffenheit
Berühmte Einwohner: Bette Midler, Daniel K. Inouye
Nationalparks: Haleakala, Hawaii Volcanoes

Idaho (ID)
Namenherkunft: »Licht in den Bergen«, aus der Sioux-Sprache
Beiname: Gem State (Edelstein-Staat)
Fläche: 216 404 km² (11.)
Bevölkerung: 0,8 Mill. Einw. (41.)
Höchster Punkt: Borah Peak, 3859 m
Längster Fluß: Snake River
Hauptstadt und größte Stadt: Boise City, 103 000 Einw.
Beitritt zur Union: 3. Juli 1890 (43.)
Staatsmotto: Laßt es ständig währen
Berühmte Einwohner: William E. Borah, Fred T. Dubois

Illinois (IL)
Namenherkunft: »Männerland« oder »Kriegerland«, französische Umbildung aus der Algonkin-Sprache
Beiname: The Inland Empire (Das Inlands-Reich)
Fläche: 146 070 km² (24.)
Bevölkerung: 11,3 Millionen Einw. (5.)
Höchster Punkt: Charles Mound, 376 m
Längster Fluß: Illinois River
Hauptstadt: Springfield, 88 200 Einw.
Größte Stadt: Chicago, 3 Millionen Einw.
Beitritt zur Union: 3. Dezember 1818 (21.)
Staatsmotto: Staatliche Souveränität, nationale Einigkeit
Berühmte Einwohner: Abraham Lincoln, Adlai Stevenson, Carl Sandburg, Ernest Hemingway

Indiana (IN)
Namenherkunft: »Land der Indianer«
Beiname: Hoosier State (nach »Who's there«, dem Ruf der Siedler, wenn jemand an die Tür klopfte)
Fläche: 93 990 km² (38.)
Bevölkerung: 5,3 Millionen Einw. (12.)
Höchster Punkt: Franklin Township, 383 m.

Längster Fluß: Ohio
Hauptstadt und größte Stadt: Indianapolis, 708 000 Einw.
Beitritt zur Union: 11. Dezember 1816 (19.)
Staatsmotto: Kreuzstraße Amerikas
Berühmte Einwohner: Wilbur Wright, Cole Porter, Theodore Dreiser

Iowa (IA)
Namenherkunft: »Der Schläfrige«, aus der Sioux-Sprache
Beiname: Hawkeye State (Falkenaugen-Staat)
Fläche: 145 785 km² (23.)
Bevölkerung: 2,8 Millionen Einw. (26.)
Höchster Punkt: namenlos (nordostwärts von Sibley), 509 m
Längster Fluß: Des Moines
Hauptstadt und größte Stadt: Des Moines, 195 400 Einw.
Beitritt zur Union: 28. Dezember 1846 (29.)
Staatsmotto: Wir preisen unsere Freiheit und wollen unsere Rechte bewahren
Berühmte Einwohner: Buffalo Bill Cody, Herbert Hoover, Susan Glaspell

Kansas (KS)
Namenherkunft: »Südwindvolk«, aus der Sioux-Sprache
Beiname: Sunflower State (Sonnenblumen-Staat)
Fläche: 213 055 km² (13.)
Bevölkerung: 2,3 Millionen Einw. (32.)
Höchster Punkt: Mount Sunflower, 1231 m
Längster Fluß: Kansas
Hauptstadt: Topeka, 120 200 Einw.
Größte Stadt: Wichita, 265 500 Einw.
Beitritt zur Union: 29. Januar 1861 (34.)
Staatsmotto: Per aspera ad astra
Berühmte Einwohner: Amelia Earhart, Walter P. Chrysler, Dwight D. Eisenhower

Kentucky (KY)
Namenherkunft: »Ebenes Land«, aus der Sprache der Wyandotte-Indianer
Beiname: Blue Grass State (Blaugras-Staat)
Fläche: 104 619 km² (37.)
Bevölkerung: 3,5 Millionen Einw. (23.)
Höchster Punkt: Black Mountain, 1263 m
Längster Fluß: Cumberland River
Hauptstadt: Frankfort, 21 350 Einw.
Größte Stadt: Louisville, 330 500 Einw.
Beitritt zur Union: 1. Juni 1792 (15.)
Staatsmotto: Vereinigt stehen wir, getrennt fallen wir
Berühmte Einwohner: Abraham Lincoln, Jefferson Davis
Nationalpark: Mammoth Cave

Louisiana (LA)
Namenherkunft: benannt nach König Louis XIV. von Frankreich
Beiname: Pelican State (Pelikan-Staat)
Fläche: 125 670 km² (33.)
Bevölkerung: 3,9 Millionen Einw. (20.)
Höchster Punkt: Driskill Mountain, 163 m
Längster Fluß: Mississippi
Hauptstadt: Baton Rouge, 219 700 Einw.
Größte Stadt: New Orleans, 562 000 Einw.
Beitritt zur Union: 30. April 1812 (18.)
Staatsmotto: Einigkeit, Gerechtigkeit, Vertrauen
Berühmte Einwohner: Leonidas K. Polk, Grace King

Maine (ME)
Namenherkunft: benannt nach einer einstigen französischen Provinz
Beiname: Pine Tree State (Kiefern-Staat)
Fläche: 86 023 km² (39.)
Bevölkerung: 1,1 Millionen Einw. (38.)
Höchster Punkt: Mount Katahdin, 1605 m
Längster Fluß: Penobscot River
Hauptstadt: Augusta, 20 900 Einw.
Größte Stadt: Portland, 66 500 Einw.
Beitritt zur Union: 15. März 1820 (23.)
Staatsmotto: Ich führe
Berühmte Einwohner: Longfellow, Kenneth Roberts
Nationalpark: Acadia

Maryland (MD)
Namenherkunft: benannt nach der englischen Königin Henrietta Mary, Frau Karls I.
Beinamen: Old Line State (Staat der bewährten Grundsätze), Free State (Freier Staat)
Fläche: 27 393 km² (42.)
Bevölkerung: 4,1 Millionen Einw. (18.)
Höchster Punkt: Backbone Mountain, 1024 m
Längster Fluß: Patuxent
Hauptstadt: Annapolis, 32 100 Einw.
Größte Stadt: Baltimore, 906 000 Einw.
Beitritt zur Union: Als 7. der 13 alten Staaten am 28. April 1788
Staatsmotto: Männliche Taten, weibliche Worte
Berühmte Einwohner: Upton Sinclair, James M. Cain

Massachusetts (MA)
Namenherkunft: »Land auf den großen Hügeln«, indianisch
Beinamen: Bay State (Bucht-Staat), Old Colony (Alte Kolonie)
Fläche: 21 358 km² (45.)
Bevölkerung: 5,8 Millionen Einw. (10.)
Höchster Punkt: Mount Greylock, 1064 m
Längster Fluß: Merrimack
Hauptstadt und größte Stadt: Boston, 618 200 Einw.
Beitritt zur Union: Als 6. der 13 alten Staaten am 6. Februar 1788
Staatsmotto: Mit dem Schwert suchen wir Frieden, aber nur Frieden in Freiheit
Berühmte Einwohner: Samuel, John und John Quincy Adams, Paul Revere, Edgar Allan Poe, John F. und Edward M. Kennedy

Michigan (MI)
Namenherkunft: »Großes Wasser«, nach einem Chippewa-Wort
Beinamen: Great Lake State (Staat der Großen Seen), Wolverine State (Vielfraß-Staat)
Fläche: 150 773 km² (22.)
Bevölkerung: 9,1 Millionen Einw. (7.)
Höchster Punkt: Mount Curwood, 603 m
Längster Fluß: Muskegon
Hauptstadt: Lansing, 126 000 Einw.
Größte Stadt: Detroit, 1,3 Millionen Einw.
Beitritt zur Union: 26. Januar 1837 (26.)
Staatsmotto: Wenn du eine schöne Halbinsel suchst, schau dich um
Berühmte Einwohner: Robert Ingersoll, Henry Ford, Gerald Ford
Nationalpark: Isle Royale

Minnesota (MN)
Namenherkunft: »Trübes Wasser«, nach einem Dakota-Wort
Beinamen: North Star State (Nordstern-Staat), Gopher State (Erdhörnchen-Staat)
Fläche: 217 728² (14).

Bevölkerung: 4,03 Mill. Einw. (19.)
Höchster Punkt: Eagle Mountain, 701 m
Längster Fluß: Mississippi
Hauptstadt: St. Paul, 272 400 Einw.
Größte Stadt: Minneapolis, 363 800 Einw.
Beitritt zur Union: 11. Mai 1858 (32.)
Staatsmotto: Stern des Nordens
Berühmte Einwohner: Charles Lindbergh, Sinclair Lewis, Hubert Humphrey, Walter F. Mondale

Mississippi (MS)
Namenherkunft: nach dem Mississippi-Fluß, aus der Chippewa-Sprache
Beiname: Magnolia State (Magnolien-Staat)
Fläche: 123 580 km² (31.)
Bevölkerung: 2,4 Millionen Einw. (31.)
Höchster Punkt: Woodall Mountain, 245 m
Längster Fluß: Mississippi
Hauptstadt und größte Stadt: Jackson, 188 200 Einw.
Beitritt zur Union: 10. Dezember 1817 (20.)
Staatsmotto: Mit Tapferkeit und Waffen
Berühmte Einwohner: Jefferson Davis, William Faulkner, Leontyne Price, Elvis Presley

Missouri (MO)
Namenherkunft: »Kanubesitzer«, nach dem Namen eines Algonkin-Indianerstammes
Beiname: Show Me State (Zeig-mir-Staat)
Fläche: 180 480 km² (18.)
Bevölkerung: 4,8 Millionen Einw. (15.)
Höchster Punkt: Taum Sauk Mountain, 540 m
Längster Fluß: Missouri
Hauptstadt: Jefferson City, 32 400 Einw.
Größte Stadt: St. Louis, 534 100 Einw.
Beitritt zur Union: 10. August 1821 (24.)
Staatsmotto: Die Wohlfahrt des Volkes sei das höchste Gesetz
Berühmte Einwohner: Mark Twain, Omar Bradley, John J. Pershing, Harry S. Truman

Montana (MT)
Namenherkunft: »Bergiges Land«, aus dem Lateinischen abgeleitet
Beiname: Treasure State (Schatz-Staat)
Fläche: 381 073 km² (4.)
Bevölkerung: 0,77 Millionen Einw. (43.)
Höchster Punkt: Granite Peak, 3901 m
Längster Fluß: Missouri
Hauptstadt: Helena, 27 300 Einw.
Größte Stadt: Billings, 79 400 Einw.
Beitritt zur Union: 8. November 1889 (41.)
Staatsmotto: Gold und Silber
Berühmte Einwohner: Gary Cooper, Mike Mansfield
Nationalpark: Glacier

Nebraska (NE)
Namenherkunft: »Flacher Fluß«, Omaha-Bezeichnung für den Platte River
Beiname: Cornhusker State (Getreideschäler-Staat)
Fläche: 200 010 km² (15.)
Bevölkerung: 1,5 Millionen Einw. (35.)
Höchster Punkt: Johnson Township, 1653 m
Längster Fluß: Platte
Hauptstadt: Lincoln, 164 000 Einw.
Größte Stadt: Omaha, 370 000 Einw.
Beitritt zur Union: 1. März 1867 (37.)
Staatsmotto: Gleichheit vor dem Gesetz
Berühmte Einwohner: Harold Lloyd, Marlon Brando, Henry Fonda, Alfred Gruenther

Nevada (NV)
Namenherkunft: »Schneebedeckt«, aus dem Spanischen
Beinamen: Sagebrush State (Beifuß-Staat), Battle Born State (Kampfgeborener Staat)
Fläche: 286 284 km² (7.)
Bevölkerung: 0,66 Millionen Einw. (46.)
Höchster Punkt: Boundary Peak, 4005 m
Längster Fluß: Quinn
Hauptstadt: Carson City, 26 590 Einw.
Größte Stadt: Las Vegas, 359 700 Einw.
Beitritt zur Union: 31. Oktober 1864 (36.)
Staatsmotto: Alles für unser Land
Berühmte Einwohner: Robert C. Lynch, Sarah Winnemucca Hopkins

New Hampshire (NH)
Namenherkunft: nach der englischen Grafschaft Hampshire
Beiname: Granite State (Granit-Staat)
Fläche: 24 096 km² (44.)
Bevölkerung: 0,87 Millionen Einw. (42.)
Längster Fluß: Merrimack
Hauptstadt: Concord, 28 960 Einw.
Größte Stadt: Manchester, 87 700 Einw.
Beitritt zur Union: Als 9. der 13 alten Staaten am 21. Juni 1788
Staatsmotto: Lebe frei oder stirb
Berühmte Einwohner: Daniel Webster, Robert Frost, Horace Greeley

New Jersey (NJ)
Namenherkunft: Umbildung eines vom Herzog von York verliehenen Namens, Nova Caesaria, etwa: Neues Reich
Beiname: Garden State (Garten-Staat)
Fläche: 20 294 km² (46.)
Bevölkerung: 7,3 Millionen Einw. (9.)
Höchster Punkt: High Point, 549 m
Längster Fluß: Delaware
Hauptstadt: Trenton, 99 670 Einw.
Größte Stadt: Newark, 382 200 Einw.
Beitritt zur Union: Als 3. der 13 alten Staaten am 18. Dezember 1787
Staatsmotto: Freiheit und Gedeihen
Berühmte Einwohner: Whalt Whitman, Thomas Alva Edison, Paul Robeson

New Mexico (NM)
Namenherkunft: Neu-Mexiko, von spanischen Siedlern eingeführt
Beiname: Land of Enchantment (Land der Verzauberung)
Fläche: 315 103 km² (5.)
Bevölkerung: 1,2 Millionen Einw. (37.)
Höchster Punkt: Wheeler Peak, 4011 m
Längster Fluß: Rio Grande
Hauptstadt: Santa Fé, 45 900 Einw.
Größte Stadt: Albuquerque, 311 900 Einw.
Beitritt zur Union: 6. Januar 1912 (47.)
Staatsmotto: Es wächst und gedeiht
Berühmte Einwohner: Billy Bonney (the Kid), Kit Carson, Pat Garrett
Nationalpark: Carlsbad Caverns

New York (NY)
Namenherkunft: nach dem Herzog von York
Beiname: Empire State (Reichs-Staat)
Fläche: 128 397 km² (30.)
Bevölkerung: 17,8 Millionen Einw. (2.)
Höchster Punkt: Mount Marcy, 1628 m

Längster Fluß: Hudson
Hauptstadt: Albany, 109 100 Einw.
Größte Stadt: New York, 7,4 Millionen Einw.
Beitritt zur Union: Als 11. der 13 alten Staaten am 26. Juli 1788
Staatsmotto: Ständig aufwärts
Berühmte Einwohner: Theodore und Franklin Roosevelt, Herman Melville, George Eastman

North Carolina (NC)
Namenherkunft: nach König Karl I. von England, ursprünglich Carolana = Karlsland
Beinamen: Tar Heel State (Fichtenheiden-Staat), Old North State (Alter Nord-Staat)
Fläche: 136 192 km² (29.)
Bevölkerung: 5,5 Mill. Einw. (11.)
Höchster Punkt: Mount Mitchell, 2037 m
Längster Fluß: Roanoke
Hauptstadt: Raleigh, 136 800 Einw.
Größte Stadt: Charlotte, 306 000 Einw.
Beitritt zur Union: Als 12. der 13 alten Staaten am 21. November 1789
Staatsmotto: Sein ist besser als scheinen
Berühmte Einwohner: James K. Polk, Jim Hunter, Enos Slaughter

North Dakota (ND)
Namenherkunft: »Freund«, aus der Sioux-Sprache
Beinamen: Sioux State, Flickertail State (Erdhörnchen-Staat)
Fläche: 183 015 km² (17.)
Bevölkerung: 0,66 Mill. Einw. (47.)
Höchster Punkt: White Butte, 1068 m
Längster Fluß: Missouri
Hauptstadt: Bismarck, 39 800 Einw.
Größte Stadt: Fargo, 53 360 Einw.
Beitritt zur Union: 2. November 1889 mit South Dakota (39./40.)
Staatsmotto: Freiheit und Einheit, jetzt und für immer, eins und untrennbar
Berühmte Einwohner: Maxwell Anderson, Peggy Lee, Dorothy Stickney

Ohio (OH)
Namenherkunft: »Großer Fluß«, indianische Bezeichnung für den Ohio River
Beiname: Buckeye State (Kastanien-Staat)
Fläche: 106 761 km² (35.)
Bevölkerung: 10,7 Millionen Einw. (6.)
Höchster Punkt: Campbell Hill, 472 m
Längster Fluß: Ohio
Hauptstadt: Columbus, 533 000 Einw.
Größte Stadt: Cleveland, 638 800 Einw.
Beitritt zur Union: 1. März 1803 (17.)
Staatsmotto: Mit Gott sind alle Dinge möglich
Berühmte Einwohner: Orville Wright, Sherwood Anderson, John D. Rockefeller, Bob Hope, John Glenn

Oklahoma (OK)
Namenherkunft: »Roter Mann«, nach einem Choctaw-Wort
Beiname: Sooner State (Siedler-Staat; ein Sooner ist ein Siedler, der Regierungsland vor dessen Freigabe belegt, um sich Prioritätsrechte zu sichern)
Fläche: 181 083 km² (19.)
Bevölkerung: 2,8 Millionen Einw. (27.)
Höchster Punkt: Black Mesa, 1515 m
Längster Fluß: Canadian
Hauptstadt und größte Stadt: Oklahoma City, 369 400 Einw.
Beitritt zur Union: 16. November 1907 (46.)
Staatsmotto: Arbeit besiegt alles
Berühmte Einwohner: Will Rogers, Wiley Post, Roger Miller
Nationalpark: Platt

Oregon (OR)
Namenherkunft: »Schönes Wasser«, nach einem Algonkin-Wort
Beiname: Beaver State (Biber-Staat)
Fläche: 251 171 km² (10.)
Bevölkerung: 2,4 Millionen Einw. (29.)
Höchster Punkt: Mount Hood, 3424 m
Längster Fluß: Columbia
Hauptstadt: Salem, 79 660 Einw.
Größte Stadt: Portland, 375 700 Einw.
Beitritt zur Union: 14. Februar 1859 (33.)
Staatsmotto: Die Einheit
Berühmte Einwohner: John McLoughlin, John Reed, Ernest Bloch
Nationalpark: Crater Lake

Pennsylvania (PA)
Namenherkunft: »Penns Waldland«, nach William Penn, der das Land erschloß
Beiname: Keystone State (Schlußstein-Staat)
Fläche: 117 408 km² (32.)
Bevölkerung: 11,8 Millionen Einw.
Höchster Punkt: Mount Davis, 979 m
Längster Fluß: Susquehanna
Hauptstadt: Harrisburg, 68 100 Einw.
Größte Stadt: Philadelphia, 1,8 Millionen Einw.
Beitritt zur Union: Als 2. der 13 alten Staaten am 12. Dezember 1787
Staatsmotto: Tugend, Freiheit und Unabhängigkeit
Berühmte Einwohner: Benjamin Franklin, Andrew Carnegie, George C. Marshall, Maxwell Anderson

Rhode Island (RI)
Namenherkunft: »Rote Insel«, nach dem dort vorkommenden roten Tonboden
Beinamen: Ocean State (Ozean-Staat), Little Rhody
Fläche: 3144 km² (48.)
Bevölkerung: 0,9 Millionen Einw. (39.)
Längster Fluß: Chepachet
Hauptstadt und größte Stadt: Providence, 165 000 Einw.
Beitritt zur Union: Als 13. Staat am 29. Mai 1790
Staatsmotto: Hoffnung
Berühmte Einwohner: Nathanael Greene, Gilbert Stuart, Jabez Gorham

South Carolina (SC)
Namenherkunft: siehe North Carolina
Beiname: Palmetto State (Kohlpalmen-Staat)
Fläche: 80 429 km² (40.)
Bevölkerung: 2,9 Millionen Einw. (25.)
Höchster Punkt: Sassafras Mountain, 1085 m
Längster Fluß: Savannah
Hauptstadt und größte Stadt: Columbia, 112 800 Einw.
Beitritt zur Union: Als 8. der 13 alten Staaten am 23. Mai 1788
Staatsmotto: Geistig und körperlich vorbereitet
Berühmte Einwohner: Andrew Jackson, John C. Calhoun, James F. Byrnes

South Dakota (SD)
Namenherkunft: siehe North Dakota
Beinamen: Coyote State, Sunshine State (Sonnenschein-Staat)
Fläche: 199 544 km² (16.)
Bevölkerung: 0,69 Mill. Einw. (44.)
Höchster Punkt: Harney Peak, 2207 m
Längster Fluß: Missouri
Hauptstadt: Pierre, 9700 Einw.
Größte Stadt: Sioux Falls, 85 000 Einw.
Beitritt zur Union: Am 2. November

1889 mit North Dakota (39./40.)
Staatsmotto: Das Volk regiert mit Gott
Berühmte Einwohner: Sitting Bull, Crazy Horse, Ernest O. Lawrence
Nationalparks: Badlands, Wind Cave

Tennessee (TN)
Namenherkunft: nach einem Irokesen-Wort für Siedlungen am Fluß
Beiname: Volunteer State (Freiwilligen-Staat)
Fläche: 109 408 km² (34.)
Bevölkerung: 4,3 Millionen Einw. (17.)
Höchster Punkt: Clingmans Dome, 2024 m
Längster Fluß: Tennessee
Hauptstadt: Nashville, 430 940 Einw.
Größte Stadt: Memphis, 667 500 Einw.
Beitritt zur Union: 1. Juni 1796 (16.)
Staatsmotto: Landwirtschaft und Handel
Berühmte Einwohner: Pat Boone, Dinah Shore, Cordell Hull
Nationalpark: Great Smoky Mountains

Texas (TX)
Namenherkunft: »Verbündeter« oder »Freund« in der Sprache der Caddo-Indianer
Beiname: Lone Star State (Ein-Stern-Staat)
Fläche: 692 379 km² (2.)
Bevölkerung: 13,1 Millionen Einw. (3.)
Höchster Punkt: Guadalupe Peak, 2666 m
Längster Fluß: Rio Grande
Hauptstadt: Austin, 313 000 Einw.
Größte Stadt: Houston, 1,5 Millionen Einw.
Beitritt zur Union: 29. Dezember 1845 (28.)
Staatsmotto: Freundschaft
Berühmte Einwohner: Sam Houston, Dwight D. Eisenhower, Lyndon B. Johnson, Howard Hughes, Katharine Ann Porter
Nationalpark: Big Bend

Utah (UT)
Namenherkunft: »Höher hinauf«, aus der Navajo-Sprache
Beiname: Beehive State (Bienenkorb-Staat)
Fläche: 219 924 km² (12.)
Bevölkerung: 1,3 Mill. Einw. (36.)
Höchster Punkt: Kings Peak, 4123 m
Längster Fluß: Colorado
Hauptstadt und größte Stadt: Salt Lake City, 168 700 Einw.
Beitritt zur Union: 4. Januar 1896 (45.)
Staatsmotto: Betriebsamkeit
Berühmte Einwohner: Brigham Young, George Romney, Loretta Young
Nationalparks: Arches, Bryce Canyon, Canyonlands, Capitol Reef, Zion

Vermont (VT)
Namenherkunft: »Grüner Berg«, aus dem Französischen
Beiname: Great Mountain State (Großer-Berg-Staat)
Fläche: 24 886 km² (43.)
Bevölkerung: 0,87 Millionen Einw. (42.)
Höchster Punkt: Mount Mansfield, 1338 m
Längster Fluß: Connecticut
Hauptstadt: Montpelier, 8080 Einw.
Größte Stadt: Burlington, 38 600 Einw.
Beitritt zur Union: 4. März 1791 (14.)
Staatsmotto: Freiheit und Einigkeit
Berühmte Einwohner: Calvin Coolidge, Stephen A. Douglas, John Dewey

Virginia (VA)
Namenherkunft: »Jungfrau-Land«, nach der »jungfräulichen« Königin Elisabeth I. von England
Beiname: Old Dominion (etwa: Alte Herrschaft)
Fläche: 105 712 km² (36.)
Bevölkerung: 5,2 Mill. Einw. (13.)
Höchster Punkt: Mount Rogers, 1746 m
Längster Fluß: Rappahannock
Hauptstadt: Richmond, 226 630 Einw.
Größte Stadt: Norfolk, 285 500 Einw.
Beitritt zur Union: Als 10. der 13 alten Staaten am 25. Juni 1788
Staatsmotto: Tod den Tyrannen
Berühmte Einwohner: George Washington, Thomas Jefferson, Richard E. Byrd
Nationalpark: Shenandoah

Washington (WA)
Namenherkunft: nach George Washington, einem der Väter der US-Verfassung
Beiname: Evergreen State (Immergrüner Staat)
Fläche: 176 610 km² (20.)
Bevölkerung: 3,7 Mill. Einw. (22.)
Höchster Punkt: Mount Rainier, 4392 m
Längster Fluß: Columbia
Hauptstadt: Olympia, 23 100 Einw.
Größte Stadt: Seattle, 504 400 Einw.
Beitritt zur Union: 11. November 1889 (42.)
Staatsmotto: Nach und nach
Berühmte Einwohner: Bing Crosby, Eric Johnston, Upton Close
Nationalparks: Mount Rainier, North Cascades, Olympic

Washington D.C.
(District of Columbia, Bundesdistrikt)
Namenherkunft: siehe Washington
Fläche: 173 km²
Bevölkerung: 0,7 Millionen Einw.
Höchster Punkt: Washington Monument, 199 m
District of Columbia: Seit dem 10. Juni 1800 Sitz der amerikanischen Bundesregierung
Motto: Gerechtigkeit für alle

West Virginia (WV)
Namenherkunft: siehe Virginia
Beiname: Mountain State (Berg-Staat)
Fläche: 62 626 km² (41.)
Bevölkerung: 1,8 Mill. Einw. (34.)
Höchster Punkt: Spruce Knob, 1482 m
Längster Fluß: Monongahela
Hauptstadt: Charleston, 66 800 Einw.
Größte Stadt: Huntington, 74 300 Einw.
Beitritt zur Union: 20. Juni 1863 (35.)
Staatsmotto: Bergbewohner sind immer frei
Berühmte Einwohner: Pearl S. Buck, Eleanor Steber, Dwight Morrow

Wisconsin (WI)
Namenherkunft: »Grasiges Land«, nach einem Chippewa-Wort
Beiname: Badger State (Dachs-Staat)
Fläche: 145 433 km² (25.)
Bevölkerung: 4,6 Millionen Einw. (16.)
Höchster Punkt: Timms Hill, 594 m
Längster Fluß: Wisconsin
Hauptstadt: Madison, 170 500 Einw.
Größte Stadt: Milwaukee, 666 400 Einw.
Beitritt zur Union: 29. Mai 1848 (30.)
Staatsmotto: Vorwärts
Berühmte Einwohner: Thornton Wilder, Edna Ferber, Alfred Lunt

Wyoming (WY)
Namenherkunft: »Weites Prärieland«, nach einem Algonkin-Wort
Beiname: Equality State (Gleichheits-Staat)

Fläche: 253 587 km² (9.)
Bevölkerung: 0,43 Millionen Einw. (50.)
Höchster Punkt: Gannett Peak, 4702 m
Längster Fluß: Platte
Hauptstadt und größte Stadt: Cheyenne, 47 800 Einw.
Beitritt zur Union: 10. Juli 1890 (44.)
Staatsmotto: Gleiches Recht für alle
Berühmte Einwohner: Buffalo Bill Cody, Jim Bridger
Nationalparks: Grand Teton, Yellowstone

Commonwealth of Puerto Rico
Namenherkunft: »Reicher Hafen«, aus dem Spanischen
Fläche: 8896 km²
Bevölkerung: 3,2 Millionen Einw.
Höchster Punkt: Cerro de Punta, 1338 m
Hauptstadt: San Juan, 518 700 Einw.
Status: Seit dem 25. Juli 1952 als Commonwealth mit den Vereinigten Staaten verbunden.
Berühmte Einwohner: Pablo Casals, Rita Morena, Horatio Rivero

Virgin Islands (Jungfern-Inseln)
(Unincorporated Territory)
Fläche: 344 km²
Bevölkerung: 0,1 Millionen Einw.
Hauptstadt: Charlotte Amalie, 12 372 Einw. (auf St. Thomas)
Status: 1917 von Dänemark für Verteidigungszwecke gekauft

Guam
(Unincorporated Territory)
Fläche: 541 km²
Bevölkerung: 0,1 Millionen Einw.
Hauptstadt: Agana, 2100 Einw.

American Samoa
(Unincorporated Territory)
Fläche: 197 km²
Bevölkerung: 0,031 Millionen Einw.
Hauptstadt: Fagotogo, 1340 Einw. (auf Tutuila)

Wake
(US-Besitz)
Fläche: 8 km²
Bevölkerung: 0,001 Millionen Einw.
Status: Seit 1899 US-Besitz

Register

Kursiv gedruckte Ziffern bezeichnen Abbildungen